NARCISSISME DE VIE
NARCISSISME DE MORT

COLLECTION "CRITIQUE"

ANDRÉ GREEN

NARCISSISME DE VIE
NARCISSISME DE MORT

LES ÉDITIONS DE MINUIT

© 1983 by Les Éditions de Minuit
7, rue Bernard-Palissy — 75006 Paris

ISBN 2-7073-0635-5

Give me that glass, and therein shall I read.

(IV, 1, 276)

Thus I play in one person many people
And none contented...

(V, 5, 31)

... But whate'er shall I be
Nor I, nor any man that but man is,
With nothing shall be pleased, till he be eased
With being nothing...

(V, 5, 38)

....

Mount, mount my soul! thy seat is up on high
Whilst my gross flesh sinks downward, here to die

(V, 5, III)

SHAKESPEARE
Richard II.

« Or comme le moi vit incessamment en pensant une quantité de choses, qu'il n'est que la pensée de ces choses, quand par hasard, au lieu d'avoir devant lui ces choses, il pense tout d'un coup à soi-même, il ne trouve qu'un appareil vide, quelque chose qu'il ne connaît pas, auquel pour lui donner quelque réalité il ajoute le souvenir d'une figure aperçue dans la glace. Ce drôle de sourire, ces moustaches inégales, c'est cela qui disparaîtra de la surface de la terre. (...) Et mon moi me paraît encore plus nul de le voir déjà comme quelque chose qui n'existe plus. »

PROUST

A la recherche du temps perdu (La fugitive), Pléiade, t. III,
    p. 456.

le narcissisme et la psychanalyse : hier et aujourd'hui

Aux heures du verger.

Analyser, c'est soumettre à la masse compacte et souvent confuse des faits — et d'autant plus que l'on aura renoncé à les percevoir sous l'unité apparente du discours — l'épreuve d'une différenciation selon des axes qui devraient révéler une autre composition de l'objet — inapparente, celle-là — par où se révélerait sa nature véritable. Cet objectif idéal est d'autant plus difficile à atteindre que l'on s'écarte de l'objet du monde physique pour se rapprocher de l'objet psychique. Car, alors que les objets du monde de la nature n'opposent qu'une réponse passive à l'examen, les objets humains ajoutent à celle-ci une résistance active qui fait obstacle à leur dévoilement, si tant est qu'on puisse légitimement employer ce terme pour qualifier le résultat de l'investigation.

Une des raisons majeures de cette opposition tenace, lorsque l'analyse porte sur le Moi, est le narcissisme. Le ciment qui maintient l'unité constituée du Moi a rassemblé ses composantes pour acquérir une identité formelle aussi précieuse au sentiment de son existence que le sens par lequel il s'appréhende comme être. A ce titre, le narcissisme oppose une des résistances les plus farouches à l'analyse. La défense de l'Un n'entraîne-t-elle pas *ipso facto* le refus de l'inconscient, puisque celui-ci implique l'existence d'une part du psychisme qui agit pour son propre compte, mettant en échec l'empire du Moi ? Encore fallait-il pour l'appréhender que la démarche analytique ait pu individualiser son existence et sa fonction. Car c'est là un autre obstacle à l'analyse des objets humains, les axes et les constituants qui les composent ne se donnent pas immédiatement à l'esprit par l'observation ou la déduction. Et l'on a pu même nier que la théorie psychanalytique dérive de l'expérience, tant la grille d'interprétation paraissait devoir être préalable à toute compréhension, si partielle qu'elle fût, des événements psychiques et encore davantage de la structure du sujet.

Le narcissisme fut d'une certaine manière une parenthèse dans la pensée de Freud. Si la sexualité reste la constante indétrônable de toute la théorie de l'inventeur de la psychanalyse, son pouvoir est toujours contesté par une force adverse qui, elle, varia au fil des années. Avant le narcissisme, ce furent les pulsions d'auto-conservation, après lui, les pulsions de mort. Dans l'inter-règne de la première et de la dernière théorie des pulsions, le narcissisme résultera de la libidinisation des pulsions du Moi vouées jusque-là à l'auto-conservation. Ce fut certes un saut décisif pour Freud de porter la sexualité au sein du Moi, alors que ce dernier paraissait de prime abord échapper à son emprise. Avec le narcissisme, Freud pensait avoir trouvé la cause de l'inaccessibilité de certains patients à la psychanalyse. La libido s'étant détournée des objets et ayant reflué sur le Moi empêchait tout transfert, à tous les sens du terme, donc toute élaboration de la psycho-sexualité qui avait trouvé refuge dans un sanctuaire inviolable. A l'époque, Freud pensait que le trouble fondamental de la psychose venait de cette retraite de la libido, qui trouvait plus de satisfaction là où elle avait trouvé asile que dans l'aventure de la libido d'objet, source d'autres satisfactions mais aussi de combien de déceptions, de menaces, d'incertitudes.

Il fallait donc découvrir le narcissisme, comme sous-ensemble de la psyché, avant de pouvoir rendre compte de sa place dans la topique, la dynamique et l'économie de la libido. Cette dimension de la vie psychique ne s'imposa pas d'emblée dans la psychanalyse. Il fallut près de vingt ans de réflexion et d'expérience pour que Freud se décide à en faire l'hypothèse dans son écrit princeps sur la question, « Pour introduire le narcissisme » (1914). Aux analystes, cette acquisition théorique parut pertinente et éclairante ; aussi quel ne fut pas leur étonnement lorsque, moins de sept ans après, *Au-delà du principe de plaisir* (1921) venait affirmer que cette pertinence était illusoire, parce qu'elle conduisait à une conception moniste de la libido.

En somme, le narcissisme était un leurre d'autant plus efficace qu'il faisait subir à la théorie la séduction dont lui-même était l'expression : l'illusion unitaire, portant cette fois sur la libido. Freud décida alors de mettre fin à cette péripétie de sa pensée en proposant la dernière théorie des pulsions opposant les pulsions de vie et les pulsions de mort. L'hypothèse des pulsions de mort devait susciter des controverses. La sexualité à son tour changeait de statut. Ce ne seront pas les pulsions sexuelles mais les pulsions de vie qui s'opposeront aux pulsions de mort. Ce qui paraît n'être qu'une nuance est gros de conséquences. Car, devant le spectre de la mort, le seul adversaire qui soit à sa hauteur, c'est l'Eros, figure métaphorique des pulsions de vie. Que regroupe cette nouvelle dénomination ? La somme des pulsions précédemment décrites qui se trouvent désormais rassemblées sous un chef unique : les pulsions d'auto-conservation, les pulsions sexuelles, la libido d'objet et le narcissisme. En somme, tous les constituants des théories des pulsions antérieures ne sont plus que des sous-ensembles réunis par une fonction identique : la défense et l'accomplissement de la vie par Eros contre les effets dévastateurs des pulsions de mort.

On voit combien l'amour qui semble aller de soi, être ce qu'il y a de plus « naturel », est en fait contrarié de toutes parts. Il a non seulement à faire face à un redoutable adversaire qui finit toujours par l'emporter, mais pâtit des dissensions qui divisent son propre camp, chacun des sous-ensembles étant en conflit avec les autres au sein même des pulsions de vie. Ainsi, dans la vie même, certaines forces — le principe de plaisir lui-même ! — collaborent à leur insu avec les pulsions de mort. Il fallut de l'audace pour proposer aux psychanalystes, encore grisés par un appétit de conquête, d'accepter de reconnaître cette implacable armée des ombres — les puissances de mort — qui sapait leurs tentatives thérapeutiques.

Ce qui n'était au début qu'une spéculation qui ne contraignait pas les psychanalystes à l'accepter devait devenir au fil des ans, à l'épreuve de la clinique — et aussi des phénomènes sociaux —, une certitude, pour Freud tout au moins, car on ne peut dire qu'il ait été unanimement suivi sur ce point [1]. Toujours est-il que la communauté analytique s'attela davantage, semble-t-il, à la discussion des innovations théoriques de Freud qu'à manifester son attachement pour la théorie qu'elles avaient détrônées, où le narcissisme occupait la place centrale.

---

1. En 1971, l'Association Psychanalytique Internationale, qui célébra le retour de Freud à Vienne en la personne de sa fille Anna à l'occasion du Congrès international de psychanalyse, proposa comme thème de réflexion à ses débats scientifiques l'agressivité. On put constater, cinquante ans après *Au-delà du principe du plaisir*, que la quasi-totalité des analystes demeuraient sceptiques à l'égard de l'existence des pulsions de mort, kleiniens exceptés. Ces derniers lui donnent cependant une signification assez différente de celle de Freud.

Une autre raison de l'oubli du narcissisme, tant pour Freud que pour ses disciples, peut être invoquée avec la création de la deuxième topique qui comportait une réévaluation du Moi. Cette innovation-là fut beaucoup mieux accueillie que la pulsion de mort. Freud semblait vouloir miner le moral de ses troupes, puisque l'ennemi qui ruinait leurs espoirs thérapeutiques se révélait pratiquement invincible. On aurait pu s'attendre alors, à la faveur de la conception nouvelle du Moi, à une reprise des problèmes posés par le narcissisme vus sous l'angle de la deuxième topique et de la dernière théorie des pulsions dans un effort d'intégration des acquisitions du passé et des découvertes du présent. Elle n'eut pas lieu. Freud, qui se reprochait sans doute d'avoir fait trop de concessions à la pensée de Jung, chercha-t-il délibérément à rompre avec ses vues d'autrefois ? Ce n'est pas impossible. Ce qui est sûr, c'est que le narcissisme perdra de plus en plus de terrain dans ses écrits au profit des pulsions de destruction. Témoin, la révision de ses vues nosographiques, qui restreignirent le champ des névroses narcissiques à la seule mélancolie, ou, si l'on veut, à la psychose maniaco-dépressive, la schizophrénie et la paranoïa relevant désormais d'une étiopathogénie distincte. Quant à la mélancolie, pour avoir été maintenue sous la juridiction du narcissisme, elle était néanmoins décrite comme expression d'une pure culture de la pulsion de mort. Il y a donc une articulation nécessaire à trouver entre le narcissisme et la pulsion de mort, dont Freud ne s'est guère occupé et qu'il nous a laissé le soin de découvrir. La grande majorité des travaux rassemblés ici ont, implicitement ou explicitement, pour objet de penser les rapports entre narcissisme et pulsion de mort — ce que j'ai proposé d'appeler le narcissisme négatif.

Après Freud, le narcissisme devait connaître un double destin. En Europe, l'œuvre de Mélanie Klein, entièrement axée sur la dernière théorie des pulsions de Freud — c'est peut-être le seul auteur qui ait réellement pris au sérieux l'hypothèse des pulsions de destruction, en leur donnant toutefois un contenu très différent —, ignore le narcissisme. Seul H. Rosenfeld parmi les kleiniens a essayé de l'intégrer aux conceptions kleiniennes, car ni H. Segal, ni Meltzer, ni Bion ne lui font une place dans leurs développements théoriques. L'œuvre de Winnicott, qui diffère si profondément des théories de Mélanie Klein mais n'en dérive pas moins, ne lui accorde guère plus d'attention.

En revanche, de l'autre côté de l'Atlantique, le narcissisme devait renaître de ses cendres, d'abord sous la plume d'Hartmann, quoique de manière relativement incidente. Mais c'est avec Kohut qu'il devait revenir en force dans la psychanalyse. Son ouvrage *The Analysis of the Self*[2] connut une grande popularité. Kohut bientôt devait faire école, non sans susciter des résistances. D'abord, du côté de ceux qui se prétendaient « freudiens classiques » — ils étaient en fait hartmanniens — sans que l'on puisse vraiment voir sur quoi se fondait leur opposition, car la lecture de Kohut permet de l'inscrire dans la filiation de Freud et d'Hartmann, ou plus exactement dans la filiation de Freud interprété par Hartmann. Sans doute y a-t-il matière à débat quant à la manière de comprendre le matériel communiqué par les analysants et de lui donner réponse s'il y a lieu. Mais l'opposition devait venir aussi d'ailleurs : de Kernberg tout particulièrement, qui défendait une conception des relations d'objet qui doit un peu à Mélanie Klein — en dépit des critiques qui contestent ses théories — et beaucoup à Edith Jacobson, dont l'œuvre n'est pas assez appréciée. Kohut, comme Kernberg, furent d'ailleurs très contestés tous deux par l'école anglaise, dont les postulats fondamentaux sont très différents.

Tout cela n'empêcha par Kohut de passer pour le théoricien qui avait réussi la résurrection du narcissisme. A tort. Car, si la communauté psychanalytique ne professait pas une ignorance, parfois teintée de mépris, pour les travaux psychanalytiques français, elle aurait reconnu qu'en France Kohut avait été précédé dans cette voie par Grunberger. Et si Lacan n'avait pas été victime pendant de longues années d'un ostracisme qui s'est levé récemment, on aurait pu s'apercevoir que le narcissisme est une pièce maîtresse de son appareil théorique. Le mouvement psychanalytique français d'après-guerre a toujours accordé au narcissisme la plus grande attention, bien que, dans ce domaine comme dans les autres, des conceptions plus ou moins divergentes aient été exposées. Ainsi, s'il m'est permis de parler de mes propres contributions, le lecteur informé se rendra compte facilement que les opinions que je soutiens sont différentes aussi bien de celles de Lacan que de celles de Grunberger.

Plutôt que de déplorer cette absence d'accord sur un problème aussi central, il faut au contraire se conforter de ce que des développements théoriques inspirés par des interprétations différentes ravivent la controverse, car la lumière ne viendra que de la confrontation des idées.

Les débats auxquels le narcissisme donne lieu aujourd'hui restent, quant au fond, centrés sur un problème que je crois mal posé. Toute la question est de savoir si on peut attribuer au narcissisme une autonomie ou si l'on doit envisager les problèmes

---

2. Traduit en français sous le titre *Le Soi*, P.U.F.

qu'il soulève comme ceux du destin singulier d'un lot de pulsions qu'il faut envisager en étroite relation avec les autres. Je ne vois pour ma part aucune nécessité d'avoir à choisir entre l'une et l'autre de ces stratégies théoriques. En effet, les enseignements de la clinique nous autorisent à penser qu'il y a bien des structures narcissiques et des transferts narcissiques — c'est-à-dire où le narcissisme est au cœur du conflit. Mais ni les uns ni les autres ne peuvent se penser et s'interpréter isolément, en négligeant les relations d'objet et la problématique générale des rapports du Moi avec la libido érotique et destructrice. Tout est affaire de jugement — un jugement que l'analyste est contraint à porter seul, sans qu'il puisse compter dans la situation analytique sur aucun avis, hormis le sien, si éclairé qu'il puisse être. Ce jugement est le plus souvent intuitif, pour ne pas dire imaginatif.

La prévalence du narcissisme dans certains aspects cliniques est en faveur de l'idée qu'il doit exister au sein de l'appareil psychique une instance suffisamment forte pour rassembler autour d'elle des investissements de nature identique qui tous possèdent des caractéristiques suffisamment différenciées pour mériter une distinction particulière. Ceci n'implique pas nécessairement que la formation des structures narcissiques suive un développement tout à fait à part, mû par des forces intrinsèques et indépendamment des pulsions orientées vers l'objet. Un souci de clarté devrait nous pousser à décider ce qui est premier et ce qui en dérive dans les rapports entre libido du Moi et libido d'objet, surtout à la lumière de la dernière théorie des pulsions. C'est peut-être cette préoccupation causale qui est responsable d'une certaine confusion dans la discussion. Car, à moins d'être obsédé par une conception développementale supposée reconstituer les composantes du schéma d'évolution de l'appareil psychique et repérer les points sur lesquels il bute, il est beaucoup plus fécond de préciser l'organisation des configurations cliniques et de reconnaître le type de cohérence auquel elles obéissent pour en déduire les axes organisateurs du psychisme. Quant à devoir trancher — au nom d'une scientificité qui refuse d'admettre le caractère hautement conjectural de toute construction ou reconstruction du psychisme infantile — pour savoir si les manifestations observées sont d'origine primitive ou secondaire, c'est là le plus souvent un combat sans issue, surtout pour ce qui concerne le narcissisme, car on ne saurait tirer ici aucun enseignement d'une prétendue validation par l'observation, puisque les phénomènes qui en relèvent se rattachent au monde le plus intérieur du sujet. Au point où nous en sommes, la valeur heuristique des théories contradictoires s'évalue au champ des faits cliniques qu'elles peuvent recouvrir et dont elles prétendent rendre compte. Si les formes cliniques qu'on voudrait rattacher à des fonctions archaïques sont souvent confuses, ne permettant pas toujours de percevoir clairement les distinctions qui sont postulées dans la métapsychologie, il est peu probable que l'ensemble des phénomènes rattachables au narcissisme soient des produits de transformation de pulsions qui lui seraient étrangères. Il est légitime de penser qu'existent, même là le tableau est peu clair, les linéaments de ce qui plus tard sera susceptible de s'épanouir avec la pleine floraison des caractères que tout le monde désigne comme narcissiques.

Tout en reconnaissant au narcissisme son droit à l'existence comme concept à part entière, il est néanmoins impossible de ne pas poser le problème de ses relations avec l'homosexualité (consciente ou inconsciente) et avec la haine (de l'autre ou de soi). Or il est clair qu'en citant ces voisins les plus immédiats on est obligé de prendre en considération tous les autres concepts théoriques de la psychanalyse, que ceux-ci soient relatifs aux pulsions objectales, au Moi, au Surmoi, à l'Idéal du Moi, à la réalité et à l'objet.

De même, s'il existe un lien très étroit entre le narcissisme et la dépression, comme Freud l'avait bien perçu, il me paraît non moins indéniable que les problèmes du narcissisme se retrouvent au premier plan dans les névroses de caractère — ce à quoi il n'est pas difficile de s'attendre et pas seulement dans les cas où existe une schizoïdie marquée — dans la pathologie psychosomatique et, *last but not least,* chez les cas-limites. Une distinction trop tranchée entre structures narcissiques et cas-limites n'a pour résultat qu'un compartimentage artificiel, que la complexité des problèmes cliniques a tôt fait de démentir. Sans parler de l'inévitable composante narcissique toujours présente dans les névroses de transfert. En fait, sitôt que l'organisation conflictuelle touche à des couches régressives situées au-delà des fixations classiques observées dans les névroses de transfert, la part prise par le narcissisme se révèle plus importante, même dans les conflits où celui-ci n'est pas en position dominante.

Une question souvent posée dans la littérature est celle des relations entre structure narcissique et cas-limites qui semblent se partager l'intérêt des auteurs de la psychanalyse contemporaine. Il n'est pas inintéressant d'observer que Kohut, défenseur de l'autonomie du narcissisme, distingue soigneusement entre cas-limites et structures narcissiques et consacre les dernières années de sa vie à l'étude exclusive des secondes. En revanche, Kernberg, qui s'oppose à cette autonomisation, tout en admettant la légitimité d'une distinction clinique, écrira à la fois sur les uns et les autres. Les partisans de l'entité « Narcis-

sisme » semblent enclins à lui manifester l'hommage qu'on rend
à une divinité négligée dans le panthéon psychanalytique.

En ce qui me concerne, j'adopte la même position pour ce
qui est de la clinique que celle que j'ai défendue pour la théorie.
Je pense qu'il est peu contestable que certaines structures méritent une individualisation au nom du narcissisme, mais il serait à
mon avis erroné d'exagérer les différences entre structures narcissiques et cas-limites. Si, comme je le crois, il faut penser la limite
comme un concept et non pas seulement de manière empirique
en situant les *borderlines* aux frontières de la psychose, comment
le narcissisme pourrait-il en être tenu à l'écart [3] ?

Ces remarques nosographiques ne seront pas toujours bien
accueillies, je le sais. Si je continue à m'y référer, ce n'est pas
seulement pour des raisons de sténographie clinique, pour ainsi
dire, c'est parce que je pense qu'il y a entre métapsychologie et
nosographie des relations plus étroites qu'on ne pense. Car, de
même que la nosographie n'a pas d'autre but que de montrer
la cohérence de certaines constellations psychiques qui se sont
structurées selon une cristallisation particulière — sans aucun
souci de fréquence observée mais avec la préoccupation légitime
de saisir l'intelligibilité structurale de modèles organisateurs —,
de même la métapsychologie — au sens large — a pour but de
définir des principes de fonctionnement, des axes directeurs, des
sous-ensembles fonctionnellement distincts qui agissent en synergie
ou en opposition les uns avec les autres.

On a reproché à la nosographie de présenter l'inconvénient
de figer les structures et de ne pas faire une part suffisante au
dynamisme psychique sur lequel l'analyste fonde ses espoirs de
modification quant au fonctionnement mental de l'analysant.
C'est peut-être un reproche justifié quant à la nosographie psychiatrique, mais ce n'est certainement pas celui dont on peut
accuser la nosographie psychanalytique. Car, si celle-ci repère, en
effet, une cohérence dans l'organisation psychopathologique et
qu'elle distingue entre diverses modalités, elle n'en a pas moins
le souci de comprendre comment s'articulent entre elles ces
diverses modalités et comment aussi l'analysant peut, l'analyse
de transfert aidant, passer de l'une à l'autre dans un sens régressif
ou progressif. Méfiants à l'égard de la nosographie, les analystes
préfèrent penser à la singularité de leurs analysants, ce qui est
une attitude nécessaire à celui qui entreprend l'analyse d'une
personne. Ce serait dépersonnaliser l'analysant que de penser à

---

3. Nous renvoyons le lecteur à nos contributions sur les cas limites que
nous rassemblerons dans un autre recueil.

ses conflits inconscients en termes de catégories et de classes. La protestation est bien inspirée, elle est légitime. Mais, pour s'attacher à analyser la spécificité du complexe d'Œdipe chez tel ou tel analysant, niera-t-on pour autant qu'il faille parler *du* complexe d'Œdipe comme d'une structure supra-individuelle ? Peut-être l'objection est-elle encore plus explicable quand il s'agit du narcissisme. On a fait remarquer que le narcissisme a mauvaise presse. Il est rare que narcissique soit un qualificatif laudatif. Les narcissiques nous irritent peut-être encore plus que les pervers. Peut-être parce que nous pouvons rêver d'être l'objet du désir d'un pervers, alors que le narcissique n'a d'autre objet de désir que lui-même. Narcisse nie Echo, comme les analysants qui-ne-font-pas-de-transfert nous ignorent superbement.

Il faut ici rappeler les évidences : les narcissiques sont des sujets blessés — en fait, carencés du point de vue du narcissisme. Souvent la déception dont ils portent encore les blessures à vif ne s'est pas bornée à un seul des parents, mais aux deux. Quel objet leur reste-t-il à aimer, sinon eux-mêmes ? Certes, la blessure narcissique infligée à l'omnipotence infantile directe ou projetée sur les parents est notre lot à tous. Mais il est clair que certains ne s'en remettent jamais, même après l'analyse. Ils restent vulnérables, l'analyse leur permettant de mieux se servir de leurs mécanismes de défense pour éviter les blessures, faute d'avoir pu acquérir ce cuir qui semble tenir lieu de peau aux autres. Nul sujet plus que le narcissique ne souffre autant de se voir cataloguer sous une rubrique générale, lui dont le souci est d'être non seulement un, mais unique, sans plus d'ancêtre que de successeur.

Il serait aisé de faire le même reproche aux concepts psychanalytiques qu'à la nosographie et nier que puissent exister et des structures narcissiques et même un narcissisme comme entité autonome. Mais alors il faut faire de même avec le masochisme et bien d'autres concepts. Il est toujours possible de montrer que l'expression la plus forte de l'érotisme comporte des visées agressives camouflées tout aussi bien que le contraire. Que restera-t-il alors de l'exigence analytique de séparer, de distinguer, de défaire la complexité confuse pour la refaire à partir de ses composantes inapparentes ?

La métapsychologie n'a pas d'applications cliniques et techniques immédiates. Tout le monde connaît d'excellents analystes qui l'ignorent, plus ou moins délibérément. Ce qui n'empêche pas leur pratique analytique de se fonder sur une métapsychologie inconsciente qui guide leur esprit dans son activité associative lorsqu'ils paraissent « flotter » plus ou moins attentivement. La métapsychologie n'est bonne qu'à penser. Et toujours après coup, non dans le fauteuil analytique mais dans celui sur lequel l'analyste s'asseoit devant la feuille blanche qui stimule ou inhibe son intellect.

J'ai fait remarquer plus haut que ce qui est à penser à travers le narcissisme ne pouvait l'être en isolant entièrement ce concept, en l'étudiant en soi. Si, pour en appréhender aussi spécifiquement que possible la nature, il convient en effet à certains moments de la réflexion de s'enfermer avec lui, c'est-à-dire au plus profond de nous-mêmes, puisqu'il est le cœur même de notre Moi, le mouvement centripète qui ne veut rien connaître d'autre que soi-même ne dévoile son sens qu'à opposer l'objet au Moi. Leurs relations sont complexes, puisque le concept de relation d'objet inclut pour certains auteurs les relations du Moi à lui-même, narcissiques. La théorie la plus classique admet l'existence d'investissements narcissiques de l'objet avant même que Kohut ait proposé l'hypothèse des *Self-objects* (Soi-objets), qui ne sont que des émanations du narcissisme.

Quoi qu'il en soit, un consensus existe entre les tenants de théorisations opposées ; l'achèvement du développement du Moi et de la libido se manifeste, en particulier, par la capacité du Moi à reconnaître l'objet tel qu'en lui-même, et non plus comme simple projection du Moi. Est-ce encore, tout comme la relation génitale, une visée normative qu'il faut rattacher à l'idéologie de la psychanalyse ? Est-ce là un but accessible aux capacités de l'appareil psychique et à la portée de la cure psychanalytique ? Je crois qu'en ces matières un dogmatisme excessif — dans un sens comme dans l'autre — frise rapidement l'incohérence. Car il n'est pas plus cohérent d'affirmer l'aliénation totale, définitive et incurable du désir à son narcissisme, ce qui n'est pas moins idéologique, que de soutenir que l'objet apparaîtra un jour dans sa lumière vraie. De toute manière, la mise en perspective du Moi (narcissique) et de l'objet est incontournable ; celle-ci révèle toutes les variations du spectre qui va de l'aveuglement subjectif à la rencontre véridique.

Je me suis demandé si, sans qu'on s'en soit douté, une nouvelle métapsychologie, une sorte de troisième topique, ne s'était pas subrepticement installée dans la pensée psychanalytique dont les pôles théoriques étaient le Soi et l'objet. Ceci sous la pression de l'expérience qui a fait aspirer les psychanalystes au besoin d'une construction théorique plus profondément ancrée dans la clinique. Autrement dit, on n'aurait pas la pratique d'une part et la théorie de l'autre, mais une théorie qui ne serait que — ce qui n'est pas le cas chez Freud — théorie *de* la clinique.

Ainsi, le transfert n'est plus un des concepts de la psychanalyse à penser comme les autres, il est la condition à partir de laquelle les autres peuvent être pensés. Et, de même le contre-transfert ne se limite plus à la recherche des conflits non résolus — ou non analysés — chez l'analyste, susceptibles de fausser son écoute ; il devient le corrélat du transfert, cheminant à ses côtés, induisant parfois celui-ci, et, pour certains, le précédant.

Si quelque chose de neuf est advenu dans la psychanalyse ces dernières décennies, c'est du côté d'une pensée du couple qu'il faut le chercher. Cela nous aura permis de délivrer la théorie freudienne d'un relent de solipsisme. Car, il faut bien le dire, la relecture de Freud donne trop souvent l'impression que tout ce qu'il décrit semble se dévoiler indépendamment de son propre regard, ou, dans les cas cliniques qu'il expose, de sa propre action. L'enfant imaginaire dont il dessine le parcours de la vie psychique — qu'il s'agisse de la sexualité ou du Moi — semble suivre son cheminement selon un développement prévu à l'avance, les arrêts, les blocages, les détournements ne devant somme toute que peu de choses à ses relations avec ses objets parentaux. En somme, Freud minimisa à la fois le rôle de son propre narcissisme et celui de l'objet.

A formuler les choses ainsi, on ne les rend pas nécessairement plus claires. Car la révérence à la clinique ne dit pas de quelle clinique il s'agit. Si la métapsychologie silencieuse des relations Soi-objet s'est progressivement imposée, c'est bien parce qu'elle rend mieux compte des aspects cliniques de l'analyse contemporaine, que les modèles classiques de la théorie freudienne n'éclairent que très imparfaitement. Autrement dit, que la psychologie de Freud est trop limitée par son référent, la névrose — et surtout la névrose de transfert. Tout se passerait alors comme si la problématique Soi-objet était plus à même d'éclairer non seulement les cas-limites, mais aussi les structures narcissiques — pour ne pas dire surtout celles-là, puisque, ce qui est à opposer au narcissisme, c'est bien l'irréductibilité de l'objet.

Mais il serait pour le moins fâcheux d'instituer une coupure dans la psychanalyse entre l'ancien et le nouveau sans chercher à saisir la continuité conceptuelle qui se cache derrière le changement apparent. S'il est facile de rappeler qu'il n'y a rien de nouveau sous le soleil, il serait plus exact de dire que tout changement est à moitié moins neuf que le prétendent ceux qui le proclament.

La théorie qui s'appuie sur l'expérience de l'analyse de la névrose de transfert place l'objet au milieu de sa réflexion en tant qu'objet fantasmatique, ou encore objet de désir. La théorie issue de l'analyse des cas-limites continue, elle, de s'étayer sur l'objet fantasmatique, mais ne peut faire abstraction de ses rapports avec l'objet réel. Car c'est souvent que l'on constate que la participation des objets de la réalité a joué son rôle dans la psychopathologie du sujet ; ou, si l'on veut être plus prudent en matière d'étiopathogénie, on se bornera à dire que la structure psychique du sujet témoigne de rapports singuliers entre objet réel et objet fantasmatique. En effet, tout se passe comme si l'objet fantasmatique, bien que reconnu dans sa qualité d'objet de la réalité psychique, coexistait avec l'objet réel sans que ce dernier possède le pouvoir d'affirmer sa suprématie sur l'autre. Comme si une double inscription des événements psychiques accordait une même réalité aux objets fantasmatiques et aux objets réels [4].

En ce qui concerne le narcissisme, l'objet, qu'il soit fantasmatique ou réel, entre en rapport conflictuel avec le Moi. La sexualisation du Moi a pour effet de transformer le désir pour l'objet en désir pour le Moi. Ce que j'ai appelé le désir de l'Un avec effacement de la trace du désir de l'Autre. Le désir a donc changé d'objet, puisque c'est le Moi qui est devenu à lui-même son propre objet de désir ; c'est ce mouvement qu'il convient d'éclairer.

Qu'est le désir ? Allant au-delà des définitions connues que nous ne rappellerons pas, nous dirons que le désir est le mouvement par lequel le sujet est décentré [5], c'est-à-dire que la quête de l'objet de la satisfaction, de l'objet du manque, fait vivre au sujet l'expérience que son centre n'est plus en lui-même, qu'il est hors de lui dans un objet dont il est séparé, auquel il cherche à se réunir pour reconstituer son centre, par le moyen de l'unité — identité retrouvée — dans le bien-être consécutif à l'expérience de satisfaction.

Le désir est donc ce qui induit la conscience de séparation spatiale et celle de la dyschronie temporelle avec l'objet, créées par le délai nécessaire à l'expérience de satisfaction. Sur cette matrice symbolique primaire, source du développement psychique, de multiples facteurs vont venir s'opposer ultérieurement au plein accomplissement du désir. Citons entre autres : la désintrication des pulsions, la bisexualité, le principe de réalité et, enfin, le narcissisme. Cet ensemble de facteurs est gouverné par les tabous fondamentaux : fantasmes de parricide, d'inceste et de

---

4. Par objet réel, nous n'entendons pas pouvoir cerner la « réalité » dudit objet, toujours inconnaissable, mais la présence au sein du sujet d'un discours qui l'aliène, venu du dehors, se surimposant à son propre discours. Il serait plus juste de parler de l'objet du dehors au-dedans, encore que la réalité de certains traumas subis par l'objet externe soient quasi certains.

5. Selon une formule de Lacan.

cannibalisme. Ce qui nous intéresse au-delà de ce constat est de rechercher les moyens mis en œuvre pour parer à l'impossibilité d'accomplir pleinement le désir.

Lors de la « première » expérience de manque, une solution est trouvée par la réalisation hallucinatoire du désir, comme illusion réparatrice du manque de l'objet. Elle est le modèle qui s'enrichira lors des frustrations ultérieures, qui ne seront plus liées à la seule recherche du sein. On a eu raison de souligner que cette solution est bien imparfaite, qu'elle en appelle d'autres plus appropriées à une satisfaction effective. Mais en tant que telle elle reste un accomplissement psychique d'autant plus apprécié que l'enfant lui attribue le pouvoir d'avoir fait réapparaître l'objet-sein. Il n'est pas en mesure de penser que ce sont ses cris et ses pleurs qui ont alerté la mère venue à son secours, mais établit une relation de cause à effet entre la réalisation hallucinatoire du désir et l'expérience de la satisfaction.

Si les besoins vitaux restent assurés lors d'autres situations de manque de la part de l'objet, d'autres solutions seront trouvées : l'identification est la plus fondamentale. Elle supprime la représentation de l'objet, le Moi devenant cet objet lui-même, se confondant avec lui. Les modalités de l'identification sont différentes selon l'âge. Au début, l'identification primaire est dite narcissique, le Moi fusionnant avec un objet qui est beaucoup plus une émanation de lui-même qu'un être distinct reconnu dans son altérité. Si ce mode d'identification narcissique persiste au-delà de la fusion avec l'objet, lorsque le Moi se distingue du non-Moi et admet l'existence de l'objet à l'état séparé, ce mode de fonctionnement expose le Moi à d'innombrables désillusions. L'altérité non reconnue inflige au Moi d'incessants démentis sur ce que l'objet est supposé être et entraîne inévitablement la déception renouvelée quant à ce qui est attendu de lui. A telle enseigne que jamais le Moi ne peut compter sur l'objet pour retrouver cette unité-identité qui lui assure de rejoindre son centre lors d'une expérience de satisfaction toujours inassouvie. La triangulation des relations complique encore cette situation, car il est fréquent que les deux objets parentaux investis narcissiquement déçoivent — chacun pour des raisons différentes — le Moi. Tout cela est dommageable au Moi, parce que l'expérience fondamentale du déplacement, à la recherche d'un objet substitut, réparateur des blessures de l'objet originaire, ayant échoué, toute la suite des déplacements sur des objets substituts — des plus personnalisés aux plus impersonnels — renouvellera l'échec initial [6]. Tout

---

6. Il est essentiel de comprendre qu'inévitablement ces déplacements ne donneront lieu qu'à des solutions imparfaites, toujours peu ou prou insa-

contact avec l'objet exacerbe le sentiment de décentrement, soit par rapport à la séparation spatiale, soit par rapport à la dyschronie temporelle. L'ego-syntonie du Moi n'est plus à rechercher que dans l'investissement du Moi par ses propres pulsions : c'est le narcissisme positif, effet de la neutralisation de l'objet. L'indépendance ainsi acquise par le Moi à l'égard de l'objet est précieuse, mais elle est précaire. Parce que jamais le Moi ne peut remplacer totalement l'objet. Quelque illusion qu'il souhaite entretenir à ce sujet en trouvant un plaisir à exister dans la solitude, bientôt les limites de l'opération se feront sentir. Il faudra alors que les investissements du Moi s'enrichissent d'un autre investissement adressé à un objet intégralement idéalisé avec lequel il fusionnera, à la manière dont il procédait avec l'objet primaire. C'est ainsi qu'une sérénité peut être enfin atteinte à se retrouver dans le sein de Dieu, dévalorisant du même coup toutes les joies simplement humaines.

On pourrait s'en tenir là. La clinique montre cependant que ces accomplissements du narcissisme de vie ne sont jamais pleinement réussis. Dans certains cas, l'effet combiné de la distance spatiale incomblable et de la dyschronie temporelle interminable font de l'expérience du décentrement l'épreuve du ressentiment, de la haine, du désespoir. De ce fait, la retraite vers l'unité, ou la confusion du Moi avec un objet idéalisé, ne sont plus à portée. C'est alors la recherche active non de l'unité, mais du néant ; c'est-à-dire d'un abaissement des tensions au niveau zéro, qui est l'approximation de la mort psychique.

Le narcissisme offre donc l'occasion d'une mimésis du désir par la solution qui permet d'éviter que le décentrement oblige à investir l'objet détenteur des conditions d'accession au centre. Le Moi a acquis une certaine indépendance en transférant le désir de l'Autre sur le désir de l'Un. Cette mimésis peut même s'inverser, annuler les contraintes du modèle du désir lorsque l'accomplissement unitaire du narcissisme fait défaut. Elle devient mimésis du non-désir, désir de non-désir. Ici la recherche du centre est abandonnée, par suppression de celui-ci. Le centre, comme objectif de plénitude, est devenu centre vide, absence de centre. La recherche de la satisfaction se poursuit hors de toute satisfaction — *comme si celle-ci avait eu quand même lieu* —

---

tisfaisantes — c'est la vie ! dit-on. Car la retrouvaille de l'expérience de satisfaction inaugurale est un fantasme construit après coup et la recherche de sa reproduction un leurre. Mais c'est aussi à cause de cela que la libido est toujours en quête de nouveaux investissements comportant une satisfaction pulsionnelle plus ou moins sublimée.

comme si elle avait trouvé son bien dans l'abandon de toute recherche de satisfaction.

C'est ici que la mort prend sa figure d'Etre absolu. La vie devient équivalente à la mort, parce qu'elle est délivrance de tout désir. Serait-ce que cette mort psychique camouflerait le désir de mort à l'égard de l'objet ? Ce serait une erreur de le croire, car l'objet a déjà été tué à l'orée de ce processus qu'il faut mettre au compte du narcissisme de mort.

La réalisation hallucinatoire *négative* du désir est devenue le modèle qui gouverne l'activité psychique. Ce n'est pas le déplaisir qui s'est substitué au plaisir, c'est le Neutre. Ce n'est pas à la dépression qu'il faut penser ici, mais à l'aphanisis, à l'ascétisme, à l'anorexie de vivre. Tel est le vrai sens de l'*Au-delà du principe de plaisir*. La métaphore du retour à la matière inanimée est plus forte qu'on le croit, car cette pétrification du Moi vise l'anesthésie et l'inertie dans la mort psychique. Ce n'est qu'une aporie, mais c'en est une qui permet de comprendre la visée et le sens du narcissisme de mort.

Narcisse Janus est donc mimétique de la vie, comme de la mort, adoptant la solution illusoire de faire de la vie ou de la mort un couple absolument clos. On comprend mieux pourquoi Freud se détourna du narcissisme, où il vit une source de malentendus. Mais le remplacement d'un concept par un autre change le mot, non la chose.

Le Neutre se dresse alors de toute sa hauteur, défiant la pensée. Là où tout se complique, c'est quand nous avons à prendre conscience que le Neutre, c'est aussi la réalité indifférente à l'agitation des passions humaines. Le Neutre est l'aire de cette impartialité de l'intellect que Freud invoquait quand il postula l'existence de la pulsion de mort. Le narcissisme est un concept, non une réalité. Car celle-ci, même quand elle prend le nom de clinique, est toujours d'une complexité à peine saisissable. Hyper-complexe, dit-on aujourd'hui.

Une aporie indépassable de la théorie psychanalytique est le chevauchement permanent que l'on peut percevoir à la lecture des travaux psychanalytiques entre niveau descriptif et niveau conceptuel. Il n'y a pas un seul écrit analytique où ne soit sensible le glissement permanent d'un plan à l'autre. Une description pure est impossible, puisque celle-ci reste plus ou moins ordonnée par des concepts muets, sinon inconscients. Une conceptualisation non moins pure n'est guère plus pensable, car le lecteur n'est intéressé qu'à la condition de voir se lever en lui des réminiscences de ses analyses ou de la sienne. Le vœu pieux qui animerait le théoricien d'être à tout moment conscient du niveau sur lequel se tient sa réflexion, sensible au passage de la description au concept ou du concept à la description, échappe souvent à la maîtrise de l'auteur.

Si un souci de rigueur — qui n'est pas délivré de beaucoup de préjugés — impose à l'analyste de se rapprocher, illusion tenace, des sciences exactes, je crois que celui-ci n'ira jamais plus loin que la physique et restera à jamais à l'écart des mathématiques pures, du fait des conditions même de sa pratique. Mais, pour dénoncer les prétentions pseudo-scientifiques de certains psychanalystes — on entend volontiers les Américains du Nord évoquer *the science of psychoanalysis,* ce qui rappelle curieusement les orientations imposées par Lacan à ses disciples —, il ne faut pas trop vite en conclure que la psychanalyse est poésie pure. Il est vrai qu'il y a dans le fonctionnement mental de l'analyste quelque chose qui rappelle la démarche mythopoétique, et ce n'est pas pour rien que Freud et les psychanalystes ont toujours trouvé dans la poésie du mythe et de la littérature une des deux sources de la psychanalyse, l'autre étant à chercher du côté de la biologie. Après tout, le mythe de Narcisse ne fut pas négligeable dans l'invention du narcissisme, son pouvoir évocateur venant redoubler les descriptions cliniques de Näcke. Peut-être la biologie est-elle plus poétique qu'elle ne le croit et la poésie plus liée à la « nature » de l'homme qu'elle ne le pense.

Mais, dès lors que l'on s'efforce de *penser* la psychanalyse, au-delà de la biologie, de la psychologie ou de la sociologie — métascientifiquement, sans céder aux tentations combinées de la pseudo-science, comme de la pseudo-poésie —, il y a travail théorique, toujours provisoire il est vrai, et rencontre de ses limites par l'empiètement réciproque du niveau descriptif et du niveau conceptuel.

Le narcissisme, plus qu'aucun autre point de la théorie, présente le danger de confusion entre la description et le concept. Et ceci parce qu'il est, si je puis dire, un concept-miroir, un concept qui traite de l'unité du Moi, de sa belle forme, du désir de l'Un contredisant par là même — jusqu'à les nier, peut-être — l'existence de l'inconscient et le clivage du Moi, le statut divisé du sujet. Comme tel, le narcissisme n'attend que la reconnaissance de cette individualité, de cette singularité, de cette totalité. C'est pourquoi le concept de l'Un qui marque de son sceau le narcissisme doit être mis en tension. Cette unité qui se donne immédiatement dans le sentiment d'exister, comme entité séparée, est, on le sait, l'aboutissement d'une longue histoire, du narcissisme primaire absolu à la sexualisation des pulsions du Moi. C'est un des accomplissements d'Eros d'avoir réussi cette unification d'une psyché morcelée, dispersée, anarchique, dominée par le plaisir

d'organe des pulsions partielles avant de se concevoir, au moins
en partie, comme être entier, limité, séparé. Mais combien cette
réussite se paie-t-elle cher, de n'être plus que Moi. Plus qu'aux
psychanalystes, c'est à Borgès qu'il faut se référer, d'avoir
compris mieux que quiconque la blessure de ne pouvoir être
l'Autre. Mais, ce que nous devons comprendre, c'est que de la
dyade primitive mère-enfant au Moi unifié un ensemble d'opérations est intervenu : la séparation des deux termes de cette
dyade qui livre l'enfant à l'angoisse de la séparation, la menace
de la désintégration, et le surmontement de l'*Hilflosigkeit* par
la constitution de l'objet et du Moi « narcissisé ». Ce dernier
trouve dans l'amour qu'il se porte à lui-même une compensation
à la perte de l'amour fusionnel, expression de sa relation à un
objet consubstantiel. Le narcissisme est donc moins effet de liaison que de re-liaison. Souvent leurrante, se berçant de l'illusion
d'autosuffisance, le Moi faisant maintenant couple avec lui-même,
à travers son image.

L'Un n'est donc pas un concept simple. S'il doit être mis en
tension, pour ce faire, il ne suffira pas de poser son antagonisme,
l'Autre et même le Neutre, il faudra encore avec l'Un penser non
seulement le Double, mais surtout l'Infini du chaos et le Zéro
du néant. L'Un naît peut-être de l'Infini et du Zéro, en tant
qu'ils pourraient... ne faire qu'Un. Mais c'est dans les oscillations
de l'Un au Zéro que nous devrons saisir la problématique intrinsèque du narcissisme, sans nous laisser rebuter par le fait que si
l'Un se donne immédiatement par une aperception phénoménologique ; le Zéro, lui, ne se conçoit jamais lorsqu'il s'agit de soi,
de la même manière que la mort est irreprésentable pour l'inconscient.

Le concept n'échappe pas toujours à la métaphore. Et c'est bien
ainsi que nous aurons à le traiter lorsque nous serons obligés
de parler de Zéro. Cependant la courbe sera asymptotique, car
nous ne pourrons jamais parler que d'une « tendance » à l'abaissement au niveau zéro, de l'excitation, c'est-à-dire de la vie.
Ce sera alors le moment de faire intervenir la différence entre
approche descriptive et approche conceptuelle. C'est au niveau
du concept et du concept seul, détaché de la description, que
nous parlerons de cette aspiration à la mort *psychique* pour
éclairer des manifestations cliniques que d'autres comprendront
différemment. Que ce point zéro touche à l'immortalité ne fait
qu'effleurer la complexité du problème.

Il ne m'est pas agréable d'invoquer ici les philosophies extrême-
orientales qui sont actuellement en vogue, parce que je n'en
connais à peu près rien. Mais le peu d'information dont j'ai
disposé a attiré mon attention sur un fait évident. Sans que l'on

puisse se prévaloir d'une prétention, difficile à soutenir, d'universalité, le fait est que beaucoup d'hommes sur cette terre vivent selon les principes essentiels d'une philosophie qu'ils sont loin de connaître dans le détail, mais qui imprègne leur manière de vivre et de concevoir l'existence. Freud, sans quitter le champ de l'occidentalo-centrisme, bien qu'il nous forçat à revoir certains de ses concepts les mieux établis, entrevit peut-être cette limitation lorsqu'il se décida à prendre en considération le principe du Nirvana qu'il retrouva chez Barbara Low. On n'aurait pas de peine à montrer que les déductions théoriques qu'il en tira sont sans doute très éloignées de ce qu'enseigne l'Orient métaphysique, si différent de la philosophie occidentale que l'on a pu contester qu'il s'agisse encore de philosophie. Et, de toute manière, c'est au nom de la psychanalyse que je parle et non de la philosophie, qui n'est pas mon domaine. Si j'en fais mention, en passant, c'est pour faire remarquer que certains développements présents dans cet ouvrage sous le nom de narcissisme négatif ont déjà fait l'objet d'une réflexion philosophique dans des traditions culturelles très éloignées des nôtres. Ces réflexions philosophiques obéissaient aux exigences de leur cadre de référence, qui ne sont pas celles de la psychanalyse. Mais elles sont bien nées de quelque chose, d'une attention à certains aspects de la vie psychique qui ont été largement occultés dans la pensée occidentale, ou qui, lorsqu'ils ont été aperçus, n'ont donné lieu qu'à une réflexion timide. Comme si manquait ici une liberté de pensée freinée par une crainte obscure, qui faisait reculer ceux qui s'y seraient laissé entraîner et dissuadait ceux qui auraient été tentés de les reprendre et de s'y apesantir. Quant à moi, il me paraît peu discutable que la réflexion et la pratique psychanalytiques confrontent l'analyste aux tensions entre l'Un et le Zéro, pas toujours de la manière la plus claire. Peut-être aurais-je dû attendre d'être mieux à même de formuler mes observations de façon plus adéquate quand je les fis paraître pour la première fois.

Présenter au public une collection d'articles dont les plus anciens ont plus de quinze ans ne peut donner à l'auteur entière satisfaction, même s'il nourrit l'espoir que ceux-ci n'ont pas perdu tout leur intérêt. Les précautions d'usage, présentes dans presque tous les recueils de ce genre, ne seront pas rappelées tant elles se conforment à un stéréotype. Il me semble pourtant qu'on ne souligne pas assez une des constatations qu'on peut faire à la lecture de travaux antérieurement publiés, réunis dans l'espace d'un livre. On pourrait voir à l'œuvre un étrange phénomène observable chez les analystes qui écrivent. Je veux parler du *processus théorique,* si manifeste chez Freud et à un moindre degré chez les autres auteurs de la psychanalyse. A savoir, le développement sur de nombreuses années d'un parcours conceptuel qui se constituerait sur le même mode que ce qu'on a appelé le processus psychanalytique dans le domaine de la pratique. A juste raison, on a fait observer qu'il ne fallait pas trop séparer le processus analytique et le transfert. A ce titre il conviendrait alors de considérer le processus théorique comme effet du transfert qu'effectue le processus psychanalytique sur le fonctionnement psychique de l'analyste lors de l'écriture. Ce processus théorique serait-il alors très différent de la poursuite de l'auto-analyse de l'analyste à travers son expérience de la psychanalyse ? Si on peut le penser, s'il n'est pas possible de ne pas le penser, il faut se garder de conclure à un subjectivisme fondamental qui imprégnerait la théorisation, ce qui conduirait à un scepticisme radical auquel il est aujourd'hui à la mode de sacrifier.

Il est permis de douter que la théorie psychanalytique puisse jamais atteindre à l'objectivité sans passer par aucun défilé subjectif, mais il ne faudrait pas se laisser aller à jeter sur elle le soupçon de n'être qu'une défense contre la folie, car on pourrait en dire autant de toute pensée. Et c'est plus le cheminement de l'objectivité dont il convient de souligner l'originalité dans la psychanalyse ; c'est ce à quoi il faut s'attacher plutôt qu'à conclure hâtivement à la vanité de toute tentative pour y parvenir, sans prendre conscience qu'on n'obéit, ce faisant, qu'au *Zeitgeist*.

Si toute la théorie analytique résulte de l'analyse du transfert, il est clair que sa formulation aura nécessairement transité par le contre-transfert quand celui-ci ne l'aura pas inconsciemment codé. Mais, à côté de l'analyse *des* transferts (des analysants) et *des* contre-transferts, il y a place chez l'analyste pour un transfert de son « analysabilité » sur la psychanalyse considérée, au temps de l'écriture, comme quelque chose d'impersonnel, et ceci d'autant plus que son écrit s'adresse à un analyste impersonnel, connu ou inconnu, passé ou à venir. Si l'on cherche, au sein de la théorie analytique elle-même, des comparaisons, on rappellera que le Ça et le Surmoi sont porteurs de cette même impersonnalité : au départ pour le premier, à l'arrivée pour le second. La subjectivité objectivante n'est pas à rattacher à ce que l'analyste a de plus personnel ou, si c'est le cas, à la manière dont cette « personnalité » devient parlante pour les autres. Il n'y a rien là qui étonne, puisque l'ébranlement de cette subjectivité analytique vers l'objectivation est toujours le fait de la parole d'un autre. Et si c'est bien le sujet qui cherche à se faire entendre d'un autre sujet, la subjectivité de l'écoute ne perd jamais de vue — même si elle ne parvient jamais à lui rendre pleinement justice — que c'est la voix d'un autre qui s'exprime. Si captif qu'il puisse être de la sienne propre, le souci de l'analyste demeure de ne pas entendre cette autre voix comme un écho. Et s'il est vrai que souvent il se prend au piège, il est faux de soutenir qu'il y succombe infailliblement. Il n'y a pas que le narcissisme.

Août 1982.

PREMIÈRE PARTIE
THÉORIE DU NARCISSISME

chapitre 1

un, autre, neutre :
valeurs narcissiques du même
(1976)

« Voici comment il fabriqua les hommes. Il prit une motte
de terre et se dit : "Je vais faire un homme, mais comme il
doit pouvoir marcher, courir, aller dans les champs, je vais lui
donner deux longues jambes, comme celles d'un flamant."
Ayant fait ceci, il se dit de nouveau : "Cet homme doit pouvoir cultiver son millet, alors je vais lui donner deux bras, un
pour tenir la houe, un autre pour arracher les mauvaises
herbes." Il lui donna deux bras. De nouveau il réfléchit : "Afin
qu'il puisse voir son millet, je lui donnerai deux yeux." Et
deux yeux il lui donna. Ensuite il pensa : "L'homme doit pouvoir manger son millet ; je lui donnerai une bouche." Et il
lui en donna une. Après quoi, il pensa encore : "Il faut que
l'homme puisse danser, parler, chanter et crier ; pour cela, il
lui faut une langue." Et il lui en donna une. Enfin la divinité
se dit : "Cet homme doit pouvoir entendre le bruit de la danse
et la parole des grands hommes ; et pour cela il a besoin de deux
oreilles." Ainsi il a envoyé dans le monde un homme parfait. »
J. G. FRAZER,
Les dieux du ciel, Rieder, p. 357.

« Dieu dit : "Faisons l'homme à notre image, comme notre
ressemblance [1], et qu'il domine sur les poissons de la mer, les

---

1. « Ressemblance » atténue le sens d' « image » en excluant la parité.
Le terme concret « image » implique une similitude physique comme entre
Adam et son fils, 5, 3. Il suppose de plus une similitude générale de
nature : intelligence, volonté, puissance ; l'homme est une personne. Il
prépare une révélation plus haute : participation de nature par la grâce
(Genèse, I, 26-27. *Sainte Bible*, Ed. du Cerf).

oiseaux du ciel, les bestiaux, toutes les bêtes sauvages et toutes les bestioles qui rampent sur la terre." »

« Dieu créa l'homme à son image
à l'image de Dieu il le créa
homme et femme il les créa. »

GLISSEMENTS SÉMANTIQUES.

Les deux sources des concepts psychanalytiques sont la pratique psychanalytique d'une part, l'horizon épistémologique d'autre part. Une fois adoptés, les concepts psychanalytiques modifient l'écoute du psychanalyste, ce qui conduit à remettre en question les instruments théoriques de la psychanalyse. Il en a été ainsi du narcissisme peut-être plus que de tout autre concept. Freud l'a créé sous des pressions diverses. Tout au long de son œuvre, une certitude inébranlable soutient sa démarche : la sexualité. Mais, avec une même assurance, il tient pour non moins certain qu'un facteur antisexuel fonde la conflictualité qui habite l'appareil psychique. Ce sera le rôle assigné au départ aux pulsions dites d'auto-conservation. Leur attribuer ce rôle n'exigeait pas de la part de Freud un grand effort d'originalité. Car il fallait de toute urgence consacrer toute son attention à ce qui avait été, avec quelle obstination, occulté : le sexuel. Il suffisait donc, dans un premier temps, de poser, fût-ce provisoirement, le pôle opposé, l'auto-conservation, quitte à en changer plus tard. Bien entendu, Freud y fut contraint autant par les obstacles nés de l'expérience que par les critiques des opposants de l'extérieur comme de l'intérieur. Parmi ceux-ci, mais en premier, Jung, dont l'intérêt va à la démence précoce. Le Moi, mis en réserve d'élaboration théorique, va revenir au premier plan. Pourtant, dès l'*Esquisse* (1895), les définitions que Freud en donne laissent prévoir que ses investissements sont d'une nature spécifique et d'origine endogène.

« Nous appelons cette organisation le "Moi" ; on peut en faire facilement une représentation figurée en considérant que la réception, régulièrement répétée, de quantités endogènes dans certains neurones (du noyau) et l'effet de frayage qui en résulte vont produire un groupe de neurones investis de façon constante qui correspond donc à la réserve exigée par la fonction secondaire [2]. » Certes, Freud a surtout en vue la fonction secondaire,

2. S. Freud, « Esquisse d'une psychologie scientifique », in *Naissance de la psychanalyse*, Paris, P.U.F., 1956. Nous adoptons les traductions proposées par J. Laplanche dans *Vie et mort en psychanalyse*, Flammarion,

mais déjà se trouve affirmée l'idée d'un investissement particulier, sorte de réserve énergétique propre au Moi. Les toutes dernières phrases de l'*Esquisse* en témoignent. Freud s'interroge, sans aller plus avant — ici s'arrête le manuscrit —, sur les relations de l'auto-érotique et du Moi originaire. C'est, on s'en souvient, par le biais des troubles psychogéniques de la vision (1910) que Freud formera l'hypothèse du narcissisme. Mais déjà la deuxième édition des *Trois essais* montre l'attention qu'il se dispose à accorder au problème. Le *Léonard,* qui date de la même époque, fait mention explicite du mythe de Narcisse (S. E., XI, 100[3]). Et notons déjà que l'opposition de deux types de choix d'objet et le matériel qui fournit au narcissisme sa justification sont liés au regard : conflit de Léonard entre son activité de peintre liée à la scopophilie et son extraordinaire curiosité intellectuelle dérivant de l'épistémophilie, elle-même un avatar de la précédente. Le regard de la Joconde serait alors d'une tout autre importance que le vautour trompeur (dont Freud ne fut d'ailleurs pas le découvreur). Les yeux d'Argos vous suivent partout au-dessus du ténébreux sourire. Ce n'est donc pas par hasard que, revenu sur le terrain plus sérieux — et même le plus sérieux, puisqu'il s'agit de médecine oculaire — de la clinique, Freud se serve encore de la vision pour introduire l'idée d'un investissement libidinal des pulsions dites d'auto-conservation. Mais, jusque-là, nous demeurons dans les eaux connues du complexe de castration.

« Le trouble psychogène de la vision[4] » donnait à Freud une consolation tardive d'avoir manqué la découverte de la cocaïne. Mais, si le regard dirige ses rayons vers le monde extérieur et peut se libidiniser jusqu'à ne plus rien voir dans la cécité hystérique, c'est qu'il est victime d'une excessive érotisation. Il se tourne vers le dedans, où d'autres aventures l'attendent. Nous reconnaissons jusqu'aujourd'hui la validité de la relation que Freud établit entre scopophilie et épistémophilie, cette dernière impliquant l'érotisation des processus de pensée. C'est pourquoi je soutiendrai volontiers que le texte précurseur le plus méconnu sur le narcissisme est *L'homme aux rats* (1909). Il est d'usage courant de citer *Totem et tabou* (1913) sur les relations du narcissisme et de la toute-puissance de la pensée. Mais on oublie

---

1970. Pour éviter toute confusion, nous avons choisi d'écrire Moi, ainsi que les autres instances de l'appareil psychique (Ça, Surmoi) ou les concepts qui en tiennent lieu (Soi) avec une majuscule, même lorsque les citations de traductions écrivent ces termes avec une minuscule.

3. Nous désignerons la *Standard Edition of the Complete Psychological Works of Sigmund Freud,* Londres, Hogarth Press, par les initiales S. E.

4. In *Névrose, psychose, perversion,* P. U. F., 1973.

alors que tout ce que Freud dit de ce dernier point, il l'a découvert par l'analyse de l'Homme aux rats. On pourrait raisonnablement le penser lorsque Freud, dans les dernières lignes de son essai, fait allusion à une triple organisation psychique : une inconsciente et deux préconscientes, la troisième organisation montrant le patient « superstitieux et *ascétique* » (c'est moi qui souligne). Il ajoute même que l'évolution spontanée de la maladie aurait eu pour conséquence un envahissement progressif de toute la personnalité par cette instance tierce.

Parti du regard, Freud noue le narcissisme au domaine du visible. Mais les difficultés théoriques sont présentes dès le départ. De quoi a-t-il été question jusque-là ? De l'investissement en circuit fermé du Moi, du Moi originaire dans ses rapports avec l'auto-érotisme, annonce d'un narcissisme primaire à naître dans la théorie ; ensuite du choix d'objet auto-érotique secondaire au refoulement. Il écrit dans *Léonard* :

« Le garçon refoule son amour pour sa mère ; il se met à sa place, s'identifie avec elle et prend sa propre personne comme modèle en choisissant les nouveaux objets de son amour par similitude » (*S. E.*, XI, 100). Il s'appuie donc sur l'amour que sa mère lui portait, pour aimer des garçons comme elle l'aimait et qui lui évoqueront sa propre image, tandis qu'il vient à la place de la mère. « Il trouve ses objets d'amour sur le chemin du *narcissisme* comme nous disons, car Narcisse, selon la légende grecque, était un jeune homme qui préféra sa propre image réfléchie à tout autre objet et fut changé en l'aimable fleur de ce nom. »

Parenthèse : Freud forge un néologisme, *Narzissmus,* pour des raisons d'euphonie... narcissique [5] ! Il passe de l'image de soi comme objet d'amour à la fleur de la résurrection en omettant de citer le moment narcissique par excellence, celui de la fusion de l'objet et de son image dans l'élément liquide, fascinant, mortifère et régressif jusqu'à la pré-naissance. Pré-naissance, après-naissance : narcissisme originaire ici littéralement scotomisé en faveur de la séduction de l'apparence, de la belle forme à la recherche de son double, qui ne sera jamais un complément mais un duplicata. Mais cela est encore trop simple. Il poursuit son développement sur Léonard, ce curieux Narcisse qui a beaucoup plus été fasciné par la forme de l'Autre et par les énigmes du Monde que par son image (peu d'auto-portraits, si l'on songe à Rembrandt, il est vrai plus tardif). Il remarque alors que, tandis qu'il poursuit de ses assiduités les jeunes éphèbes, cette apparence

---

5. Cf. note de la *S. E.*, XIV, p. 73.

trompeuse nous masque son amour, indélébile, indéplaçable, incomparable pour sa mère. Dès ce moment, Freud nous permet de prédire que le narcissisme est lui-même apparence et que derrière lui se cache toujours l'ombre de l'objet invisible.

C'est au départ le modèle de la perversion qui justifie le remaniement théorique de « Pour introduire le narcissisme » (1914). Rappel à l'ordre pour ceux qui sont séduits par la sirène jungienne du « hors-sexe ». Non, la sexualité est toujours là et, s'il y a du non-sexuel dans l'amour-propre, il faut bien s'enfoncer dans la tête que l'amour-propre de l'adulte s'enracine dans l'amour que l'enfant s'approprie à son profit, détourné des objets. Le raisonnement freudien est ici prototypique. Prêtons-lui ce discours :

1° Il y a des pervers qui aiment leur corps comme on aime le corps de l'Autre. Ce n'est pas moi qui le dis, c'est P. Näcke en 1899 — même pas psychanalyste, donc peu suspect de donner une description clinique partisane !

2° S'il y a perversion chez l'adulte, c'est qu'il y a fixation à un des traits de la constellation de la perversion polymorphe de l'enfant.

3° Si un trait est capable d'être assez attirant pour monopoliser l'ensemble de la libido, c'est que ce trait doit être mis à part, introduit dans la théorie comme concept, éclairant de façon beaucoup plus générale le destin des pulsions. Au reste, la sublimation n'exige-t-elle pas une telle neutralisation, donc une apparente désexualisation ?

Remarquons que le type de conflit dont Freud parlait dans « Le trouble psychogène de la vision », loin de faire la part d'un facteur non libidinal dans le Moi, dans l'exercice de ses fonctions somatiques, témoigne au contraire d'un empiétement, d'une invasion de la libido dans le Moi. Les attaques hystériques révélaient, par le biais de la conversion, une semblable invasion dans la sphère motrice. La toute-puissance de la pensée de l'obsessionnel montre la sexualisation de la pensée. Plus Freud réfléchit, plus les arguments de Jung lui paraissent inacceptables. Il ne cède rien. Il radicalise la sexualité et annexe le Moi. Dès lors, la libido est partout, même dans les replis les plus profonds du corps organique : dans le creux de la dent malade, dans l'organe enfoui de l'hypocondriaque, ou ailleurs. Le conflit change de protagonistes : il oppose désormais l'objet et le Moi et renvoie à une problématique essentiellement distributionniste, donc économique. Tant pour le Moi, tant pour l'objet. Question d'investissement, pour équilibrer le budget des ministères de l'Intérieur et des Affaires étrangères.

On connaît la suite. La question qui va se poser, c'est celle

de l'origine des investissements. Nous en traitons plus loin[6].
Trois problèmes doivent être distingués :

I. Le narcissisme primaire : qu'entend-on par là ?

a) L'organisation des pulsions partielles du Moi en investissement unitaire du Moi ;

b) Le narcissisme primaire *absolu* comme expression de la tendance à la réduction des investissements au niveau zéro.

Dans la première acception, il s'agit du Moi narcissique comme Un, issu de *n* pulsions partielles — par l'action d'Eros.

Dans la deuxième acception, il s'agit de l'expression du *principe d'inertie*, posé dès l'*Esquisse* en position de référent majeur et qui recevra ultérieurement le nom de *principe du Nirvâna*, qui tend au narcissisme primaire *absolu*.

Freud ne tranchera jamais la question. On pourrait lui proposer une solution dialectique. Que le Moi parvienne à un investissement unitaire émergeant du morcellement ou qu'il paraisse parvenir au zéro absolu, l'effet obtenu est analogue (ce qui ne veut pas dire identique). Dans ces deux cas, le Moi trouve en lui-même sa propre satisfaction, se donne l'illusion d'auto-suffisance, se délivre des vicissitudes et de la dépendance à un objet éminemment variable dans ce qu'il donne ou refuse à son gré. La progression mène vers le Moi Un — ce qui à l'occasion lui permet de retrouver cette quiétude par régression lorsque la frustration l'y contraindra, les autres défenses se révélant inefficaces. La régression mène parfois plus loin : vers le zéro de l'illusion du non-investissement, mais c'est le zéro qui devient objet d'investissement faisant de cette retraite régressive une aspiration positive, un progrès ; ainsi le veut l'ascèse, retour au sein divin.

II. L'origine des investissements : le Moi et le Ça.

L'Economique renvoie à la Topique. Combien ? (la quantité), ne peut être compris que si l'on sait d'Où ça part. D'où viennent les ressources ? Freud n'a cessé de varier dans ses réponses. Le « réservoir », c'est la recherche des sources du Nil ou de l'Amazone. Question qui, entre autres, donnera naissance à la réponse d'Hartmann. A l'interrogation byzantine de savoir si le Moi est issu du Ça ou s'il existe un Ça et un Moi dès l'origine (question dont dépend la localisation du réservoir), Freud en réalité ne peut répondre. Il est remarquable qu'aujourd'hui elle

---

6. Cf. chapitre II.

n'intéresse personne. La vraie question est plutôt de savoir si l'origine est dans le Ça-Moi (est-ce notre Self ?) ou dans l'objet. Si Freud la pose ainsi, c'est à mon avis parce qu'il reste dépendant du problème du regard. Parce qu'il fallait d'abord regarder, il lui fallait prendre du recul, s'exclure de la relation regardant-regardé, se faire non-voyeur. Eût-il été voyeur, cela l'aurait amené à s'impliquer dans le regard, mais peut-être aussi à se situer à son point aveugle. Il vaut mieux être voyant et regarder à travers le voyant. Ou, mieux encore, se mettre hors du champ visuel, occulter le regard et lui substituer l'écoute. Jean Gillibert a proposé le terme heureux d' « écouteurisme ». Entendre l'inouï, c'est aller à l'invisible, à l'au-delà du visible. L'écoute ne nous renvoie pas seulement à l'inouï mais à l'inaudible : la plainte sourde du corps et jusqu'aux voix du silence.

III. *Le destin du narcissisme après la dernière théorie des pulsions.*

On sait que le narcissisme, abandonné par Freud pour des raisons prétendues théoriques, est laissé en plan après *Au-delà du principe de plaisir*. L'*Abrégé* le mentionne à peine. Ainsi vont les concepts. Comme des amours éphémères, ils sont lâchés lorsque d'autres plus attrayants vous appellent. Pourtant, le narcissisme n'a pas disparu de la littérature psychanalytique. Il y fait même un retour en force ; mais il s'agit d'un concept habillé au goût du jour, à la mode du « self ».

Les psychanalystes sont divisés en deux camps, selon leur position à l'égard de l'autonomie du narcissisme. Pour les uns, défendre une telle autonomie est légitime. Cela implique que nous acceptions l'hypothèse du narcissisme primaire, soit comme instance *autonome* (Grunberger)[7], mode de fonctionnement de la vie psychique anté-natale, soit dans l'acception de la visée unitaire du Moi (Kohut)[8]. Grunberger opposera le narcissisme aux pulsions, tandis que Kohut, refusant la pertinence de l'opposition directionnelle vers le Moi ou l'objet, verra la caractéristique du narcissisme dans la particularité de son *mode d'investissement* (Soi grandiose, idéalisation, transfert « en miroir »). Enfin certains y verront l'origine du Soi (Hartmann), support de l'identité (Lichtenstein)[9]. Pour les autres, *le narcissisme primaire est un mythe,* une illusion de Freud. La position de Balint de l'*amour*

---

7. B. Grunberger, *Le narcissisme,* Payot, 1971.
8. H. Kohut, *Le Soi,* P.U.F., 1975.
9. H. Lichtenstein. Cf. « Le rôle du narcissisme dans l'émergence et le maintien d'une identité primaire », *Nouvelle revue de psychanalyse*, 1976, VII.

primaire d'objet a convaincu sans grand effort l'école anglaise. Un auteur aussi peu suspect de tentation moderniste que Jean Laplanche [10] l'accepte tout en la théorisant différemment (par rapport au masochisme). Mélanie Klein, en défendant simultanément l'hypothèse de l'instinct de mort (cependant vu ici de manière différente de Freud) et celle des relations d'objet (héritée d'Abraham, mais remaniée ; il n'y a pas de stade anobjectal), se passe aisément du narcissisme. Seul H. Rosenfeld [11] l'y ré-introduit, en le subordonnant toutefois à l'instinct de mort et sans mettre en question la thèse des relations d'objet présentes *from the beginning*. Bion est muet sur la question du narcissisme. L'Economique renvoyait à la Topique. La Dynamique renvoie au Génétique, ou au générique. Kernberg [12], rompant des lances avec Kohut, se range du côté de ceux qui ramènent le narcissisme aux vicissitudes des pulsions pré-génitales. Quant à Pasche [13], il postule à côté du narcissisme, « agonistiquement » et antagonistiquement, un antinarcissisme qu'il accouple au précédent.

Et Winnicott ? Il ne sait pas. Peut-être... Reste Lacan [14]. Son parcours va du stade du miroir (toujours le regard) au langage et au lieu de l'Autre, « trésor du signifiant », dépositaire de la structure. Ces quelques mots sont loin de rendre justice à la portée de cette théorie. Dans le réseau systématique que je viens de déployer, je ne place que des repères. Mais, ce qu'il faut avoir présent à l'esprit, c'est que le narcissisme est la clé de voûte du système lacanien.

Je me suis attaché à défendre l'idée que l'on ne peut valablement accepter la deuxième topique en faisant l'économie de la dernière théorie des pulsions. Il m'est impossible de développer ici ce point important [15]. En outre, il me semble que la cohérence théorique comme l'expérience clinique nous permettent de postuler l'existence d'un *narcissisme négatif*, double sombre de l'Eros unitaire du narcissisme positif, tout investissement d'objet, comme du Moi, impliquant son double inversé qui vise à un retour régressif au point zéro. P. Castoriadis-Aulagnier (1975) confirme cette opinioon [16]. Ce narcissisme négatif me paraît différent du

10. J. Laplanche, *Vie et mort en psychanalyse,* Flammarion, 1970.

11. H. Rosenfeld, « A clinical approach to the psychoanalytic theory of the life and death instincts : an investigation into the aggressive aspects of narcissism », *Nouvelle revue de psychanalyse,* 1976, VII.

12. O. Kernberg, *Borderline Conditions and Pathological Narcissism,* 1975, Jason Aronson.

13. F. Pasche, *A partir de Freud,* Payot, 1969.

14. J. Lacan, *Ecrits,* Le Seuil, 1966.

15. Cf. A. Green, *Le Discours vivant,* P. U. F., 1973.

16. P. Castoriadis-Aulagnier, *La Violence de l'interprétation,* P.U.F., 1975.

masochisme, malgré les remarques de nombreux auteurs. La différence est que le masochisme — fût-il originaire — est un état douloureux visant à la douleur et à son entretien comme seule forme d'existence, de vie, de sensibilité possibles. A l'inverse, le narcissisme négatif va vers l'inexistence, l'anesthésie, le vide, le *blanc* (de l'anglais *blank,* qui se traduit par la catégorie du neutre), que ce blanc investisse l'affect (l'indifférence), la représentation (l'hallucination négative), la pensée (psychose blanche).

Pour résumer cette « dérive conceptuelle », Freud est parti du regard et il découvre l'Un. Après lui, les analystes installent l'Autre en position maîtresse (qu'il s'agisse des relations d'objet de l'école anglaise ou de l'acception tout à fait différente que Lacan lui donne). Je propose de compléter cette série par la catégorie du Neutre (*neuter,* ni l'Un ni l'Autre).

LE CORPUS ET SES LIMITES : RECOUPEMENTS ET COHÉRENCE.

Les glissements sémantiques, les fluctuations de la littérature psychanalytique nous donnent une idée des multiples facettes à travers lesquelles se présente le concept de narcissisme, à vrai dire incernable. Il est curieux que l'idée de totalisation unifiante à laquelle s'attache la dénomination de narcissisme tombe elle-même sous le coup d'une difficulté à rassembler un corpus nettement limité. Une lecture plus systématique de l'œuvre de Freud, pour nous en tenir à elle, dévoile une foule de thèmes que nous ne ferons qu'évoquer sans les épuiser tous, pour nous attacher à tenter de mettre à l'épreuve la cohésion des éléments réunis par notre essai.

1. Sous le chef de l'*investissement libidinal du moi,* nous pouvons différencier l'action positive, unifiante, du narcissisme à partir de l'auto-érotisme, c'est-à-dire le passage de l'auto-érotisme (mentionné pour la première fois dans la lettre à Fliess — n° 125 du 9 décembre 1899) [17] — état de la pulsion où celle-ci est capable de se satisfaire localement « sans aucun but psycho-sexuel » — au stade où le Moi est lui-même vécu et appréhendé comme une forme totale. Nous verrons plus loin comment Freud conçoit la dialectique — car c'en est bien une — de cette transformation. Cependant, parmi les pulsions partielles, la scopophilie doit être placée en situation particulière, bien que le

---

17. In *Naissance de la psychanalyse,* P.U.F.

sadisme joue également son rôle dans la pulsion d'emprise qui entre en jeu dans l'appropriation du corps. Le Moi, rappelle Freud, est avant tout un *Moi corporel,* mais il ajoute : « Il n'est pas seulement un être de surface, il est lui-même la projection d'une surface » (*S. E.,* XIX, 26). Cette précision nous aide à comprendre le rôle du regard et du miroir. Miroir sans doute à double face : formant sa surface à partir du sentiment corporel et du même coup créant son image, mais ne pouvant la créer que sous les auspices du regard qui le fait témoin de la forme du semblable. Ce qui introduit nécessairement le concept d'identification dont la forme narcissique est la première (« Deuil et mélancolie », 1915). L'*organisation narcissique* du Moi sera décrite par Freud dans « Pulsions et destins de pulsions » (1915). Supposée intervenir avant le refoulement, elle est définie par deux destins pulsionnels : le renversement sur la personne propre et le retournement en son contraire, dont la combinaison produit un modèle de *double retournement.* L'identification (identification secondaire) va dans le sens d'une désexualisation accomplissant la transformation de la libido d'objet en libido narcissique pour sauver l'intégrité narcissique menacée par l'angoisse de castration. En amont, les liens que Freud établit avec l'état narcissique anténatal, précédant Rank dans cette voie, montrent la continuité de la problématique du narcissisme depuis la naissance. Que ce paradis perdu soit déplacé de la vie intra-utérine à la relation antérieure au sevrage oral ou à la perte du sein a beaucoup d'importance vis-à-vis de certaines formulations modernes du narcissisme mais ne change rien au fond de la question. L'intégrité narcissique est une préoccupation constante, même si elle varie selon les circonstances : elle fait question — qu'est-ce que l'intégrité de ce qui n'a pas de limites ? En aval, la structure du caractère révèle la ténacité des défenses narcissiques qui s'accrochent au maintien d'une individualité inaliénable. A cet égard, il me semble qu'au moins une partie de ce qui a été autrefois abordé dans la littérature analytique sous l'angle du caractère revient aujourd'hui sous les auspices de l'identité. Sans doute parce que l'armure caractérielle se révèle, à un examen plus attentif, vulnérable dans sa compacité. L'affirmation tautologique réitérée : « Je suis comme je suis » laisse deviner par transparence un : « Qui suis-je ? » qui ne peut formuler sa question sans encourir le risque de porter atteinte à la plus fondamentale des « raisons d'être ». L'identité n'est pas un état, c'est une quête du Moi qui ne peut recevoir sa réponse réfléchie que par l'objet et la réalité qui la réfléchissent.

2. En second lieu, nous voici confrontés à la *relation narcissique à la réalité.* En principe, réalité et narcissisme s'opposent s'ils ne

s'excluent pas. C'est la contradiction majeure du Moi, d'être à la fois l'instance qui doit entrer en rapport avec la réalité et s'investir narcissiquement, en ignorant celle-ci pour ne connaître que soi-même. Le lien que Freud établit entre le refoulement de la réalité et les névroses narcissiques, d'abord, et les psychoses, ensuite, témoigne de cette relation. Sans doute comprit-il qu'il fallait plus qu'une fixation ou une régression narcissiques pour faire une psychose, ce qui nous renvoie aux liens du narcissisme avec les pulsions de destruction que nous abordons plus loin. Le domaine couvert par la relation narcissique à la réalité s'étend entre deux bornes : la pensée et l'action. La toute-puissance de la pensée, qui est un des premiers aspects sous lesquels le narcissisme se présente à Freud, est l'expression d'un double investissement : celui de la surestimation des pouvoirs du Moi impotent (en fait, le renversement de son impuissance en omni-potence) et celui de la sexualisation de la pensée. Loin de disparaître, dans les formes les plus évoluées, celle-ci persiste toujours dans certaines formations de l'inconscient — dont le fantasme ou le mot d'esprit sont les figures les plus éloquentes. Elle infiltre jusqu'aux élaborations les plus poussées du Moi. C'est à mon avis sous cet angle qu'il faut considérer la *rationali-sation,* largement exploitée dans la logique passionnelle du délire. Nous y ajouterons une réflexion dont nous verrons l'importance par la suite. Si le Moi, comme le soutient Laplanche, est une métaphore de l'organisme, on peut soutenir que le langage constituera la métaphore à double entrée du Moi et de la pensée. Freud a déjà remarqué combien le jeu du Moi s'appuyait sur la toute-puissance de la pensée. La toute-puissance du langage peut être invoquée au même titre, aussi bien dans la création — le verbe n'était-il pas au commencement ? — que dans la maîtrise du monde : intellectualisation. Il reste que le langage est bien ce qui révèle au sujet sa portée narcissique : le bien-dire achoppe sur le manque à dire.

A l'autre pôle, celui de l'action, la relation narcissique témoigne de la même contradiction : d'une part, l'attitude schizoïde fuit le monde pour effectuer un repli sur le monde intérieur coupé de la réalité, l'isolement solitaire étant préféré à toute participation à deux ou à plusieurs ; mais, à l'opposé, dans un autre type d'investissements narcissiques, l'action sociale est valorisée. Ceci, Freud l'a compris depuis son analyse du cas Schreber. Dans sa description des caractères narcissiques (« Types libidinaux », 1931), il brosse en quelques traits le portrait de ces personnalités disposant d'une grande quantité d'agression qui sont « parti-culièrement qualifiées pour servir de soutien aux autres, assumer le rôle de leaders, donner au développement culturel de nouvelles

41

impulsions ou porter atteinte à ce qui est établi [18] ». Cet ensemble, selon Freud, témoignerait d'une absence de tensions entre Moi et Surmoi, car, ajoute-t-il, le Surmoi est alors à peine développé, pas plus que les besoins érotiques, qui sont ici peu exigeants. Une fois de plus, l'accent est mis sur la conservation de soi-même, l'autonomie et l'insoumission.

3. Les caractères précédents incitent à se poser la question de la *désintrication du narcissisme d'avec les pulsions objectales*. L'éternelle discussion sur la distinction non pertinente entre le narcissisme et les pulsions, si elle choque notre besoin de cohérence conceptuelle, est cependant évocatrice d'une réalité clinique perçue dans la pratique analytique. Aussi la sexualité est-elle loin de jouer un rôle négligeable dans les structures narcissiques et l'on aurait tort de penser que la jouissance y est contrariée par les tendances auto-érotiques. De même, le choix d'objet narcissique n'est pas contradictoire avec l'obtention de grandes satisfactions tirées de l'objet qui ne sont pas uniquement d'ordre narcissique. Ce qu'il faut dire, c'est que tantôt la sexualité est vécue comme concurrentielle du narcissisme, comme si la libido narcissique risquait de s'appauvrir par la fuite des investissements d'objet, tantôt — et c'est sans doute le cas le plus fréquent — elle n'a de sens que pour autant qu'elle nourrit le narcissisme du sujet : jouir devient la preuve d'une intégrité narcissique préservée. A ce titre, parallèlement à la culpabilité qui n'est jamais absente mais est de moindre conséquence, c'est la honte de ne pas jouir qui supplante l'angoisse de castration. De même, l'échec sexuel fait encourir le risque d'abandon ou de rejet par l'objet. Cela signe moins la perte d'amour que la perte de *valeur* et la faillite du besoin de reconnaissance par l'autre. Pis encore, les souffrances narcissiques sont accrues au-delà de l'échec par l'insatisfaction du désir dans la mesure où celle-ci marque la dépendance du sujet à l'objet pour satisfaire les pulsions — plus précisément, pour obtenir le silence des désirs que seul l'objet peut satisfaire. L'envie de l'objet est à son comble quand celui-ci est supposé jouir sans conflit. Le pénis narcissique projeté (de quelque sexe qu'il soit) est celui qui peut jouir sans inhibition, sans culpabilité et sans honte. Sa valeur ne tient pas à sa capacité de jouissance, mais à son aptitude à annuler ses tensions en satisfaisant ses pulsions, tout plaisir se convertissant en investissement narcissique du Moi.

L'agressivité est l'objet de la même désintrication. On parle beaucoup du besoin de domination narcissique ; l'exemple des leaders cité par Freud en fournit une assez bonne illustration.

---

18. Trad. fr. in *La vie sexuelle*, P.U.F., 1969.

En fait, sans nier les satisfactions objectales liées à la position de maîtrise, ce qui compte dans une telle situation, c'est autant d'assurer un pouvoir que de prendre la place de celui qui l'exerce afin de l'empêcher de pouvoir l'exercer sur soi, c'est-à-dire s'affranchir de sa tutelle. Ce n'est pas le seul besoin de faire souffrir l'autre qui oriente la recherche du pouvoir, ni le seul désir d'être aimé et admiré qui « fait courir » le narcissisme, c'est surtout d'éviter le mépris projeté sur le maître pour une raison capitale que Freud donne dans *Psychologie collective et analyse du Moi*. Le père de la horde primitive, le laeder devenu par transfert l'objet qui prend la place de l'Idéal du Moi des individus du groupe, vit à l'écart dans la solitude ; eux ont besoin de lui, mais lui est censé n'avoir aucun besoin. Ceux-ci sont à priori satisfaits. A l'image de Moïse, il est l'intercesseur de Dieu et, en tant que tel, figure plus proche de Dieu que des hommes. Il n'est assujetti à aucun désir, si ce n'est à celui du Souverain-Bien. Selon le même raisonnement, il ne peut qu'éprouver du mépris pour les hommes du commun qui demeurent prisonniers de leurs désirs, c'est-à-dire de leur enfance ou, pire, de leur infantilisme. Ainsi l'exercice de la maîtrise sur les pulsions poursuit des buts complexes. Lorsqu'il y a renoncement à la satisfaction pulsionnelle, l'orgueil narcissique lui offre une compensation d'un prix élevé. Et quand au contraire cette maîtrise se produit à l'occasion de la satisfaction pulsionnelle, le plaisir qui en est tiré n'est justifiable qu'à la condition de se placer sous la soumission de l'Idéal du Moi. Cela vaut tout autant pour les pulsions agressives qu'érotiques.

L'impossibilité d'assouvir le besoin de maîtrise entraîne la rage narcissique. Certes parce que la réalité ou le désir de l'autre y font obstacle. Mais la vraie raison de la rage est que l'insatisfaction frustre le sujet non de la satisfaction, en tant que celle-ci implique la recherche d'un plaisir précis, mais de ce que la satisfaction libère le sujet du désir. Le pénis narcissique est un objet dont la possession assure que la satisfaction sera toujours trouvée et éprouvée sans obstacle. L'apaisement est obtenu sans entraves, sans délai et sans demande. Il s'agit donc d'un *désir de satisfaction* plus que d'une *satisfaction de désir*. On pourrait appliquer à cette configuration la notion de Moi-Idéal (Nunberg, Lagache), laquelle n'est pas sans rapport avec le « Moi-plaisir purifié » de Freud. Que le Moi-Idéal soit une aspiration du Moi, une de ses valeurs, c'est l'évidence. Encore faut-il marquer pourquoi celle-ci ne peut s'imposer. La réalité n'y souscrit pas sans doute, mais moins encore la désintrication des pulsions. Car, dans une telle structure, l'unification se faisant au détriment des satisfactions du Ça, le Moi ne peut chercher dans l'objet que sa projection narcissique, soit encore une vérité parfaitement adaptée aux exigences du sujet, premier point d'achoppement. En second lieu, cette « irréalité » de l'objet induit nécessairement une régression à la sexualité prégénitale. C'est là que l'on peut voir illustrée l'hypothèse de la nature traumatique de la sexualité (J. Laplanche). La sexualité fait intrusion dans le Moi. Elle est d'autant plus mal vécue qu'elle se dévoile dans ses formes les plus crues : une sexualité sauvage où le besoin de possession de l'objet — pour s'assurer son exclusivité — est infiltré de positions perverses (au sens où il s'agit de la satisfaction des pulsions partielles), surtout sado-masochiques. En ce sens, on pourra dire que la *sexualité redevient auto-érotique, la fonction de l'objet étant de satisfaire cet auto-érotisme « objectal ».*

4. *La fonction de l'Idéal* est qualifiée par Freud de grande institution du Moi. Autant dire que, si le narcissisme est à peine mentionné après la dernière théorie des pulsions et la deuxième topique, il survit au moins sous les auspices de l'Idéal. Que l'œuvre freudienne se ferme sur *Moïse et le monothéisme,* où le rôle du renoncement pulsionnel est magnifié au profit des victoires de l'intellect, est révélateur. On n'a pas grand-peine à deviner les craintes du fondateur de la psychanalyse pour l'avenir de sa cause. Et, s'il consent à être « assassiné », comme il imagine que Moïse le fut, qu'importe, pourvu qu'on s'attache à son œuvre écrite et que l'on se détourne des vaines satisfactions offertes par la rivalité œdipienne et les souhaits incestueux qu'elle recouvre ! *L'avenir d'une illusion* (1929), *Malaise dans la civilisation* (1930) et la *Weltanschauung* (1932) accomplissent la double tâche contradictoire d'analyser la fonction des idéaux et d'espérer l'avènement d'une science véridique affranchie de toute idéologie, ce qui est une nouvelle idéologie. J'ai proposé de nommer l'ensemble des productions idéologiques « idéologie [19] ». Freud distinguait la sublimation des pulsions et l'idéalisation de l'objet. Il était en faveur de la première et combattait les effets néfastes de la deuxième, bien qu'il fût obligé de reconnaître que l'amour n'allait pas sans une telle idéalisation. L'amour ? Heureusement, une *courte* folie. La surestimation des figures parentales, reflet de l'idéalisation dont l'enfant est lui-même l'objet de la part des parents, crée là un circuit narcissique impérissable. Mais on ne saurait oublier que le destin des idéaux est d'accomplir le renoncement pulsionnel le plus radical, *y compris le renoncement des satisfactions narcissiques.* Si l'orgueil

---

19. A. Green, « Sexualité et idéologie chez Marx et Freud », in *Etudes freudiennes,* 1969, n°ˢ 1-2.

est la prime du renoncement pour devenir « grand », la recherche
de la grandeur exige que l'on se fasse tout petit devant elle.
« Etre à nouveau, comme dans l'enfance et spécialement en ce
qui concerne les tendances sexuelles, son propre idéal, voilà le
bonheur que veut atteindre l'homme », écrit-il dans « Pour
introduire le narcissisme ». L'ascétisme est serf de l'Idéal. La
purification des serviteurs de l'Idéal porte aux extrêmes. Ceux-ci
peuvent en imposer pour des satisfactions masochiques. A mes
yeux, ces dernières ne vont pas au-delà des bénéfices secondaires,
ou de maux inévitables, car il faut bien accepter que le plaisir
puisse y être admis comme un passager clandestin. A ce titre,
l'ascète n'est pas toujours martyr. Un *narcissisme moral*[20] nourri
par l'idéalisation se trouve ainsi exalté. L'auto-effacement est la
visée de tout messianisme, le narcissisme recevant pour prix de
ses peines les retombées du sacrifice en faveur de l'élu dont
l'image ré-alimente le narcissisme négatif. Si nous insistons plus
qu'il n'est de coutume sur les formes d'idéalisation collective,
c'est qu'il nous semble que c'est là que s'accomplit pleinement
le narcissisme projeté : le dépouillement narcissique individuel,
grâce à des effets en retour, se reporte sur le groupe missionnaire
et justifie l'abnégation qu'il exige. Lorsque le groupe manquera
de mystique (Bion), il restera toujours le narcissisme des petites
différences. Le mouvement psychanalytique n'a pas échappé à ce
destin.

5. Cette situation contradictoire — exaltation et sacrifice —
témoigne du double mouvement d'*expansion* et de *retrait narcissiques*. Freud insiste sans doute beaucoup plus sur le retrait
libidinal narcissique que sur l'expansion. Encore qu'à la fin de
son œuvre l'analyse du sentiment océanique, dans *Malaise dans
la civilisation,* souligne la coexistence du sentiment d'identité
qui appelle l'idée des limites territoriales du Moi avec la tendance
à la fusion qu'il explique par le besoin du retour à une image
paternelle omnipotente protectrice. Cette tendance expansionniste
qui fait du narcissisme une terre sans frontières, point n'est
besoin de la régression fusionnelle pour la constater[21]. On peut
parler à bon droit chez certains patients d'un *Moi narcissique
familial* où la famille est conçue comme une extension du Moi,
dans l'idéalisation des rapports intrafamiliaux, avec souvent une
dominante quant à la complicité fraternelle. Que des groupes de
plus en plus vastes puissent bénéficier du même besoin que
confère l'appartenance au sentiment d'identité — et ce d'autant

---

20. Cf. plus loin, chapitre IV.
21. Federn puis Grunberger ont développé ce point, souvent évoqué par
ce dernier sous la forme de l' « élation narcissique ».

plus qu'elle se veut non égoïste — n'a rien pour surprendre. Est-il besoin d'ajouter qu'on ne saurait porter l'accusation de morbidité à l'égard d'une telle attitude, capable d'engendrer le meilleur comme le pire ? La retraite narcissique n'appelle pas de commentaire particulier, si ce n'est qu'il faut toujours se rappeler qu'elle est la réponse à une souffrance, à un mal-être. Mais il faut garder en mémoire aussi que c'est la plus naturelle des tendances du Moi qui, chaque nuit, désinvestit le monde pour entrer dans le sommeil réparateur. Et pas uniquement pour rêver.

Depuis quelques années on accorde un intérêt croissant à la clinique psychanalytique des états de vide, aux formes de l'aspiration au néant objectal, à la catégorie du neutre. Cette tendance au désinvestissement, cette recherche de l'indifférence n'est pas l'apanage des philosophies orientales [22]. Il me semble logique d'admettre que tout investissement porte dans ses plis le désinvestissement qui en est l'ombre projetée en arrière — évoquant l'état mythique antérieur au désir — et en avant — anticipant sur l'apaisement neutralisant consécutif à la satisfaction d'un désir conçu comme totalement satisfait. Le *narcissisme négatif,* dont les extensions recouvrent à mon avis toutes les valorisations de la satisfaction narcissique par la non-satisfaction du désir objectal, jugées plus désirables qu'une satisfaction soumise à la dépendance, à l'objet, à ses variations aléatoires comme à ses réponses toujours défaillantes au regard des espérances qu'il est supposé accomplir, me paraît en rendre compte : *voi ch'entrate...*

6. Toutes ces ambiguïtés se retrouvent dans les concepts d'*objet narcissique* et d'*investissement narcissique.* L'ennemi du narcissisme, c'est la réalité de l'objet et, inversement, l'objet de la réalité, à savoir sa fonction dans l'économie du Moi. L'objet est en position privilégiée pour être le support de cette question. Parce qu'il est à la fois externe et interne au Moi, parce qu'il est nécessaire · à la fondation du Moi et à l'élaboration du narcissisme. La thèse de l'amour primaire d'objet repose sur un malentendu qu'il faut tenter de dissiper. Il est vrai que, dès l'origine, l'amour primaire d'objet marque l'existence du bébé. Il n'en reste pas moins que, *du point de vue de l'infans,* l'objet

---

22. Un fossé sépare, de ce point de vue, religions judéo-chrétiennes et religions orientales. Tandis que les religions judéo-chrétiennes répugnent manifestement à penser le vide, le zen en fait sa référence. J.-F. Lyotard (*L'économie libidinale,* Ed. de Minuit) dénonce vigoureusement le tao : « Trente rayons convergent au moyeu, mais c'est le vide médian qui fait marcher le Char » (*Tao-tö king,* XI). Curieusement, il rejoint le père Merton controversant avec Suzuki (Zen, Tao et Nirvâna), au Christ près. L'Islam se situe, lui, entre les deux. M. Shaffii le montre clairement (« Silence and meditation », *Int. J. of Psycho-Anal.,* 1973, 53).

est inclus dans son organisation narcissique : ce que Winnicott appellera à juste titre l'*objet subjectif* et Kohut le *Soi-objet*. Toute la confusion vient du fait qu'à la perspective moniste — on a même dit : monadologique — d'identification imaginaire avec l'enfant on a substitué une perspective dualiste, produit de la perception du tiers observant de la scène du vert paradis des amours enfantines. Il n'y a donc pas lieu de nier l'existence du narcissisme primaire au profit de l'amour primaire d'objet ; il s'agit là de deux visions complémentaires prises de deux points de vue différents. On peut certes contester l'identification imaginaire à l'*infans* par l'adulte toujours plus ou moins adultomorphe. Mais c'est un obstacle indépassable. Au moins faut-il le savoir et ne pas se laisser piéger par la séduction du visible où l'imagination adultomorphe serait avantageusement remplacée par la « perception objective » de l'observation directe, qui n'est qu'une rationalisation plus scientiste que scientifique. Quant au tiers observant, il convient non seulement de l'inclure dans le tableau mais aussi de ne pas oublier que, pour être absent des relations mère-enfant, il n'en est pas moins présent sous une forme ou sous une autre *dans* l'enfant fait d'une moitié paternelle — pas seulement dans ses chromosomes mais dans les traits de son apparence et, très tôt, dans l'interprétation de son mode d'être — et *dans* la mère qui s'est unie au père pour le créer.

L'objet est donc là et pas là, à la fois. Ce qui est inévitable, c'est qu'au mode auto-érotique du fonctionnement selon le principe de plaisir (qui inclut les soins maternels) va succéder le paradoxe de la perte d'objet, condition inaugurale de la trouvaille de l'objet (ou de la retrouvaille, si l'on préfère). Rappelons que, selon le modèle freudien, « à l'époque où la satisfaction sexuelle était liée à l'absorption, la pulsion trouvait son objet au-dehors [23] dans la succion du sein de la mère. Cet objet a été ultérieurement perdu, peut-être précisément au moment où l'enfant est devenu capable de voir dans son ensemble la personne à laquelle appartient l'organe qui lui apporte une satisfaction. La pulsion devient alors auto-érotique » (*S. E.*, VII, 222). Cette évolution lie l'auto-érotisme à la perception totalisante de l'Autre, mais il n'est pas encore question de narcissisme. En somme, si l'on tient compte de la reformulation de l'*Abrégé* :

---

23. A la fin de son œuvre, dans l'*Abrégé* Freud proposera une formulation différente qui en dit long sur cette évolution : « Au début, l'enfant ne différencie certainement pas le sein de son propre corps. C'est parce qu'il s'aperçoit que le sein lui manque que l'enfant le sépare de son corps, le situe au-dehors et le considère dès lors comme un objet, un objet chargé de l'investissement narcissique et qui se complète par la suite en devenant la personne maternelle. »

Temps 1 : corps infans-sein, pulsion orale.

Temps 2 : perte du sein, localisation du sein, objet narcissique, au-dehors, perception de la totalité du corps maternel, rattachement du sein au corps maternel, auto-érotisme (plaisir de succion). Par ailleurs (cf. « La négation », 1925), il est dit que la perte d'objet est le moteur de l'instauration du principe de réalité.

La naissance du narcissisme est précisée dans le cas Schreber (1911) : « Il arrive un temps dans le développement au cours duquel il [l'enfant] unifie ses pulsions sexuelles (qui ont été jusqu'alors affectées à des activités auto-érotiques) en vue d'obtenir un objet d'amour, et il commence par se prendre lui-même, son propre corps, comme son objet d'amour et seulement ensuite procède de ce point au choix de quelques personnes étrangères autres que lui-même comme objet » (*S. E.*, XII, 60).

Temps 3 : Le narcissisme est né de l'unification des pulsions sexuelles, pour constituer un objet formé sur le modèle (cf. *Temps 2*) de la totalisation perçue de l'objet.

Ce n'est pas tout. Le développement du Moi opère dans le choix de l'objet un découpage qui isole un objet partiel. La suite de la citation précédente, qui manifestement s'inspire du cas de Léonard, le montre : « Ce qui est d'importance capitale est que le Moi ainsi choisi comme objet d'amour peut être aussi bien les génitoires. »

Voici donc le *temps 4* : Choix d'objet homo-érotique où le signifiant de l'homo-érotique se représente par les génitoires qui valent pour l'objet total.

Remarque : Freud nie, semble-t-il (dans la mesure où il pense manifestement à l'homme), la différence sexuelle qu'il fait intervenir. En fait, ici le pénis appartient aux deux sexes. Le pénis est attribué à la mère.

Suit le *temps 5* : Choix d'objet allo-érotique établi selon la différence des sexes (phallique-châtré ; double identification), complexe d'Œdipe évoluant vers la création du Surmoi pour sauver l'intégrité narcissique. Le Surmoi est l'héritier du complexe d'Œdipe et l'Idéal du Moi un avatar du narcissisme.

Temps 6 : Connaissance ou reconnaissance du vagin. Différence sexuelle réelle dans l'opposition pénis-vagin. Pérennité de la lignée narcissique, au-delà de cette connaissance-reconnaissance.

Plus tard, dans *Malaise dans la civilisation,* Freud reconnaîtra que le sentiment de l'unité du Moi est très fragile, sinon fallacieux. L'analyse du sentiment océanique en témoigne. Mais l'explication de Freud nous laisse rêveurs. Il y voit la réapparition de la recherche de la protection du père tout-puissant. Si Dieu s'écrit au masculin, on dit pourtant la Mère-Nature. Parallèlement, le fantasme de dévoration qu'on serait tenté de rapporter au sein maternel, par la médiation de la relation orale cannibalique, est également interprété selon le mythe cronien — du père jaloux de ses fils — et cela jusqu'au terme de l'œuvre freudienne [24]. Il est remarquable que, par ailleurs, Freud ait donné de la naissance de l'objet une version qui me semble devoir être mise en relation avec sa perte. Dans « Pulsions et destins des pulsions », il affirme que l'objet est connu dans la haine. Comment mieux souligner que la perception de l'existence indépendante de l'objet le fait haïr parce qu'elle met la toute-puissance narcissique en échec ? Mais, à quelques écrits de distance, il opposera narcissisme du rêveur (narcissisme héroïque du rêveur lié à ses performances oniriques dont le rêve lui-même n'est pas la moindre) et narcissisme du rêve [25]. Plus loin encore, dans « Deuil et mélanco-

---

24. « Le clivage du Moi dans le processus de défense », 1938.
25. « Complément métapsychologique à la théorie du rêve » (1915), dans *Métapsychologie*. La notion d'écran blanc du rêve de B. Lewin nous permet de mieux penser le fond sur lequel se déroulent les figures du rêve. Toutefois, on peut se demander s'il s'agit toujours de l'hallucination du sein, ou si le blanc n'est pas représentation de l'absence de représentation. La pensée hindoue nous y invite. Bien avant les études neurophysiologiques qui ont permis la découverte de l'espace cérébral du rêve (phase paradoxale) et l'espace du sommeil sans rêves, le *Milinda Panha* (II° s. av. à II° s. apr. J.-C.), ouvrage bouddhique, apporte des réponses précises à ces questions. Le roi Milinda — sous lequel on peut deviner le roi grec Ménandre — discute avec un religieux, Nâgasena. Il demande : « O vénérable Nâgasena, quand un homme rêve, est-il endormi ou éveillé ? » — « Ni endormi, ni éveillé, ô grand roi. Mais, quand son sommeil est léger et qu'il n'est pas encore pleinement conscient, voilà l'état intermédiaire où se produisent les rêves ! Quand un homme est profondément endormi, ô roi, sa pensée rentre en elle-même. Alors elle n'agit plus et une pensée inactive ne connaît ni heur ni malheur. Celui qui ne sait rien ne fait pas de rêves. Seule une pensée active rêve. De même, ô roi, que dans l'ombre et dans les ténèbres, quand il n'y a point de lumière, aucun reflet ne tombe sur le miroir, de même, quand on est profondément endormi, la pensée rentre en elle-même, n'agit plus, ne connaît ni heur ni malheur. Regarde, ô roi, le corps comme un miroir, le sommeil comme les ténèbres, et la pensée comme la lumière » (IV, 8, 33).
Voilà bien la pensée du neutre (ni heur = plaisir, ni malheur = déplaisir). Déjà de plus anciennes Upanishad (VI° s. av. J.-C.) exposent la théorie des quatre états. Le Kanshîtaki Upanishad dit : « Quand un homme endormi ne voit aucun rêve, il s'unifie dans le souffle : en lui rentre la parole avec tous les noms, en lui rentre la vue avec toutes les formes, en lui rentre l'ouïe avec tous les sons » (III, 3). Ainsi, dans la plus ancienne des Upanishad (*Brihad Aranyaka*), un roi et un brahmane arrivent auprès d'un homme endormi et l'interpellent en ces termes : « Grand (être), de blanc vêtu, être immortel, roi. »
Pour toutes ces questions, voir *Les songes et leur interprétation*, Seuil, 1959.

lie » (1915) [26], c'est la perte de l'objet qui pour ainsi dire le révèle aux yeux du sujet. Cette révélation qui mériterait une majuscule dévoile la structure narcissique : rapport oral, ambivalence, investissement narcissique propre à l'identification primaire.

A la même époque, mais ailleurs, dans les « Considérations sur la guerre et la mort » (1925), Freud analyse la réaction à la mort d'autrui. La mort des proches nous met à l'épreuve en ce qu'elle nous confronte avec les limites de notre investissement de l'autre. « D'une part ces êtres aimés sont une possession interne, des constituants de notre Moi, mais d'autre part ils sont en partie des étrangers, et même des ennemis. » (S. E., XIV, 298.)

On peut penser que l'effet de l'angoisse de castration représente une victoire du narcissisme qui, pour préserver l'intégrité corporelle, renonce au plaisir d'organe. Nous pourrions ajouter au *temps 5* la phrase : le narcissisme dérobe aux objets leurs investissements.

Nous voilà amenés à traiter de l'*investissement narcissique de l'objet*. Il suscite le blâme, au point que narcissique a rarement une signification dépourvue de toute péjoration. Le Surmoi altruiste peut clamer bien haut ses exigences. En privé, il est réduit au silence — jusqu'à un certain point, car il est difficile de se passer des autres. Nous sommes condamnés à aimer. L'amour comporte, selon Freud, un appauvrissement narcissique. Mais C. David a justement fait observer que l'état amoureux exalte le narcissisme [27]. Dans sa description des « types libidinaux », Freud écrit : « Dans la vie amoureuse, aimer est préféré à être aimé » ; on s'attendrait plutôt au contraire. Cela peut s'expliquer toutefois par le refus de dépendre de l'amour de l'objet et le désir de conserver sa liberté de manœuvre dans la mobilité des investissements. L'opposition du choix d'objet par étayage (« anaclitique ») et du choix d'objet narcissique est très schématique et phallocentrique. Si l'on peut discuter de la symétrie établie par Freud, l'existence du choix d'objet narcissique n'est pas douteuse. On connaît les caractéristiques de ces investissements : projection sur l'objet d'une image de soi — tel qu'on a été, qu'on voudrait être ou qu'ont été les figures parentales idéalisées. Les descriptions oscillent entre l'investissement fusionnel, l'investissement d'une image de soi « appauvrie », l'investissement en miroir et l'investissement qu'on pourrait appeler solipsiste. La structure narcissique réagit avec une hypersensibilité remarquable à l'intru-

---

26. Dans *Métapsychologie*.
27. C. David, *L'État amoureux*, Petite Bibliothèque, Payot, 1971.

sion dans l'espace du Soi, encore qu'elle garde la nostalgie de la fusion et redoute la séparation génératrice d'angoisse, même si elle aspire à l'autonomie et, par-dessus tout, à l'évitement de la dévalorisation, effet du mépris de l'objet et du mépris pour soi-même d'être inachevé, inaccompli, dépendant. Le narcissisme ne peut effectuer cet oubli de soi *avec* l'autre. Cet abandon de soi est équivalent à la menace d'abandon de l'objet. Le narcissisme sert donc au sujet d'objet interne substitutif qui veille sur le Moi comme la mère veille sur l'enfant. *Il couvre le sujet et le couve.* Comment pallier ces vicissitudes de l'objet — en dehors de la protection narcissique propre ? Il nous semble que la *création artistique* (fût-elle mineure ou minimale) joue là son rôle. L'objet narcissiquement investi de la création sert d'objet de projection — encore que son créateur, tout en affirmant avec vigueur sa paternité, refuse avec autant d'énergie que ce produit soit le reflet de sa vie. Il veut lui assurer une vie propre, une autonomie égale à celle à laquelle il aspire. Il prise hautement ses productions et se blesse à toute évaluation qu'il réclame pourtant. Les écrits des analystes sont leur création ; c'est pourquoi rien ne les atteint davantage que le jugement des autres qui en méconnaissent les vertus cachées ou qui en contestent la valeur. La fonction de l'objet créé est de servir de médiation — de transaction — avec l'autre, qui jouit (quand l'ambivalence ne s'y oppose pas) par identification avec le créateur. Ainsi tout psychanalyste se réclame-t-il du père Freud. Je dis alors que l'objet et son investissement sont des objets *trans-narcissiques*. En dehors de la création, d'autres objets se sont vu assigner la même fonction : la drogue, l'acool ou, de façon plus significative, le fétiche. Mais le phallus, en fin de compte, c'est la *Cause*. A la fois Mère de toute raison de vivre, Père de toutes les espérances, Enfant-Roi sauveur du monde.

Portrait du Narcisse : être unique, tout-puissant par le corps et par l'esprit incarné dans son verbe, indépendant et autonome dès qu'il le veut, mais dont les autres dépendent sans qu'il se sente porteur à leur égard du moindre désir. Cependant séjournant parmi les siens, ceux de sa famille, de son clan et de sa race, élu par les signes évidents de la Divinité, fait à son image. Il est à leur tête, maître de l'Univers, du Temps et de la Mort, tout empli de son dialogue sans témoins avec le Dieu unique qui le comble de ses faveurs — jusqu'à la chute par laquelle il est l'objet élu de son sacrifice —, intercesseur entre Dieu et les hommes vivant dans l'isolement rayonnant de sa lumière. Cette ombre du Dieu est une figure du Même, de l'immuable, de l'intangible, de l'immortel et de l'intemporel.

Qui ne reconnaîtrait pas, au secret de ses fantasmes, cette figure, qu'on la serve ou qu'on soutienne le projet dément de l'incarner ?... Mais que nous voilà loin de l'innocente fleur qui ressuscite l'éphèbe amoureux de son reflet, jusqu'à se fondre dans l'eau dormante sans fond.

Le narcissisme appartient moins à l'univers des mythes esthétiques qu'à celui des mythes religieux. C'est pourquoi il refleurit sans cesse.

7. *Le narcissisme et l'organisation dualiste des pulsions.* Les théories des pulsions se succèdent dans l'œuvre de Freud. La libido narcissique opposée à la libido d'objet occupe une position intermédiaire entre la première des oppositions postulées, qui distingue pulsions d'auto-conservation et pulsions sexuelles, et la dernière, confrontant les pulsions de vie et les pulsions de mort. On a l'habitude de voir dans cette ultime élaboration un virage que Freud aurait pris. Il n'en est rien. Si le lien entre pulsions d'auto-conservation et libido narcissique va, pour ainsi dire, de soi, la redistribution des valeurs pulsionnelles de la dernière théorie des pulsions me paraît obéir à la logique théorique de Freud. Que se passe-t-il en effet ? Comme nous l'avons déjà fait remarquer, Freud pose une constante : la sexualité est tout au long de son œuvre ; étant donné la position éminemment conflictuelle de celle-ci, il cherche en tâtonnant ce qu'il peut lui opposer : la *pulsion antisexuelle.* La biologie semble lui indiquer la voie dans une première approximation, puisque l' « instinct » d'auto-conservation est unanimement reconnu : la faim et l'amour gouvernent les appétits des êtres vivants. Le second temps par lequel Freud libidinise le Moi établit une concurrence entre les investissements libidinaux d'objet et du Moi. Weissmann a eu sa part dans ce choix. Et pourtant Freud, fidèle à son référent, l'espèce, assujettit le moi à la perpétuation de la vie. Jamais l'individu n'accède chez lui au statut de concept. Il écrit dans « Pour introduire le narcissisme », en se référant une fois de plus à la biologie :

« L'individu, effectivement, mène une double existence : en tant qu'il est à lui-même sa propre fin, et en tant que maillon d'une chaîne à laquelle il est assujetti contre sa volonté, ou du moins sans l'intervention de celle-ci. Lui-même tient la sexualité pour une de ses fins, tandis qu'une autre perspective nous montre qu'il est un simple appendice de son plasma germinatif, à la disposition duquel il met ses forces en échange d'une prime de plaisir, qu'il est le porteur mortel d'une substance (peut-être) immortelle, comme l'aîné d'une famille ne détient que temporairement un majorat qui lui survivra. La distinction des pulsions sexuelles et des pulsions du Moi ne ferait que refléter cette double fonction de l'individu [28]. »

Remarquons ici comment à son tour le Moi peut se trouver investi du sentiment d'immortalité, comme Rank le montre à propos du double. Double existence, mais aussi double structure du Moi : mortel et immortel quand il s'identifie à cette part de lui qui se transmet dans sa descendance, mais qu'il inclut dans le présent par la constitution du jumeau fantasmatique pour qui la mort n'existe pas.

L'introduction des pulsions de mort dans *Au-delà du principe de plaisir,* le retour du principe d'inertie de l'*Esquisse* sous la forme du principe du Nirvâna postulé par Barbara Low indiquent donc un renversement dialectique. Voilà que le Moi immortel inverse ses buts : l'exaltation de vivre conduit à l'apaisement de mourir. Il y a donc un Moi thanatophilique ou, pour rester dans l'univers poétique de Keats, un Moi *half in love with death* (à demi amoureux de la mort). Mais l'objet est « fauteur d'excitations » comme le monde extérieur. Les rapports réflexifs qui s'instaurent entre l'organisation narcissique du Moi et l'objet font bien comprendre que la destruction de l'objet peut prendre la forme réfléchie de l'auto-destruction. Qui commence ? Question vaine, parce que l'idée de successivité dans une telle organisation est non pertinente ; c'est celle de simultanéité qui prévaut et qui doit nous amener à penser la coexistence de la destruction de l'objet (fondateur du narcissisme et narcissiquement investi) et de la destruction du Moi qui aspire à retrouver l'indifférence. Est-ce pour retrouver un *bien-être ?* Ou pour fuir un mal-être ? Ici encore, la coexistence des deux mouvements « fuite de », « aspiration à », est donnée simultanément. Cette in-différence passionnément recherchée est, bien entendu, intolérance à l'indifférence des autres — ce que Freud met justement à la racine de la paranoïa. Le point d'équilibre de ces tensions, qui vise à leur annulation réciproque, est l'immobilisation au point zéro, insensible aux oscillations de l'autre et du Moi à l'état immobile. Indifférence entre bon et mauvais, dedans et dehors, Moi et objet, masculin et féminin (ou châtré). La plénitude du narcissique s'obtient aussi bien par la fusion du Moi avec l'objet qu'avec la disparition de l'objet et du Moi dans le neutre, *ne-uter*.

La logique freudienne va donc maintenant procéder à un nouveau découpage : Eros, pulsions de destruction. Si les entités mythiques gênent notre épistémologie, il suffit de leur opposer la *liaison et la déliaison,* la conjonction et la disjonction. Catégories,

---

28. *La vie sexuelle,* p. 85.

elles, d'une rassurante logique. Encore faut-il que celle-ci soit dialectique. C'est-à-dire qu'on conçoive ces rapports comme inter-dépendants. Pas de liaison effective sans une déliaison indivi-duante, pas de liaison sans recombinaison. Conjonction, disjonc-tion constituent un axe majeur ; celui-ci s'articule avec son complément : Même et Autre. L'ensemble de leurs relations définit ce qu'on appelle la relation d'objet *et* la relation nar-cissique (l'*Ego relatedness* de Winnicott). Toute l'histoire du développement se joue ici : la scène primitive (union des parents), la séparation des partenaires (dissociation du couple), la grossesse (inclusion liante de l'enfant au corps de la mère), l'accouchement (disjonction du corps maternel), la relation au sein (refusion due à la prématuration), la constitution du Moi (séparation indivi-duante), les fixations prégénitales en rapport avec l'objet (auto-érotisme pluriel morcelant), la triangulation œdipienne (rassem-blement des relations entre interdit séparateur et réunion par l'identification avec le rival), l'entrée dans le monde culturel (distinct d'avec l'espace familial), la sublimation (conjonction avec le monde culturel, fût-ce dans la contestation), l'adolescence (comme deuil séparateur des parents), le choix d'objet (réunion dérivée) et à nouveau la scène primitive. Cette fresque pourrait paraître normative, elle n'est en fait que le parcours de la répé-tition. Vues avec quelque recul, les variations (culturelles ou individuelles) sont négligeables. De toute façon, la mort est au bout du parcours ; on la dit inconcevable pour l'inconscient. A repenser. Le narcissisme négatif est le complément logique du narcissisme positif qui rend intelligible le passage de la théorie des pulsions opposant la libido narcissique et la libido d'objet à la dernière théorie des pulsions de vie et de mort. La mort, une « pulsion » ? Se pourrait-il ? A cette question, nous ne pou-vons répondre ici et maintenant que par le silence.

Si le narcissisme a été abandonné par Freud en cours de route, sous le prétexte que sa théorie était trop compatible avec la théorie de celui en qui il avait reconnu son héritier avant de le découvrir comme dissident, Jung — qui préféra être son propre idéal plutôt que d'être l'élu de l'idéal de Freud —, c'est peut-être parce que Freud découvrit trop tard que sa solution théorique tombait sous le coup de ce qu'il critiquait, risquant par là de ruiner sa propre originalité. Et, s'il préféra opposer à Eros les pulsions de destruction, c'est qu'il pris conscience du fait que même les illusions les plus apparemment indestructibles sont susceptibles de disparaître. Défendre la pulsion de mort, c'était déjà s'avouer que la psychanalyse, comme les civilisations, est mortelle. C'était là le vrai dépassement de son propre narcissisme, même s'il ne put s'empêcher de croire à une science *anidéa-logique*[29].

Au départ, un idéal scientifique : découvrir les lois de l'in-conscient. Un héros : Œdipe et son double juif, moins conquérant mais plus réfléchi, Joseph, qui n'atteint pas à la royauté mais à un pouvoir beaucoup plus grand puisqu'il interprète les rêves du Pharaon. Sur le parcours de son œuvre, trois pairs[30]. Léonard qui préfère le savoir à la représentation, Shakespeare recréateur de la scène du monde, Moïse enfin qui transmet les Tables de la Loi en maîtrisant sa colère, mais que le peuple, incapable de renoncement, assassinera. C'est peut-être déjà le pressentiment d'une fin possible de ce qu'on a appelé la science juive.

La dernière note posthume, datée du 22 août 1938, dit : « Le mysticisme : l'auto-perception obscure du règne, au-delà du Moi, du Ça. »

Là où était le Ça... Mais le Moi est trop narcissique pour y renoncer. Immortalité du Moi... Cependant, la mort veille.

NOMBRES ET FIGURES DU NARCISSISME.

Si le narcissisme, inévitablement, nous conduit à devoir penser le plus impensable concept de l'analyse, à savoir l'*Un,* on ne saurait dire que ce concept est univoque. Le narcissisme est le *Désir de l'Un.* Utopie unitaire, totalisation idéale que tout vient mettre en question : l'inconscient, en premier lieu. En fait, la délimitation du corpus nous oblige à distinguer différentes valeurs.

Au nom du narcissisme primaire : l'entité unitaire. Mais celle-ci déjà se scinde en l'Un et l'Unique. L'Un est l'entité en principe insécable , mais qui est susceptible de se dédoubler, de se multiplier. Quand elle entre dans la constitution d'une chaîne, elle est l'objet d'opérations additives et soustractives. Un plus ou moins ; multiplié ou divisé ; ainsi est définie l'opération du successeur, donc du prédécesseur.

A quoi se lie, de quoi se délie, l'Un ? A un autre, d'un autre Un, soit encore de l'Autre. Addition et soustraction peuvent se transformer en multiplication et division. $1 - 1 = 0$. Zéro est à la fois nombre et concept (Frege[31]). $1 + 1 = 2$. Mais un, au départ, n'est pas, psychanalytiquement. 1 ne devient 1 que par la séparation de ce que Nicolas Abraham appelait l'unité

29. Cf. L. Althusser, *Philosophie et philosophie spontanée des savants,* Maspero, 1974.
30. Et deux contre-modèles : Schreber et Dostoïevski. Trop destructeurs.
31. G. Frege, *Etudes logiques et philosophiques,* Seuil. Cf. A. Green : « L'objet *a* de J. Lacan », *Cahiers pour l'analyse,* n° 3, 1966.

duelle. Un naît donc de la sexion (sexualité) qui appelle la recombinaison génétique (de deux moitiés) pour former l'unité biologique. Le développement psychique part de ce « Deux en Un » qui après la séparation et la perte de l'objet donne naissance à l'Un : l'Un de l'Autre précédant l'Un Même. Pour en rester à l'Unité $1 \times 1 = 1$. L'un se multipliant ne produit que l'unité. *Idem* pour la division. Il faut au moins que 1 s'unisse à 2 $(1 + 1)$ dans la multiplication pour engendrer la série des nombres pairs. A partir de la deuxième multiplication, 2 se multiplie par lui-même. C'est la série des nombres divisibles par 2 : les doubles. Donc l'Un renvoie au Double. Inversement, le double implique la division par deux. Appliquée au Un, nous avons la fraction dite moitié. La moitié a un statut unique. Si l'Un est fait de deux moitiés, chacune des deux moitiés comprend à la fois un statut de division et d'incomplétude et pourtant chaque moitié est unité constituante de l'unité formée par l'union des deux moitiés. Voyez les mythes gémellaires [32]. C'est exactement la définition classique du symbole : la tessère. En fait, chaque moitié a une double identité : en tant qu'elle est par elle-même *une* moitié et en tant que moitié parce qu'elle est constituante de l'*unité*. Clivage fondamental qui tend à s'annuler dans la fusion. On comprend alors que la relation narcissique ne puisse concevoir l'Autre que sur le modèle de l'Un. Car la véritable unité est celle du couple. Ce que l'on retrouve dans la psychanalyse, je veux dire la pratique psychanalytique.

Toutefois, le narcissisme primaire se meut lui-même en deux directions :

— vers le *choix d'objet,* choix de l'Autre. *Alter ego* puis sans ego : *alter.* La différence était réduite à zéro dans le double, encore que la différence, au vrai, ne disparaisse jamais. Les mythes gémellaires la rétablissent sous une forme minimale, discrète, ou maximale (lorsque l'un est mortel, l'autre est immortel [33]). Le double, la symétrie devient dissymétrie [34], similitude (le semblable n'est pas l'identique), différence. Toutefois, le *narcissisme secondaire* permet, lui, de retrouver son quant-à-soi en récupérant — dérobant, dit Freud — aux objets les investissements qui lui sont attachés. Le *Un rentre en lui-même ;*

---

32. Nous avons montré dans « Répétition, différence, réplication » in *Revue française de psychanalyse,* 1970, n° 3, la parenté entre le mythe d'Aristophane du Banquet que Freud interprète à sa manière avec le code génétique de Watson et Crick. Th. Sebeok a soutenu l'unité de tous les codes ou leur emboîtement, du code génétique au langage (*L'unité de l'homme,* Seuil).

33. *Myth,* par G. S. Kirk, Cambridge University Press.

34. Cf. *La dissymétrie* de R. Caillois, Gallimard.

— *vers le narcissisme primaire absolu,* où l'excitation *tend* au zéro : le *narcissisme négatif.* J'ai déjà fait remarquer que négatif a deux sens (au moins) : celui d'inverse du positif (exemple, la haine opposée à l'amour, où l'amour se retrouve sous une forme inversée, comme l'amour ne peut annuler la haine). Lacan l'écrit « *hainamoration* » (Séminaire XX). Mais négatif renvoie au concept pur de la néantisation. La confusion en psychanalyse a longtemps fait prendre le second sens pour le premier, en annulant le concept du 0. Ambiguïté du zéro : concept et nombre (Frege). Les principes — et donc celui du Nirvâna — tendent à... sans jamais parvenir au terme de ce qui est au principe de... Sans quoi, il ne s'agirait pas d'un principe. La courbe asymptotique tend vers 0 sans jamais l'atteindre. Il n'existe pas davantage un plaisir absolu ou une réalité absolue. Le zéro supporte — point d'équilibre instable — la catégorie du Neutre. J'ai conceptualisé cette catégorie sous l'auspice du *blanc* [35], de l'anglais *blank*. *Blank rime* = rime neutre. Je vous donne carte blanche = j'abdique toute volonté. Je signe un chèque en blanc = je prends le risque de me déposséder entièrement. Inutile de rappeler la différence entre un mariage *en* blanc et un mariage blanc. La psychose blanche est pour nous le royaume du désinvestissement radical, toile sur laquelle s'inscrit le tableau de la néo-réalité délirante [36]. Bion a proposé le concept du 0 comme état de l'inconnaissable. A la question de savoir si 0 valait pour zéro, il a récusé cette interprétation pour dire qu'il parlait de l'objet comme divinité, vérité absolue, infini [37]. Peut-on en rapprocher le concept de l'Autre chez Lacan, à la différence que pour ce dernier il s'agit du « trésor du signifiant » ? Il n'y souscrirait sans doute pas. Je propose la solution de l'*objet zéro.* Neutre.

Toutes ces opérations impliquent les concepts de liaison et déliaison dont Freud produit les figures, mythes « superbes et indéfinis » d'Eros et des pulsions de destruction. Le Neutre est intenable, il tombe d'Un côté ou de l'Autre. Dès lors, il se lie et/ou se délie, dans le Même ou dans l'Autre.

Ces trois types de valeurs narcissiques forment différentes figures géométriques. Impossible de penser le narcissisme sans repères spatiaux. En position centrale, nous mettrons la *sphère.* Il n'est pas besoin d'aller la chercher très loin : Freud l'appelait « boule protoplasmique ». Cette sphère est limitée par son enveloppe extérieure à limites variables (les pseudopodes). Clôture

---

35. Ici, je devrais ne rien écrire et laisser un blanc pour éviter de positiver le concept. Au lecteur d'y inscrire son signifiant.
36. Cf. J. L. Donnet et A. Green, *L'Enfant de Ça,* Ed. de Minuit, 1973.
37. W. Bion, *Brazilian Lectures,* Imago Editora Ltda, 1975.

spatiale qui donne à l'individu le sentiment d'être chez soi. En fait, la sphère abrite le Soi — et peut constituer à sa périphérie le « faux Soi » de Winnicott formé à l'image du désir de la mère. L'un renvoie à l'Autre. Dans l'échange, Winnicott a montré le rôle de miroir du visage de la mère : en fait, son regard. Il faut que l'enfant puisse s'y voir avant de *la* voir, pour former ses objets subjectifs, c'est-à-dire narcissiques. Le miroir, ensuite, est un *plan,* une surface de réflexion, une aire de projection. S'y inscrivent le double et l'Autre. Lacan a bien décrit le rôle de l'image de l'Autre dans la totalisation leurrante du narcissisme unifiant que donne au Moi la reconnaissance. Celle-ci, bien entendu, présuppose la reconnaissance par l'Autre. La projection peut aussi bien former une image idéalisante (de l'Un ou de l'Autre) ou au contraire persécutrice (des mêmes). Leur combinaison est à la base du délire, dont l'antagonisme est la mort psychique. Diverses directions, ici encore, sont possibles, dont le *double retournement* [38] de l'organisation narcissique, créateur de la bande de Mœbius que nous avons appris à reconnaître par le truchement de Lacan. La topologie lacanienne ne sera pas prise en considération ici. Mais nous savons aussi que la sphère et l'image projetée sont expansibles et rétractables. Winnicott, nous fournissant le concept de l'aire intermédiaire, nous fait comprendre le rôle de l'*intersection* dans le champ de partage des relations mère-enfant. La séparation des sphères en état de réunion donne naissance à l'espace potentiel où a lieu l'expérience culturelle. Forme primaire de la créativité sublimatoire, la sublimation et la création constituant les *objets transnarcissiques.*

L'intersection optimale a pour but de créer l'affect d'*existence.* Sentiment de cohérence et de consistance, support du plaisir d'exister, qui ne va pas de soi, doit être infusé par l'objet (l'élément féminin pur de Winnicott) et qui se montre capable de tolérer l'admission de l'Autre et la séparation d'avec lui. Le destin de l'Un étant de vivre en conjonction et/ou séparation (d') avec l'Autre : la capacité à être seul en présence de quelqu'un signe cette évolution favorable. Le Je se perd et se retrouve dans le jeu.

A l'inverse, d'autres destins sont encore possibles. Ainsi l'envahissement par l'Autre, souhaité et redouté, que les états de fusion illustrent. Le danger en est l'explosion et l'implosion (Laing [39]), mutuellement catastrophiques, ce que Bouvet appelait le *rapprocher de rapprochement* et le *rapprocher de réjection*

---

38. Constitué par la combinaison des deux défenses primaires : renversement sur la personne propre et retournement en son contraire.
39. *Le Moi divisé,* Stock, 1970.

qu'on observe dans la dépersonnalisation [40]. La fusion entraîne une dépendance absolue à l'égard de l'objet. La *passivation* suppose la confiance en l'objet. Assurance que l'objet n'abusera pas du pouvoir qui lui est ainsi attribué. Au-delà, la peur de l'*inertie,* de la mort psychique, est un spectre horrible, combattu par des défenses actives et réactives, ce qui pare aux dangers des deux sphères confondues en une seule, mais où l'une gobe l'autre : projection du narcissisme de la relation orale cannibalique, où bientôt se profile la première figure de la dualité : manger-être mangé. A la place du troisième élément de la triade de Bertram Lewin, mange-être mangé-chute dans le sommeil, c'est la disparition qui est redoutée, de l'Un, de l'Autre ou de leur unité fusionnée et reconstituée par la dévoration de l'Autre ou par l'Autre. Toutefois, la tolérance à la fusion est aussi nécessaire que le besoin d'être à l'état séparé. C'est ici la distinction entre l'état non intégré — à valeur bénéfique — et l'état désintégré — à valeur maléfique (Winnicott).

Enfin, la *rétraction du soi* est l'ultime défense. Traqué dans ses retranchements, il n'a plus à sa disposition que le rétrécissement *ponctuel,* celui qui s'accompagne de la mort psychique, et peut-être même de la mort tout court. Il a été montré [41] que le retrait total représente l'effondrement du Moi après la faillite des mécanismes de défense ordinaires ou exceptionnels qui tentent de faire face aux angoisses psychotiques : angoisse traumatique, produit des énergies non liées, la liaison permettant la solution de l'angoisse signal d'alarme. *Le point devient la solution finale.* Point zéro.

Les nombres renvoient aux figures et les figures aux nombres, tous narcissiques. Qu'est-ce qui se lie ? Un corps (volume), une image (surface), un point (limite minimale) ? Peut-être un langage.

FONCTIONS GRAMMATICALES ÉLÉMENTAIRES DES ÉNONCÉS NARCISSIQUES.

Une des fonctions du langage est de constituer une *représentation* aussi bien du sujet unitaire que de sa pensée. Nous ne reprendrons pas maintenant les règles de la langue lacanienne (lalangue incluse). L'analyse montre que les mots y font plutôt défaut. Dire par l'effet du non-dit, du mal dit et du « ce n'est pas ce que je veux dire » produit la dénégation : « Comment se

---

40. *Œuvres complètes,* vol. I, Payot, 1969.
41. Cf. G. Engel, « Anxiety and depression withdrawal : the primary affects of unpleasure », *Int. J. of Psycho-Anal.,* 1962, 43, p. 88-97.

dédire ? » Le discours analytique suppose une double articulation. L'association libre, la clause du « tout dire », implique une dérive syntagmatique, illogique aux yeux du sens, cependant que chaque syntagme doit continuer d'obéir à la logique grammaticale. Toutefois, ce que nous avons en vue ici est l'investissement narcissique des éléments fondamentaux de la phrase : sujet, auxiliaires, verbe et complément.

I. *Le sujet.* La littérature psychanalytique semble témoigner ces dernières années d'un sentiment d'incomplétude à l'égard de la terminologie du narcissisme. Divers termes ont été proposés pour combler des vides. Le concept freudien du Moi a été complété par les *variantes lexicales du sujet.* Le Soi, qui diffère selon les auteurs (Hartmann, Jacobson, Kohut ou Winnicott) est l'appellation la plus reçue, non sans résistance (Pontalis [42]). Beaucoup lui donnent la valeur de Moi global porteur des investissements narcissiques qui fondent le sentiment d'identité (Lichtenstein). D'autres mettent plus volontiers en avant la différence entre le Moi et le Je, soit dans une perspective existentielle (Pasche), soit dans une perspective linguistique (Lacan), soit encore comme savoir sur le Je (P. Castoriadis-Aulagnier). Le sujet enfin reçoit des acceptions diverses ; celle de Lacan, d'esprit structuraliste, est à part des autres emplois, le plus souvent descriptifs. L'ambiguïté du concept de Moi total ou de Moi instance a fait l'objet d'une clarification de J. Laplanche qui conçoit le Moi comme une métaphore de l'organisme : système Moi fonctionnant selon un régime endogène singulier, sinon autonome. En dehors de ces désignations, on se soucie de l'identité, de l'individuation (Mahler), de la personnalisation. Toutes ces formes de l'*ipséité,* si elles ont droit de cité, comportent néanmoins un danger de déplacement conceptuel qui peut devenir graves dans la mesure où elles impliquent des concessions phénoménologiques, voire existentielles. Dès lors, si justifiées que soient les références à la clinique, il serait souhaitable que l'expérience ne se traduise pas par une paraphrase métapsychologique d'une pensée qui reste descriptive plus que théorique. Le thème est responsable de cette induction. Aborder le narcissisme, c'est d'une certaine façon, sinon de façon certaine, être enclin à une tautologie théorique. Le Moi inconscient devrait nous en prévenir, mais la « bonne forme » ou la « belle âme » du Moi narcissique tend à nous séduire dans la théorie qui fait miroiter les reflets de son apparence. Les habitudes terminologiques finiront sans doute par l'emporter. Les termes importent moins que la façon dont on en

---

42. Cf. J.-B. Pontalis, « Naissance et reconnaissance du self », in *Psychologie de la connaissance de soi,* P.U.F., 1975.

use. Le narcissisme attend peut-être encore le dévoilement de sa structure inconsciente, structure plus facilement repérable dans le domaine des pulsions objectales.

Ce qui a produit cette surabondance de conceptions adjacentes ou vicariantes du Moi freudien est probablement la question de la différence entre Moi et Je que Freud ignore sans doute délibérément. « Moi, je... » dit-on fréquemment, comme pour illustrer le clivage et la différence. De l'avis des spécialistes du langage et de la communication, une des particularités, et non la moindre, du langage humain est qu'il s'agit d'un système auto-référent (*self-refering*) : « Je désire que... » « Je pense que... », où la problématique narcissique est engagée. « Moi, je pense que le narcissisme n'est pas ce que l'on dit qu'il est... » Ici se retrouve la distinction entre sujet de l'énoncé et sujet de l'énonciation mise en valeur par R. Jakobson. Ce que nous soulignerons, c'est que le langage *dans son ensemble* prend dans la cure analytique cette double fonction par rapport aux autres modes de communication. Ainsi lapsus et mots d'esprit sont-ils et ne sont-ils pas du « pur énoncé ». Le langage est singulier-pluriel : pas seulement par le « nous » de majesté, mais parce que la pluralité des pronoms de la première personne la rend nécessairement plurielle tandis que la première personne du pluriel est singularisante. « A Paris, nous pensons que le narcissisme n'est pas ce qu'ailleurs on dit qu'il est. » Énoncé qui cache en fait deux personnes, l'auteur de ces lignes et son destinataire singulier. Cela nous amène enfin à situer le pronom personnel sur le terrain de l'affirmation et de la négation qui assurent des fonctions convergentes de cohésion narcissique et de pertinence discriminative. Toutefois, il est clair que ce qui est refusé par la négation fait retour dans l'affirmation et que ce qui est affirmé continue de nier sa relation avec le dénié. De toute façon, cette différence s'inscrit par rapport au « Il ». « Il (Freud) m'aurait sûrement donné raison. » En fin de compte, il s'agit toujours de se placer en position de *représentant* d'une fonction de représentation.

2. La question des *auxiliaires* est essentielle. La référence à l'être vient naturellement à l'esprit, et Winnicott, soupçonné de complaisance jungienne, n'hésite pas à aborder la question, non sans soulever des réserves. Freud, dans ses notes posthumes, montre bien la confusion entre « avoir le sein » et « être le sein [43] ». Peut-être faudrait-il inventer une formule en remplace-

---

43. Pour mémoire : « Avoir et être chez l'enfant. L'enfant exprime volontiers la relation à l'objet par l'identification : je suis l'objet. L'avoir est le plus tardif des deux ; retombe dans l'être après la perte de l'objet. Exemple, le sein. Le sein est une partie de moi, je suis le sein. Seulement

ment du « Je suis » ordinaire. « J'ai-suis le sein » serait plus
approprié, si l'on se rappelle qu'avoir ici prend le sens d'incorporer
et d'introjecter, ce qui permet d'être. Les avoirs du sujet, ses
possessions, comme dit Winnicott, sont sujets à des variations
quantitatives dont nous connaissons les effets. Mais c'est la variation qualitative qui importe pour rendre compte de ce qui est
en jeu. On parle d'angoisse devant les vicissitudes des relations
d'objet et de blessure, de souffrance et de douleur, lorsque le
narcissisme est atteint. C'est-à-dire lorsque le sujet se sent touché
dans son être. Or, si l'être est sentiment d'exister, s'il soutient la
logique du propre, il est aussi être en devenir. Etre traversé,
malgré qu'il en ait, par le temps. L'affection la plus narcissique
n'empêche pas le temps de passer, le corps de vieillir, le monde
de changer, l'être de se transformer (tout en restant le même
être). Il y a donc lieu de créer, par le verbe *advenir,* l'équivalent
de l'auxiliaire allemand *werden* (*Wo es war soll ich werden*).
Avoir été (au passé) - devoir (au futur) - advenir.

3. Le support de l'action est le verbe, qui n'est pour le psychanalyste que *verbe pulsionnel.* Le narcissisme y est présent dans
la réflexivité qui dit le clivage « Je me ». Renversement sur la
personne propre et en son contraire, d'activité en passivité. Le
lien de la forme passive avec le narcissisme n'est pas toujours
clair. Si je m'aime (ou me hais), il y a bien passivation, mais ce
n'est pas la même que quand j'énonce : « Je suis aimé » ou « Je
suis haï ». Le deuxième cas implique l'objet, le premier se fond
avec lui dans la fusion imaginaire. Il s'agit en fait d'une
« aimance » sans objet. C'est dans la passivation confiante que
peut se former le double retournement constitutif du Je. Il s'agit
là d'un parcours, d'un circuit qui peut, le cas échéant, devenir
court-circuit, *shunt* du système objectal. On peut alors écrire :
« Au commencement était le verbe », en dédoublant verbe du
langage et verbe de la pulsion. Mais quels rapports entre eux ?
Les mouvements d'expansion et de rétraction du Moi témoignent
de cette réflexivité : « Je suis maître de moi (= je me maîtrise)
comme de l'Univers (= comme je maîtrise l'Univers). » En tout
état de cause, le dédoublement reste à l'œuvre. Une patiente de
Bouvet disait, parlant de sa dépersonnalisation : « Je suis le
monde et le monde est moi. » Il est clair qu'ici la fusion peut
faire cesser le dédoublement pour aboutir au renversement
complet, à l'*équation* narcissique. On pourrait lui opposer le

---

plus tard : je l'ai, donc je ne le suis pas » (*Résultats, idées, problèmes,
S. E., XXIII*, p. 299-300). Rappelons que cette note du 12 juillet 1938 commence par une référence à l'identification au clitoris, donc à la différence
des sexes et au déni que soulève cette interprétation.

« Parce que c'était lui, parce que c'était moi » qui fonde la réunion sur la reconnaissance de la différence. Le verbe cependant est toujours actif, et c'est par renversement qu'il acquiert la forme passive. D'où l'idée de Freud : la libido est toujours masculine. Corollaire : la passivité est seconde. Il n'y a pas de pulsions passives mais des pulsions à but passif (« Pulsions et destins des pulsions », 1915). Cependant, nous savons que l'enfant est au contraire passivé, dépendant de l'objet des soins maternels. D'où la controverse : Freud se place du point de vue de l'enfant qui vit activement ses pulsions, tandis que Balint regarde la scène en constatant la passivité de l'enfant qui a besoin de l'amour maternel. Leur complémentarité appelle la notion de mère adaptée aux besoins de l'enfant : unité de la dyade. Cependant, Diatkine a fait justement observer l'importance de l'inadéquation de la mère pour le déplacement originaire. On pourrait s'interroger ici sur la pertinence des pronoms. Je est-il énonçable ? ce qui impliquerait le Tu à plus ou moins long terme. En fait, il s'agit bien, comme le dit J.-L. Donnet, s'appuyant sur Benveniste, de l'importance du Il, concept du tiers exclu [44]. « On » rassemble tout le monde, sauf Je. La prolifération des travaux construits sur le modèle de « On bat un enfant » (« On tue un enfant », de S. Leclaire ; « On parle d'un enfant », de J.-L. Donnet) entraîne le besoin d'une réduction : « On fait un enfant. » Réponse du berger à la bergère : « On ne me la fait pas », car le narcissisme a une sensibilité d'écorché à l'égard de la tromperie. Le leurre ici ne saurait jamais être que décepteur. L'illusion n'a aucune fonction positive. « Ça n'existe pas. » Autrement dit, « vous n'êtes qu'un analyste ».

4. Voici enfin le *complément d'objet*. Quel objet ? C'est toute la question. Ici nous sommes renvoyés encore une fois aux différents types d'investissement objectal ou narcissique — primaire secondaire, car le narcissisme primaire absolu est anobjectal. L'investissement narcissique du type décrit par Freud dans l'identification primaire se rappelle à nous et, avec lui, la dépendance à l'objet. La perte de l'objet dans le deuil ou la simple déception de celui-ci entraîne la blessure narcissique, qui dans les formes sévères conduit à la dépression. L'auto-dépréciation, voire l'indignité, en est la marque spécifique. Apparemment, l'objet est contingent, le narcissique ne lui accorde qu'une existence douteuse, ou au contraire attache sa raison de vivre à son existence. Mais, dans les deux cas, la perte d'objet réveille la dépendance, fait émerger la haine sous la tristesse et montre les désirs de

---

44. « On parle d'un enfant », *Revue française de psychanalyse*, 1976, 40, 733-739.

dévoration et d'expulsion à peine voilés. L'objet est un *complément d'être*. On sait les discussions centrées autour de l'objet en psychanalyse et l'objet de la psychanalyse [45]. Ici se pose la question des rapports entre objet partiel et objet total. Contrairement à Lacan qui affirme que l'objet ne peut être que partiel, je pense que l'alternative est plus compliquée. Ou la pulsion s'exprime sans inhibition de but et ne peut être que partielle ; ou l'inhibition de but intervient, auquel cas la totalisation de l'objet prend place, mais avec une pulsion qui cesse d'être pleinement déployée. Ce qui est impossible, c'est le rapport pulsion à but non inhibé-objet total. A une exception près, peut-être : la relation sexuelle amoureuse. D'où la fonction de l'objet narcissique et la dialectique programmée que nous avons développée plus haut. Le dépassement de l'investissement narcissique de l'objet, ce n'est pas, comme on le pense, l'objet objectal ou objectif, c'est l'objet potentiel de l'espace transitionnel. Ainsi est évitée l'identification au modèle normatif de l'analyste. L'identification à la fonction analytique est précisée si l'on ajoute que l'analyste, c'est, au sens étymologique : l'*hypocrite*, celui qui est en dessous de la crise *pour pouvoir jouer* ; ainsi nommait-on les acteurs. Le rôle analytique suit les exigences de l'intrigue : tragique, dramatique ou comique, ou les trois à la fois. Le répertoire de l'analyste, sa possibilité d'en jouer — à chaque patient son rôle — pour être son objet dans une identité flottante, ne vaut que dans le cadre de l'« Autre scène », celle du cabinet analytique. L'analyste joue grâce à l'identification secondaire, primaire ou narcissique. Celle-ci est différente de l'identification primaire en ce que la fusion fait naître les figures de la dualité. C'est lorsque l'identification narcissique permet au narcissisme positif de s'établir que le jeu peut s'installer dans la capacité d'être seul en présence de quelqu'un. Un complément qu'on peut ignorer, qui doit être là pour être méconnu. *Un singulier partage.*

Freud, dans le cas Schreber et précisément à propos du narcissisme, a montré les transformations subies par le sujet, le verbe, le complément dans le délire. Il n'a pas mis en question les auxiliaires. Or il se pourrait qu'ils soient les référents implicites du système. En tout état de cause, que le langage puisse soutenir la structure narcissique au point que les transformations des rapports internes entre ses éléments soient en mesure de donner une image de l'économie pulsionnelle nous laisse penser qu'il peut être le refuge narcissique le plus inexpugnable dans la prétention à créer des formes closes qui récupèrent jusqu'aux défaillances les plus

---

45. Voir A. Green, « La psychanalyse, son objet, son avenir », *Revue française de psychanalyse*, 1975, n° 1-2, p. 103-134.

patentes du discours. L'essentiel en tout cas est la production d'un syntagme, c'est-à-dire d'une unité linguistique auto-suffisante. L'impératif se suffit d'un mot : « Parlons » ou : « Partons. » Le syntagme n'est pas une unité, mais une métaphore d'unité, où l'on retrouve l'oscillation métaphoro-métonymique de G. Rosolato. Mais, pour parler de narcissisme, c'est-à-dire d'une marque individuante, il faut un style. Mille et une manières de dire : « Je m'aime. » Mais est-ce là tout ?

STYLE DU NARCISSISME TRANSFÉRENTIEL.

L'analyse des transferts narcissiques a amené Kohut et Kernberg à s'opposer dans leur interprétation de l'autonomie du narcissisme ou de son indissociabilité d'avec les pulsions prégénitales — en premier lieu l'agressivité. Nous ne prendrons pas position dans cette controverse, pour aborder la question du narcissisme dans le transfert sous l'angle du *style discursif* propre au narcissisme et propre à chaque patient. L'analyse des contenus ne montre pas de divergences notables entre les auteurs. Par contre, peu nombreux sont ceux qui ont eu l'idée que le narcissisme pouvait être considéré du point de vue du fonctionnement mental, certes, mais spécifiquement de celui du *style du discours transférentiel*. Ici, nous avons en vue deux situations, dont l'une n'est peut-être que la caricature de l'autre, encore que la modification quantitative se traduise par des modifications qualitatives. Dans le transfert des structures qui ne sont pas particulièrement narcissiques, non seulement on peut parler d'un vertex narcissique de façon constante, mais on peut soutenir aussi que tout matériel s'offre toujours à être compris selon le vertex narcissique et selon le vertex objectal, ce qui explique la réticence de certains analystes à adopter le concept de narcissisme. L'expérience du transfert est à cet égard troublante. Dans la mesure même où l'interprétation ramène à la personne de l'analyste le message qui ne lui est en principe pas destiné, c'est l'analyste qui peut être taxé de narcissisme ! Et c'est encore lui qui fait l'hypothèse que l'analysant n'a le choix que de parler de l'analyste ou de lui-même. Ces axiomes sont nécessaires au cadre de référence analytique. Si nous posons la nécessité du couple association libre-attention flottante, c'est bien pour percevoir un circuit d'échanges entre le Soi et l'objet, qui à son tour se redéfinit en une seconde duplication. Ainsi l'objet se scinde-t-il en investissement objectal de l'objet et en investissement narcissique de l'objet, de même que le Soi comporte des investissements narcissiques et objectaux quand le Soi devient à lui-même son propre objet.

On assiste à une oscillation permanente des investissements narcissiques et objectaux tant de soi que de l'objet. Cette instabilité relationnelle dépend, bien entendu, des échanges entre analysant et analyste ; elle n'est sans doute pas étrangère aux variations techniques, soit que celles-ci induisent, pour ne pas dire exaltent, l'expression narcissique, soit au contraire que le narcissisme fasse l'objet d'une persécution de l'analyste qui ne peut se détacher de ses connotations péjoratives et force, en retour, l' « objectalisation ». La querelle entre « narcissisme » et « anti-narcissisme » part d'interprétations différentes de faits cliniques et d'hypothèses génétiques dont aucune ne peut s'imposer. Le débat reste limité à leur intérêt heuristique, mais conduit cependant à des attitudes techniques différentes. Ces discussions n'ont, à mon avis, qu'un intérêt relatif, car, ce qui importe, c'est l'étude de la relation du transfert narcissique au transfert objectal et de leurs intersections. Pour être plus précis, disons qu'il faut distinguer vertex narcissique et vertex objectal dans toute relation analytique, prendre en considération les singularités des transferts narcissiques marqués par les structures narcissiques — névrotiques, caractérielles, perverses, dépressives ou psychotiques — et enfin cerner une organisation narcissique fondamentale, compte tenu de la valorisation de tel ou tel trait appartenant au corpus narcissique tel que nous l'avons délimité.

Plus intéressant est l'abord du fonctionnement mental sous cet angle. J'ai défendu le concept de l'*hétérogénéité du signifiant* [46] : états du corps propre, affects, représentations de chose et de mot, actes, en sont les éléments constitutifs. C'est le jeu, économique, topique, dynamique, qui fait l'intérêt de ces distinctions. Mais, si ces différences restent présentes dans tout discours, quel qu'il soit, elles s'équilibrent de façon particulière dans le discours narcissique. Leur articulation peut servir des buts différents mais en fin de compte convergents. L'ensemble des énoncés constitue une couverture narcissique, un « pare-excitation », si l'on veut, revêtement protecteur qui met à l'abri le corps. Ce bouclier est aussi esthétique et moral : le discours obéit à l'exigence de former une belle totalité. Telle est la fonction du discours *narratif-récitatif* qui lie les éléments du fonctionnement mental pour faire écran entre l'analysant et l'analyste. Le silence joue symétriquement. Ainsi, on pourrait dire que discours et silence assument chacun à leur manière la même tâche. Silence

---

46. Cf. *Le discours vivant.*

lourd, épais, donnant le sentiment de l'opacité et de l'impénétra-bilité. Sans faille. La brèche du transfert ou le filon associatif sont masqués par le développement discursif du fil de la parole. L'analyste se sent devant un film, dont il ne peut être que le spectateur.

Dans d'autres formes, le discours narratif-récitatif ne se contente pas de faire écran. A la résistance passive s'ajoute une fonction active : le discours repousse — peut-on dire : refoule ? — la présence de l'analyste, objet perçu comme intrusif. Le mouvement narcissique fait plus que s'opposer à l'écoute, il assure les limites de l'analysant. Mais, comme celles-ci ne peuvent prendre le risque de s'établir aux avant-postes menacés des fron-tières, il leur faut encore prévenir la menace narcissique par la pénétration dans le territoire de l'objet afin de le neutraliser. L'analysant veut bien vivre ce que l'analyse lui fait vivre. Mais c'est son affaire. Il lui arrive « quelque chose » et, si désagréables que puissent être les invasions dans la sphère du Soi, elles peuvent être tolérées à condition de ne pas être perçues comme des effets de l'objet qui de ce fait prendrait une importance indésirable pour le narcissisme. Les résistances de réalité — extérieures et attri-buables au rôle du milieu social — sont mises en avant pour contrer l'extrême tonalité narcissique de la perception de la réalité — *surtout* sociale. N'oublions pas que Freud remarquait la sexualisation des rapports sociaux dans la paranoïa. En fait, l'analyse poussée aboutit à la conclusion que la reconnaissance de la réalité extérieure dans l'enfance a fait l'objet d'un conflit très actif dont les vagues de dépersonnalisation montrent encore les séquelles. Il faut ajouter à cet effet le rôle de l'accentuation, dans le versant objectal du transfert, de la différence des sexes. Doit-on appeler cela une projection ? Le contresens serait de croire que l'analysant veut projeter quelque chose sur ou dans l'analyste. En fait, ce qu'il demande à l'objet, c'est de n'être que ce qu'il consent à lui attribuer comme statut : témoin, image, reflet, point de fuite, en tout cas sans existence charnelle — un statut moins fantasmatique que fantomatique, une ombre d'objet.

Enfin, troisième issue : l'investissement narcissique de l'objet et, de manière réfléchie, l'investissement narcissique de ce qui dit l'objet, c'est-à-dire le langage lui-même. Le langage des ana-lystes, leur style interprétatif, leur écriture permettent de les identifier. Qu'il soit sec (pseudo-scientifique), abrupt (faussement simple), lyrique (le chant du désir), précieux (Ah ! qu'en termes galants...), embrouillé (rien n'est simple) ou gongorique (préten-dant mimer le génie de l'inconscient soi-même), le catalogue, loin d'être épuisé, donne l'image d'un ratage du narcissisme duquel Freud est l'un des rares rescapés. Tenir le lecteur, en l'absence de l'analysant (si seulement on pouvait lui dire...), sous sa fascination, c'est ce dont l'analyste se venge, cet hypnotiseur qui a dû renoncer à fasciner pour analyser.

Mais, pour analyser, il faut un discours analysable. Le discours narratif-récitatif exclut l'objet dès que celui-ci cesse d'être un témoin. Seul le discours associatif est analysable, si l'on veut sortir d'une interprétation en forme de paraphrase, laquelle peut avoir son utilité par l'écho ainsi rendu à la parole de l'analysant qui a besoin d'être *entendu*. Non pas analysé à proprement parler, mais entendu par *quelqu'un*. Pourtant, cette analyse-là n'est pas ce que l'on entend par psychanalyse. Le discours associatif, censure levée, est le produit d'une déliaison susceptible de se relier autrement. Le sujet narcissique ne peut prendre le risque de délier son discours, comme si la seule déliaison du langage avait le pouvoir de détruire l'image du soi hantée par le morcellement. C'est pourquoi il vise à un discours cohésif et adhésif. On pourrait soutenir que le discours associatif serait celui qui est sous-tendu par les pulsions partielles, non celles qui sont de type auto-érotique, mais celles qui sont en relation avec l'objet. Dans le rapport de confiance à l'objet, l'analyste en recueillera les morceaux éclatés en vue d'une cohérence nouvelle. Au contraire, le discours narratif-récitatif n'aspire qu'à se faire reconnaître comme tel, *en soi,* prévenant toute déliaison possible et visant au maintien de sa forme. Discours éminemment « gestaltiste » où fond et figure tendent à l'unité.

Le danger de l'analyse des organisations narcissiques est qu'au désir de changement invoqué dans la demande d'analyse, avant le début de celle-ci, s'oppose une fidélité à soi, gardienne du narcissisme, qui préfère l'échec de l'analyse au risque du changement de l'ouverture à l'objet. Et cela en dehors de toute référence dite adaptative.

Discours du vertex narcissique du transfert ou discours du transfert narcissique, les deux cas nous obligent à considérer le rôle de la parole dans l'analyse. Si la parole est médiation entre corps et langage, corps-à-corps psychique, la parole est psyché. Miroir, ou plutôt jeu de miroirs prismatiques, décomposant la lumière des corps ou recomposant le spectre des rayons lumineux. Mais elle est aussi relation entre un corps et un autre, une langue et une autre, entre Un et Autre. En vérité, elle n'est pas seulement relation ; elle est *représentation de relations.* Comme telle, elle tend vers l'autonomie tout en étant dépendante, interdépendante parce qu'intersubjective. En ce sens, elle n'est pas parole narcissique, bien qu'elle puisse être représentante du narcissisme ou de l'objet. Elle peut être néanmoins parole objectale, voire objective. Même en ce cas, elle reste relation et médiation.

Interpsychique et intrapsychique, elle crée un *milieu de langage,* entre mondes objectifs, entre mondes objectifs et subjectifs et entre mondes subjectifs. Sa fonction est de réunir mais aussi de diviser ; elle est par ses propriétés symbole de Mêmeté et d'Altérité. En tout cas, elle est *parole plurielle,* tendant au-delà de l'Un et de l'Autre vers le Neutre, où chacun pourrait se reconnaître. La parole n'est donc ni narcissique ni objectale et encore moins objective, mais elle est tout cela à la fois dans son aspiration à la neutralité. La Loi se veut Loi de Dieu, inengendré, qui est ce qu'il Est. Mais, en fin de compte, chacun sait qu'elle n'est que parole humaine, faillible, parole paternelle ou maternelle. Elle est toujours parole d'infans. Cri. Mais le cri est l'ambiguïté même, de jouissance ou de douleur, ou, dans les valeurs médianes des hommes, de plaisir et de déplaisir. Jusqu'au silence qui, lui non plus, n'évite pas l'ambiguïté : silence de quiétude, de désespoir ou d'impuissance. Seul le silence de Dieu est indifférent. C'est pourquoi le discours pour l'analyste, parole et silence, est toujours *différé.*

Le langage sert tous ces buts qui visent tous à transformer l'Autre en Neutre au bénéfice de l'Un. Là commence le paradoxe. L'Un ne peut se sentir exister que par l'Autre qu'il faut pourtant rendre Neutre. En conséquence, l'Un n'est plus à son tour que Neutre.

Sujet de l'énoncé et sujet de l'énonciation : le sujet narcissique se sert du langage pour faire coïncider autant que possible les deux, les réduire à un seul point qui, en fait, est un point d'orgue. Silence et parole sont, à l'extrême, le même. On pourrait dire que le double « Je » perd sa fonction dans un « Il » métaphorique où le célèbre jeu de mots sur *Personne* supporte la fonction du tiers exclu : « Il » est neutre. Car tel est le paradoxe du Narcisse : l'extrême affirmation de la subjectivité se double de son extrême négation et trouve sa scansion, ou sa ponctuation, dans le neutre. Instabilité essentielle à partir de laquelle les oscillations entre l'Un et l'Autre vont ébranler la structure, toujours à la recherche d'un nouveau point d'équilibre. La *stance,* comme repos, séjour, demeure, et la *stase,* comme arrêt, immobilisation, stagnation, alternent dans les figures narcissiques.

Les Grecs avaient déjà perçu le caractère unique du langage qui parle à la fois du monde et de lui-même, ce qui par parenthèse est bien la caractéristique du langage analytique. Les modernes ont repris la distinction entre « langage-objet » et « métalangage ». Quelle que soit la pertinence de l'opposition de Lacan au concept de métalangage, il faut bien reconnaître que le langage-objet ne peut à lui seul suffire à rendre compte de ce qui est subsumé sous le terme de métalangage, fût-ce en se clivant. Si le langage poétique est l'aspect linguistique le plus proche par l'esprit du discours analytique, on ne peut s'empêcher de rappeler, avec Winnicott, que personne n'accepterait d'être le poème d'un autre. Si donc le « méta » nous gêne — mais pourquoi plus que celui de la « métapsychologie » ? —, c'est bien parce que nous nous méfions de toute référence à l'au-delà. Et l'on se rappelle combien l' « *Au-delà* » du principe de plaisir a provoqué le désarroi chez les analystes, jusqu'aujourd'hui. Ce qu'il faut tenir pour ferme, c'est qu'on a affaire à un système d'oppositions emboîtées dont le couple langage (sur l') objet-langage réfléchi (le langage parlant de lui-même) recoupe, sans se confondre avec elle, la distinction entre le discours objectal et le discours narcissique. Le discours narcissique et le langage réfléchi se redoublent inconsciemment. A savoir que le discours narratif « oublie » qu'il ne parle que du langage lui-même, qu'il est un langage sans objet. Langage réfléchi qui est à lui-même son propre objet. Dans l'analyse, le discours narratif récitatif est sans objet, ou tient son objet hors de lui dans un rapport de fascination hypnotique dont le but ultime est la réduction de celui-ci à son bon plaisir : assujettir pour ne plus être assujetti, fût-ce au langage. Telle est la parole oraculaire des Maîtres. Elle ne souffre que le consentement et répond à la parole de l'autre par le rejet dans les ténèbres extérieures. Impossible de contourner ici la difficulté des rapports du message et du code : l'oracle ne tend-il pas à leur coïncidence ? Dès lors, il ne peut que susciter des vocations d'apôtre plutôt que de psychanalyste.

Le propre du fantasme de maîtrise sur soi comme sur l'objet, c'est qu'il ne peut s'assurer de l'énoncer qu'à se nier comme tel. Le Maître se dit lui-même assujetti. Mais il n'y a que lui pour le dire. La totalisation est niée en référence à une vérité qui se déclare incernable : statue mutilée dont la forme complète est reconstituée par ceux à qui elle se montre. Nous en venons à une autre particularité du transfert narcissique, à savoir les rapports qu'il entretient avec la métonymie et la métaphore. Il pose au départ que tout langage, puisqu'il ne saurait supporter aucun concept d'unité close, est métonymique. Mais cette métonymie devient métaphore. Encore l'oscillation métaphoro-métonymique que G. Rosolato place en concept ordonnateur. Sur le thème que j'aborde, je préférerais parler d'une substitution métaphorique de la métonymie. Ainsi le langage est métonymique, pas seulement au regard du monde, mais dans le discours analytique, puisqu'il est bien admis au moins que le langage n'est pas « lalangue ». En revanche, le langage devient la métaphore de « lalangue ». Les effets de langage cessent d'être syntagmatiques pour devenir paradigmatiques. Et, s'il est vrai qu'on pourrait nommer *multiplicité inconsistante* (J.-A. Miller [47]) la notion centrale de « lalangue », on retrouve bien l'*unité consistante* de la théorie lacanienne sous le concept du signifiant. J.-A. Miller dit : « L'ICs est Un en Deux. Il est fait de parties à la fois incompatibles et inséparables. C'est un être qui ne peut être *ni partagé, ni rassemblé, un tourbillon ou une commutation* » (je souligne). Comment alors l'analyse est-elle possible, sauf à placer l'analyste dans l'œil du tourbillon, position narcissique par excellence ? Le manque n'est pas unifiable sous un seul concept, car, comme dit J. Derrida : « Quelque chose manque à sa place [la castration-vérité], mais le manque n'y manque jamais [48]. » On peut mieux comprendre pourquoi « la Lettre volée » tient lieu de *séance*. Elle est un discours narratif. L'analyse que l'on nous fait faire laisse en dehors le récit comme tel, qui est bien la marque de cet écrit parce que le récit est le support du narcissisme. L'unité, je l'ai dit ailleurs [49], est retrouvée sous le concept du signifiant. Si « lalangue » n'est pas la langue, alors son élément constitutif ne saurait être le signifiant. Poser le signifiant comme constituant de « lalangue », c'est nécessairement non pas engendrer un effet de sens, fût-il tourbillon, mais faire resurgir de l'écoute la « confusion des langues » (Ferenczi). Au trauma-catastrophe, le langage narcissique répond par la clôture du système isolé.

Langue « d'avant le signifiant » ? Plutôt que de tomber dans les pièges d'un génétisme ouvert à toutes les confusions imaginaires, je préférerais, avec P. Castoriadis-Aulagnier, parler de *représentant*, en reprenant cette idée que la psyché ne peut représenter sans se représenter et que sa représentation n'est jamais une ou unifiable, ou encore inséparable du savoir sur le Je dans l'exercice d'une violence. La différence entre le signifiant et le représentant est que le représentant est un représentant de transfert (de désir de sens), tandis que le signifiant est le transfert d'un représentant. Et, s'il est vrai que « le signifiant est ce qui représente un sujet pour un autre signifiant » (Lacan), on pourrait dire que le représentant est ce qui signifie un sujet pour un autre représentant. Ce n'est pas le signifié qui est irreprésentable (il serait plutôt polysémique), c'est le représenté, c'est-à-dire dans la théorie psychanalytique, l'inconscient toujours à déduire par le transfert. Si le symbolique gouverne en effet la psyché, il ne le peut qu'à articuler l'inconscient et le réel par le constat de leur

---

47. J.-A. Miller, « Théorie de la langue (rudiments) », in *Ornicar*, 1975, 1, p. 16-34.
48. J. Derrida, « Le facteur de la vérité », *Poétique*, 1975, 21, p. 96-147.
49. A. Green, *Le discours vivant*, P.U.F., 1973.

irréductible différence. Il faut alors recourir à un modèle plus général, tel celui de Heinz von Forster qui précise fort justement que les propriétés logiques de l' « invariance » et du « changement » sont des propriétés de *représentation* de premier, de deuxième ou de troisième ordre [50]. Il ajoute encore qu'un « formalisme nécessaire et suffisant pour une théorie de la communication ne doit pas contenir des symboles primaires représentant des *communicabiliae* (symboles, mots, messages, etc.) ». Dans cette perspective, nous pouvons dire que, si la langue comme « lalangue » sont métaphoriques, c'est parce qu'elles renvoient nécessairement à autre chose qu'elles-mêmes. Mais le narcissisme en est la limite, dans la mesure où toute description implique celui qui la décrit. Cette limite n'est ni dépassable ni indépassable, si l'on veut dire qu'elle peut ou ne peut pas être franchie. Mais elle suppose, par sa nature même de limite, qu'autre chose *est* : l'objet qui lui a permis de se constituer comme telle. La propriété de cette limite est qu'elle est une butée sur laquelle l'investissement se renverse sur soi et se retourne en son contraire dans l'espace narcissique où le travail du langage l'attend. L'investissement y fait œuvre de transfert. Le langage est l'effet de réflexion de l'acte impossible. S'il en est la représentation, il n'en est pas l'image, mais la fascination de l'avoir *dit*. Dès lors, il n'en parle plus, il le parle autant qu'il est parlé. Et quand bien même on y repérerait la place du manque à dire, le résultat est assez beau pour s'attacher à combler le manque à dire plutôt que le manque à être, à vivre, à faire. Car, pour tout cela, il faut être au moins deux : l'un avec l'autre. Affecter ces termes de majuscules lorsqu'on désigne le tiers n'a de sens que pour l'Ecriture. Le transfert, qui est le représentant du tiers, c'est-à-dire la relation, s'en passe.

La représentation *lie et délie.* Elle lie dans le même mouvement le monde, le discours, le sujet qui ne saurait différer par essence de la structure du monde. Mais, au mieux, elle ne sera qu'une représentation déliée.

L'analyse oscille entre deux illusions : celle d'un discours intégralement transmissible, intégrable au discours lui-même, un *dire transcendantal* — cela rencontre l'ambition des linguistes d'un langage non équivoque —, et celle d'un incommunicable, d'un intransmissible où l'in-dicible échappe à la nature du langage : le *non-dit transcendantal*. Entre deux : la représentation et l'affect, c'est-à-dire l'inconscient entre les mots et les choses. Le narcis-

---

50. H. von Foerster, « Notes pour une épistémologie des objets vivants », dans *L'unité de l'homme, op. cit.*

sisme aspire à l'unité égotique, à l'*alter ego,* au Neutre, comme réconciliation de l'opposition de l'Un et de l'Autre.

L'ÉCOUTE DU NARCISSISME ET LE CONTRE-TRANSFERT.

Tout code suppose sa fragmentation par l'émetteur en messages plus ou moins polysémiques (il n'y a que le code génétique qui puisse être rigoureusement monosémique), ce qui implique l'existence de messagers pour le transfert du message, sa représentation reconnue par un médiateur qui la transmet à un destinataire dont le code doit entretenir un rapport de différence efficace avec l'émetteur. Le transfert psychanalytique entre dans un tel modèle et se trouve pris entre le vertex d'un cadre narcissique absolument singulier — à la limite, intransférable — et le vertex objectal condamnant au transfert pour maintenir l'existence d'une relation entre émetteur et destinataire et à l'intérieur de chacun d'eux. Les aspects quantitatifs et qualitatifs sont ici liés, de la même façon que les points de vue économique, topique et dynamique. Leurs référents axiaux sont la liaison et la déliaison, le Même et l'Autre unis en un réseau de relations interdépendantes.

Nous voici nécessairement conduits au contre-transfert comme écoute et comme effet de transfert. Transfert conçu comme effet lui-même induit par le contre-transfert — au sens large [51] —, dans la mesure où l'analyste établit les modalités de la communication : parole couchée, invisibilité du destinataire, appel aux messages de l'inconscient, code de ses déchiffrages par le biais de l'activité psychique de l'analyste, s'assujettissant à son appareil psychique branché sur celui du patient. Dès lors, un double mouvement marque l'analyse, la narcissisation de l'analyste, qui ramène tout le discours à lui en tant qu'il en est, en fin de compte, le destinataire, et l'objectalisation de ce discours dans l'interprétation qu'il va donner. Il est donc pré-requis à ce circuit que l'analyste y soit posé comme analogon de l'analysant, à la fois le même (par l'identification) et l'autre (par la différence).

Le discours narcissique induit un contre-transfert qui dépend de la forme exclusive, inclusive ou réplicative qu'il prend dans le transfert. Au discours d'exclusion de l'objet l'analyste répond par un sentiment d'isolement : coupé du patient, de ses affects, de son corps, il peut réagir par l'agressivité, voire la rage (narcissique), par l'ennui, voire l'endormissement. L'analysant semble vivre un rêve où il serait à la fois le rêveur et le récitant du

---

51. Cf. Michel Neyraut, *Le transfert,* P.U.F., 1974.

rêve. Le tableau du prisonnier de Schwindt [52] le montre tel l'analysant couché dans sa prison, isolé du monde comme le prisonnier de Platon dans sa caverne. Mais, au lieu de percevoir l'ombre du geôlier, les personnages du rêve représentent des agents secoureurs : des gnomes, dont celui qui scie les barreaux ressemble au rêveur (Freud *dixit*), juchés sur le dos de leur roi, tandis qu'un personnage féminin ailé verse à boire à ces aimables libérateurs. L'analyste, absent du tableau, est bien le spectateur, témoin de la scène. Mais, à force de se sentir coupé du monde du rêve, il se pourrait bien qu'il ne lui reste pas d'autre solution que de devenir le sommeil de son rêveur.

A la forme envahissante, inclusive du discours narcissique, l'analyste répond soit par l'acceptation passive de sa dévoration, soit, s'il s'en défend, par un refoulement : *Noli me tangere.* Ce faisant, et sans doute à son insu, il répète le rejet des soins maternels, ou la distance glaciale d'un père inaccessible.

Enfin, aux transferts décrits par Kohut, l'analyste réagit par la tentation de prendre à la lettre le transfert mégalomaniaque de l'analysant. La complicité s'établit alors, l'analyste devenant le seul garant du désir de l'analysant ; l'analyse de formation crée les conditions les plus favorables à cette émergence. Ou bien alors il se sent agressé dans son altérité à ne pouvoir être perçu que comme un double du patient. Il préférerait une image de lui plus modeste, mais plus respectueuse de son individualité. Le contre-transfert exige de l'analyste — je parle ici de situations où le discours narcissique ne domine pas la parole analytique — qu'il narcissise les éclats fragmentés du discours du patient, c'est-à-dire qu'il les accueille pour une forme différente. Le discours narcissique clos l'oblige à renoncer à cette tâche, puisqu'il n'y a rien à accueillir, ce discours étant toujours plus ou moins refermé sur lui-même. Il entraîne donc un désinvestissement de la situation analytique et, après la réaction sthénique à la frustration analytique, un repli narcissique plus ou moins étendu. Le contre-transfert qui ne s'oppose pas au déroulement du processus analytique, formé de l'ensemble du discours narratif-récitatif et du discours associatif qui alternent dans toute cure selon les exigences du moment à la recherche du point d'équilibre entre investissements narcissiques et investissements objectaux, est celui qui peut jouer successivement et simultanément le rôle de l'objet total et de l'objet partiel. Contradiction indépassable de la constitution du sujet dans la relation. Impossible de penser la situation analytique

---

52. Ce tableau est reproduit en couverture du numéro 34 de *L'Arc* consacré à Freud. Cf. le commentaire qu'en fait Freud dans l'*Introduction à la psychanalyse.*

si l'on ne garde pas en mémoire que l'analyste, loin de ne s'autoriser que de son désir, est lui-même assujetti au déroulement du processus analytique : il est là pour le servir et non pour se servir de lui à son profit.

Le contre-transfert ne peut être désolidarisé de l'Idéal du Moi de l'analyste, c'est-à-dire de sa visée professionnelle. Autrement dit, là où l'analyste souhaite mener son patient, qu'il se défende ou qu'il l'avoue. Aujourd'hui la diaspora analytique nous met en présence de choix culturels différents. Pour Freud, le résultat de l'analyse était la sublimation (qui concerne les pulsions), différente de l'idéalisation (qui s'attache à l'objet). Mais il y a chez Freud une idéalisation de la sublimation qui sent son élitisme. Hartmann déplace ce référent vers l'adaptation. Mais de deux choses l'une : ou l'adaptation est *de facto* et elle perd tout intérêt théorique, ou elle est *de jure* et elle pose les problèmes bien connus de la normativité analytique, jamais dépassés en fait, car, quel que soit le référent, fût-il le plus révolutionnaire, il n'en est pas moins normatif. L'école anglaise préfère la croissance : *growth*. Mais si, pratiquement, on voit bien ce que cela veut dire, la théorie en est plus difficile à penser. Au sein de l'école anglaise, Mélanie Klein aboutit à la réparation, faisant de chacun l'endeuillé permanent qui bat sa coulpe après les ravages d'une destruction qu'il prend à son compte. Winnicott, plus modeste, choisit le jeu. Peut-être est-il là le plus proche de cet autre référent implicite de Freud : l'humour. Lacan enfin se situe dans le couple contradictoire jouissance-castration (vérité). Va pour la contradiction, mais pour quel usage ? Deux impératifs alternent : « Jouis », dit le Surmoi bravant la castration, mais celle-ci se montre la plus forte, entraînant à son tour une nouvelle quête de jouissance. Cercle vicieux qui paradoxalement joint l'adaptation aux courants culturels modernes et la soumission au pouvoir castrateur d'une Loi paternelle. Reich dit : « Changeons le monde », car il est vrai que se changer ne suffit pas à supporter la cruauté du monde. En retour, le déplacement détourne de la réalité psychique.

En ce qui nous concerne, nous pensons que le référent psychanalytique, dépassant le dilemme narcissique (se changer)-objectal (changer les autres), est la représentation de la réalité psychique interne et de la réalité physique externe, la réalité sociale faisant la transition. Mais ici nous risquons de dépendre de nos préjugés culturels : narcissisme des petites ou des grandes différences. Toute culture est par essence paranoïa. Elle n'assure son identité narcissique que par négation des autres. Remplacer la culture nationale par l'appartenance à une classe ne modifie pas essentiellement le problème. La représentation, à mon sens, est la seule issue à l'approximation d'une vérité de laquelle nous sommes les sujets. Qu'elle soit à construire ne modifie pas son statut de référence.

Que dit la représentation ? Quel est son modèle ? Quatre éléments doivent être ici réunis, tous reliés en relations bi-univoques : la liaison, la déliaison, le Même et l'Autre. On y retrouve enfin suturées les théories des pulsions successives de Freud et surtout les deux dernières : le narcissisme (positif et négatif) et les pulsions de destruction. Le Neutre occupe le centre, toujours décalé dans la vie, car le Neutre lui est étranger.

MYTHE ET TRAGÉDIE : DICTIONNAIRE ET FOLIO.

Le mythe de Narcisse, enfin ! Les mythes plutôt, puisque le dictionnaire mythologique en recense trois versions et une quatrième où la vitalité de la légende s'épuise [53].

Ovide raconte la légende la plus connue. Narcisse est fils d'une rivière, Céphise, et d'une nymphe, Liriopé : parenté qui pèsera lourd sur son destin. Tirésias, toujours sur le chemin du psychanalyste, énonce un oracle à sa naissance : Narcisse ne vivra vieux que s'il ne se regarde pas. L'association avec Œdipe est presque contraignante. Décidément, cet aveugle est le prêtre de la cécité psychique et physique. Comme Narcisse était très beau, nombre de jeunes filles l'aiment d'amour. Il leur oppose l'indifférence, car il méprise l'amour. La nymphe Echo ne se résigne pas. Elle languit, se retire du monde, n'absorbe plus aucune nourriture, jusqu'au point où elle n'est plus qu'une voix. Quand la forme incomplète ne peut plus se nourrir de la forme désirée, la voix reste la seule trace de la vie ; le visible s'efface. Cette hybris du mépris fait que les nymphes en appellent à Némésis : retour du forclos. Un jour de grande chaleur, Narcisse, échauffé après une chasse (activité masculine sous la protection de la virile Artémis), a soif. Après l'anorexie d'Echo, voici la soif de Narcisse. Mais de quoi ? De la rivière — paternelle — et non de la femme, écho de la mère. La source (l'origine) lui renvoie une image qu'il ne reconnaît pas, il en *tombe* amoureux : « Si tu ne m'aimes pas, tu t'aimeras à mort sans te reconnaître », devait se dire Echo. Voilà que Narcisse, pareil à Echo, devient lui aussi insensible au monde — identification vengeresse au double de la mère. Penché

---

53. P. Grimal, *Dictionnaire de la mythologie grecque et romaine*, P. U. F. Notre interprétation est fondée sur l'article du dictionnaire et non sur les textes originaux. Interprétation d'interprétations.

sur son image — ne peut-on dire qu'il s'étaie sur elle ? —, il se laisse mourir. Ce n'est pas un suicide, mais un renoncement à vivre. Le Céphise est maintenant le Styx où le regard de Narcisse s'acharne à découvrir ses traits. Résurrection : la fleur qui n'a d'autre parenté avec le héros de la légende que celle du nom.

La version béotienne dit autre chose et la même chose pour l'oreille du psychanalyste. Les origines de Narcisse sont seulement précisées par rapport à la géographie. Il est originaire de l'Hélicon, séjour favori des Muses, qui aimaient se réunir autour d'une fontaine près de Thespies. Ici, c'est un jeune garçon qui l'aime : Ameinas (choix d'objet homo-érotique). Las de cette cour importune, Narcisse (qui ne l'aime pas), pour s'en débarrasser, lui offre une épée. Le symbole, polysémique pourtant, n'appelle pas de commentaire dans sa transparence. Ameinas, ayant compris, se pénètre de l'objet et meurt devant la porte de Narcisse en maudissant son dédaigneux objet. La malédiction remplace l'oracle — virage psychologique. La suite est la même : la source, l'image de soi prise pour objet d'amour. Mais ici il est dit que Narcisse se suicide : identification à l'objet poussé à la mort. En conséquence, les habitants du lieu, les Thespiens, rendent un culte à l'amour. En fin de mythe, l'oracle est remplacé par le culte — après coup. Du sang de Narcisse naît une fleur rouge, couleur de vie, ou de castration.

Pausanias enfin dit, lui aussi, le Même et l'Autre. Il donne à Narcisse une sœur jumelle — voilà enfin la bisexualité. La jeune fille meurt — la mort n'est plus le fruit de la passion. Deuil de Narcisse inconsolable. Se voyant dans une source, il y retrouve l'image de la morte. « Bien qu'il sût très bien que ce n'était pas sa sœur, il prit l'habitude de se regarder dans les sources pour se consoler de sa perte. » Mais qui voyait-il donc ? Pausanias rationalise la légende, obéissant à l'inspiration évhémériste.

La quatrième version est proprement incompréhensible. Les variations ont touché le noyau d'intelligibilité sémantique préservé dans les précédentes. Narcisse est tué par un certain Epops (ou Eupo) et de son sang naît une fleur.

Narcisse a donc trois objets, deux répulsifs : Echo et Ameinas, et le troisième attractif : sa sœur jumelle. Dans les deux premières versions il méprise l'amour (hétérosexuel autant qu'homosexuel), dans la troisième il aime sa moitié comme lui-même. Il s'aime ou il l'aime (elle-lui). Sa fin diffère : dans la première version, il se laisse mourir ; dans la deuxième, il se suicide comme celui qui l'aime mais qu'il n'aime pas. Dans la première version, il se noie ; dans la deuxième, il se blesse ; dans la troisième, rien n'est dit sur sa fin. Dans la version initiale et dans celle qui la suit, il y a résurrection. En passant, remarquons la ressemblance entre le mythe de Narcisse et celui d'Hermaphrodite [54]. On ne saurait dire que la version d'Ovide est la vraie, mais elle est la plus riche par l'allusion à l'oracle (c'est un destin), l'opposition du corps visible et de la voix, la référence aux images parentales et l'absence de deuil ; travail du narcissisme. C'est pourquoi elle parla à Freud. Narcisse était jeune et beau : toutes les versions le disent (sauf la dernière, qui ne dit plus rien). Le narcissisme est une maladie de jeunesse.

Il faut compléter cette vision mythique par une vision tragique symétrique et inverse. Une figure s'évoque à moi, celle du père narcissique : Lear. Shakespeare, le plus grand auteur sur le narcissisme (*Richard II, Hamlet, Othello*), nous le montre sans pitié. Lear veut être aimé pour lui-même. La quête d'amour bute sur le « Rien » de Cordélia. Il lui rétorque en écho : « Rien ! » puis en miroir : « De rien ne te viendra rien ! Parle encore » (acte I, sc. I [55]). Mais sa fille garde son amour secret et surtout réserve la part d'amour destinée à l'époux qui lui est promis. La suite est connue. Lorsque ses mauvaises filles conjuguent leurs efforts pour réduire sa turbulente suite, la surenchère à rebours le désespère. En vain crie-t-il : « Je vous ai tout donné. » Ces cent chevaliers deviennent cinquante, vingt-cinq, dix, cinq. Enfin, l'une dit : « Qu'avez-vous besoin d'un seul ? » C'en est trop. Lear hurle : « Ne donne à la nature que ce dont nature a besoin / Et l'homme aura la vie piteuse de la bête » (acte II, sc. IV). Le désespoir culmine sur la lande déserte dans la nature hostile, le ciel noir foudroyé par l'orage où le Dieu de la montagne — l'action est supposée se passer aux temps bibliques — tonne. Malédiction sur ses filles et sur tout le genre humain. Allons à l'essentiel [56], car tout serait ici à citer sur le narcissisme destructeur de celui dont une des mauvaises filles dira : « Il ne s'est jamais connu lui-même. » Devant le pauvre Tom, simulant la folie en vrai schizo, pour échapper à la malédiction persécutrice de l'autre père, Lear, saisi d'effroi et de pitié, s'écrie : « Tu serais mieux dans la tombe qu'à répondre avec ton corps nu à cette démesure des cieux. L'homme n'est-il rien de plus ? Considérez-le bien. Tu ne dois au ver aucune soie, ni sa peau à aucune bête, ni sa laine au mouton, ni au rat musqué son parfum. Ha ! nous sommes trois

---

54. Cf. *Nouvelle Revue de psychanalyse* : « Bisexualité et différence des sexes », 1973, n° 7.
55. Rappelons que Shakespeare n'invente pas la situation, qui est déjà dans Holinshed (voir *Holinshed's Chronicle as Used in Shakespeare's Plays*, Dent & Outton). Mais il l'écrit.
56. Pour plus de détails, voir A. Green, « Lear ou les voi(es) de la nature », *Critique*, 1971, n° 284.

ici à être sophistiqués [57], mais toi, tu es la nature même (*thou art the thing itself* : la chose même) et l'homme sans accessoires n'est rien de plus que ce pitoyable animal nu et fourchu que tu es. Au diable, choses d'emprunt, au diable ! Allons, ôtez-moi cela ! » (acte III, sc. IV). Plus d'objets, le corps nu revient à la chose même. Mais, la fille aimée une fois retrouvée, l'illusion gouvernera sa raison jusqu'au bout. L'espérance de la reconquête du trône est défaite par la bataille perdue, sa fille est assassinée, rien n'y fait. « Regardez-la, regardez ses lèvres ! Regardez, regardez ! » (acte V, sc. II). Sur ce regard qui veut lire les signes de la vie sortant de cette bouche muette, il quitte la scène du monde.

Shakespeare nous renvoie à Freud. À l'homme Freud obsédé par la mort, à celui qui appelait sa fiancée Cordélia en secret [58], à l'auteur du « Thème des trois coffrets ». La mère est la grande absente de la tragédie, cet élément purement féminin (Winnicott) fondateur du narcissisme originaire. Trois figures la représentent : la génitrice, la compagne, la mort. Freud voit dans l'image du vieillard portant sa fille morte l'inverse de la réalité : la mort indifférente emportant le vieillard. Une limite au narcissisme, où le narcissisme survit à la mort : la filiation et l'affiliation.

---

57. Lear, le fou et Edgar.
58. Breuer, à qui il confie la chose, lui révèle qu'il faisait de même !

chapitre 2
le narcissisme primaire :
structure ou état
(1966-1967)

A la mémoire de J. M.

Dans l'appareil théorique de la psychanalyse, il n'est pas de concept qui ait connu autant de révisions modernes que celui du Moi. Sa complexité, pour ne pas parler des contradictions qui semblent inévitables aux formulations dont il est l'objet, a paru telle que bon nombre d'auteurs post-freudiens, mettant l'accent sur un aspect particulier de l'ensemble des fonctions qu'il est supposé assurer, en ont donné des versions très différentes. En outre, beaucoup d'autres auteurs ont fait valoir qu'il fallait compléter la théorie freudienne du Moi et adjoindre à celui-ci un Soi (le *Self* des auteurs anglo-saxons) comme instance représentative des investissements narcissiques. Hartmann fut sans doute celui des auteurs post-freudiens qui défendit le plus la nécessité d'un complément à la métapsychologie du Moi. Il fut suivi en cela par Kohut, qui devint le héraut le plus éminent d'une ligne de pensée à laquelle il donna un développement important. Grunberger, en France, l'avait pourtant précédé dans cette voie, suscitant une certaine surprise et beaucoup de controverses lorsqu'il proposa de considérer le narcissisme comme une instance, au même titre que le Moi, le Ça et le Surmoi. Beaucoup, suivant la route tracée par Hartmann, ou adoptant parfois une orientation tout à fait différente, ont admis le Soi dans leurs conceptions. Ainsi, des auteurs aussi éloignés les uns des autres que Spitz, Winnicott, Lebovici, et même les kleiniens, préfèrent se référer au *Self* plutôt qu'au Moi. Edith Jacobson introduit la notion d'un *Self primaire psychophysiologique*. Des concepts voisins, tels que celui d'*identité* qu'on trouve sous la plume d'Erikson, de Lichtenstein, de Spiegel, ou de *personation* (Racamier), sont eux aussi plus proches du Self que du Moi.

C'est un fait que Freud n'a pas pris grand soin à l'étude du narcissisme, et surtout à son devenir dans la théorie, lorsqu'il renonça à ses thèses antérieures sur l'opposition entre libido du Moi et libido d'objet en faveur du conflit fondamental entre Eros et les pulsions de destruction, ou encore entre les pulsions de vie et les pulsions de mort. « Pour introduire le narcissisme » (1914) reste pourtant un des textes les plus forts de Freud. Quelles que soient les raisons invoquées pour le désintérêt ultérieur de Freud à l'égard du narcissisme — la polémique avec Jung —, il faut quand même s'étonner de ce que l'inventeur de ce concept n'ait même pas jugé utile d'expliquer comment il fallait reconsidérer ce qu'il avait décrit autrefois de manière si convaincante en l'insérant dans un autre ensemble théorique. Ce que par exemple il n'avait pas manqué de faire pour l'inconscient, lorsque la deuxième topique supplanta à ses yeux la première. Cela est d'autant plus surprenant que le rôle du Moi devait prendre une importance accrue à partir de l'instauration de cette deuxième topique. Il y avait donc plus d'un motif pour que les lecteurs de Freud, les psychanalystes en premier lieu, s'attendissent à une réévaluation du narcissisme qui n'eut jamais lieu.

Il n'est pas étonnant que ce concept à demi exilé revînt en force hanter les travaux des psychanalystes, car la réalité clinique du narcissisme est un fait, même si l'interprétation qu'on peut en donner varie d'un auteur à l'autre.

De toutes les questions relatives au narcissisme, il n'en est pas de plus embrouillée et de plus controversée que celle du narcissisme primaire. Il n'en est pas non plus qui questionne davantage le statut du Moi. Comment adhérer à une ligne développementale qui trace un parcours allant de l'indifférenciation ou du morcellement primitifs à une image unifiée du Moi, alors même que la révolution épistémologique fondée sur le concept d'inconscient postule un clivage indépassable, comme en témoigne le titre d'un des derniers écrits de Freud, « Le clivage du Moi dans le processus de défense » ? Et ce d'autant plus que le Moi, depuis 1923, est dit inconscient en majeure partie et tout spécialement de ses mécanismes de défense ? Lier le narcissisme au seul accomplissement de l'Eros, dont un attribut essentiel est justement de procéder à des synthèses de plus en plus vastes — ce qui suppose en particulier celle des pulsions du Moi —, conduit à se poser la question de l'effet des pulsions de destruction sur les investissements narcissiques et sur le narcissisme primaire. Ce sera l'objet essentiel des réflexions qui vont suivre et qui souvent nous entraîneront fort loin de ce centre. La perspective que nous adopterons mettra en question une certaine conception du narcissisme primaire comme simple étape ou comme état de développement psychique. Nous nous efforcerons de dépasser le plan de la description mythique — comme toute reconstruction fondée sur le postulat génétique — pour tenter de saisir une structure de l'appareil psychique fondée sur un modèle théorique.

> « Je ne crois pas qu'il faille faire une grande part à ce qu'on appelle "intuition" dans un travail de ce genre. Pour ce que j'en sais, l'intuition me paraît être une sorte d'impartialité de l'intellect. »

Essayer de réunir en une interprétation synthétique l'ensemble des figures ou des états décrits par Freud sous la dénomination du narcissisme n'est pas une tâche forcément réalisable. Les contradictions qu'on peut y relever laissent le narcissisme en état de question ouverte.

NARCISSISME PRIMAIRE ABSOLU :
NARCISSISME DU RÊVE OU NARCISSISME DU SOMMEIL ?

La condition qui domine tous les autres aspects du narcissisme, et qui semble commander la configuration qu'on donnera à l'ensemble de ses formes, est celle du narcissisme primaire. L'ultime fois où Freud emploie cette dénomination, il lui ajoute un qualificatif qui donne l'impression qu'il cherche à radicaliser cette notion. Il parle alors de narcissisme primaire *absolu* [1]. Il ne faut cependant pas se méprendre. Ce n'est pas au sens d'un vécu que le narcissisme est ici cité, mais plutôt à celui d'un concept, ou peut-être comme partie d'un concept. Rien en tout cas qui ressemble à une qualité positive de l'ordre du vécu. C'est le sommeil qui pourrait être pris comme terme de cette comparaison, non le rêve. Le sommeil, qui exige que le sujet se dépouille de ses avoirs, que Freud compare avec humour à l'abandon des accessoires qui suppléent aux déficiences organiques (lunettes et autres prothèses), déposés aux vestiaires des chambres du rêve. Et, si la comparaison est suggérée à Freud d'un retour aux sources de la vie, le séjour au ventre maternel ne s'effectuera pas dans

---

1. *Abrégé de psychanalyse*, S. E., XXIII, 150.

un climat de victoire, ni d'épanouissement d'aucune sorte. Les conditions ici remplies, comme dans la vie intra-utérine, sont « le repos, la chaleur et l'exclusion des stimuli [2] ». L'entrée dans le sommeil ne peut avoir lieu qu'au prix de l'abandon des liens, des biens, des possessions du Moi, qui replie sur lui ses investissements.

Dès lors, si le narcissisme primaire est bien un état absolu, c'est en tant qu'il est la limite de ce que nous pouvons concevoir d'une forme de totale inexcitabilité. Mais cette notion de limite prête elle-même à confusion. Il ne suffit pas de l'admettre pour aussitôt introduire une qualité, une tonalité affective, dont on expliquerait la présence en soutenant que le vécu qui lui est propre se rencontre sur la voie du narcissisme primaire, en deçà d'un impossible accomplissement de celui-ci. Ces états, que l'on décrit en utilisant les termes qui désignent la félicité, ne peuvent pas, si l'on ne veut pas abandonner le projet de considérer l'abolition des tensions comme la visée essentielle du narcissisme, se prêter à un amalgame sans que soit détruit le principe de quiescence qui est postulé par le narcissisme primaire *absolu*. De même que Freud ne considère pas le rêve comme une manifestation située sur le chemin du sommeil, mais au contraire comme l'expression de ce qui se refuse à être réduit au silence et que le sommeil est contraint d'admettre en son sein faute de s'interrompre (une brèche dans le narcissisme : voilà ce que Freud dit des pensées inconscientes qui seront à l'origine du rêve, qui infligent au Moi du sommeil un démenti sur sa capacité à se faire obéir), de même, l'élation ou l'expansion narcissiques, connotant la régression narcissique, lui sont pour ainsi dire étrangères et traduisent, de la part du sujet, une opposition à ce glissement vers le silence. Car, lorsque l'analysé a le sentiment que l'analyste n'est plus là en séance, il faudrait expliquer pourquoi il ne se tait pas et pourquoi il ne discontinue pas de parler. Et n'est-ce pas au moment où son propre discours risque de le vouer à cette extinction aux yeux et aux oreilles de l'analyste qu'il le gobe comme un œuf, l'incorporant afin que le discours ne s'interrompe pas, mais puisse se poursuivre, ayant paré à la menace d'une absence qui pourrait bien être la sienne. Même lorsque ce sentiment peut être vécu dans un moment de pause, sa prise de conscience et son énonciation sont les marques de rupture d'un tel moment.

Freud semble désirer nommer distinctement le narcissisme du

---

2. *Complément métapsychologique à la théorie du rêve*, S.E., XIV, 222.

rêve et le narcissisme du sommeil. En lisant le texte [3] avec attention, on se rend compte qu'ici deux formulations très proches doivent être prises plus comme le reflet de deux modalités différentes que comme les orientations d'un processus unique, dont Freud ne donne cependant pas la théorie. En effet, le narcissisme du rêve est le narcissisme du rêveur ; c'est lui qui est immanquablement le personnage principal du rêve, celui-ci étant toujours en quelque sorte à la gloire — et les rêves auto-punitifs ou les cauchemars n'infirment pas ce point de vue — du rêveur. Tandis que le narcissisme du sommeil dépasse pour ainsi dire les désirs du rêveur, porte le mouvement du rêve et s'y dérobe dans une région hors d'atteinte où le rêveur lui-même s'évanouit. Lorsque, dans un rêve, figure une personne méconnaissable ou un visage inconnu, ou dont les traits ne peuvent même pas être appréhendés, il s'agit du rêveur, ou de sa mère. Nous aurons à revenir là-dessus. Ce visage blanc qui n'est présent qu'en son cerne, ou qui n'est marqué que par sa place, c'est peut-être le fil qui nous guidera dans la construction de cette théorisation laissée en suspens par Freud.

PRINCIPE DE CONSTANCE OU PRINCIPE D'INERTIE ?

La séparation que nous venons de rappeler entre le narcissisme comme abolition des tensions, dont le sommeil nous propose, non une illustration (car comment parler du sommeil sans rêve ?) mais un modèle abstrait, et le narcissisme du rêve ou du rêveur, qui vit les états de félicité ou de débordement des limites corporelles à l'état d'éveil, n'a jamais été entièrement précisée par Freud. Il est coutumier de rattacher le désintérêt de Freud pour le narcissisme au remaniement qui aboutit à la dernière théorie des pulsions et, surtout, à l'introduction de la pulsion de mort. Cette opinion est sans doute vraie. Mais ce n'est pas seulement que les valeurs pulsionnelles soient redistribuées selon un nouveau découpage et selon l'orientation pulsionnelle à quoi l'innovation se réduit au regard du narcissisme.

L'aspiration a un état d'inexcitabilité totale — inexcitabilité des systèmes non investis à laquelle fait déjà allusion l'*Esquisse* — est une constante de la pensée de Freud. Ses premières formulations d'inspiration psycho-biologique désignent ainsi la tendance de l'organisme qui assure de cette façon sa maîtrise sur les stimuli. Centré ensuite sur les avatars du désir, il assimile le plaisir

3. *Complément métapsychologique...*, loc. cit.

à la cessation de la tension sexuelle, la levée de la pression du désir par sa satisfaction provoquant la détente agréable. Mais ce que l'expérience lui apprit probablement est que cette aspiration à la baisse de la tension en était, pour ansi dire, indépendante. Qu'il ne fallait sans doute plus y voir seulement une manifestation de maîtrise de l'appareil psychique mais peut-être, mais sans doute, un état dont on ne saurait dire s'il est une conséquence de son fonctionnement, l'un de ses buts, ou si lui-même doit y obéir comme à une exigence. Dans l'*Abrégé*, il dit : « La considération selon laquelle le principe de plaisir requiert une réduction *ou peut-être en fin de compte l'extinction* [4] de la tension des besoins pulsionnels (c'est-à-dire un état de Nirvâna) conduit à des problèmes qui ne sont pas encore évalués sur les relations entre le principe de plaisir et les deux forces primitives, Eros et la pulsion de mort [5]. » Les versions modernes qui nous sont proposées du narcissisme primaire nous donnent bien des images partielles de ces relations, et surtout en ce qui concerne les liens entre l'état de Nirvâna et Eros, mais ne nous disent rien de la relation entre le Nirvâna et la pulsion de mort. Ou cela est entièrement passé sous silence, ou les états décrits — qui ne peuvent s'interpréter que comme le résultat de la fusion du Nirvâna et d'Eros — ne sont conçus que comme des paliers vers un Nirvâna complet où la pulsion de mort prendrait le relais d'Eros mais ne serait pas son antagoniste.

Freud, comme souvent, oublie que ces questions qui ont échappé à l'évaluation, il a pourtant déjà commencé de les examiner et même de les trancher. De longue date, l'idée d'un état d'inexcitabilité le hante, depuis les formulations neurologiques de l'inertie neuronique, jusqu'à la recherche de cautions prises dans la psychologie de Fechner (*Au-delà du principe de plaisir*.) En se rangeant sous la bannière de son illustre aîné, il paye cette allégeance d'un renoncement à une vue originale qu'il ne retrouvera qu'après des années. Car cette absolutisation de ce qui correspondra au narcissisme primaire absolu est présente dès l'*Esquisse*. Le principe d'inertie — et non de constance — est le premier à être énoncé par Freud. La « tendance originelle » du système neuronique à l'inertie est l' « abaissement du niveau de tension à zéro ». Tendance originelle qui est, pour Freud, la fonction primaire dont le but est de maintenir le système en état de non-excitation. C'est à la secondarisation, commandée par la nécessité de maintenir un minimum d'investissement, qu'obéit

---

4. Souligné par moi.
5. *S. E.*, XXIII, p. 198.

la constance [6]. Il faut bien noter ici que Freud ne parle de principe que pour le *principe d'inertie*, le maintien de l'excitation à un niveau constant n'étant pas élevé ici au même rang. Le principe de constance est pourtant fréquemment invoqué par Freud dans les *Lettres à Fliess* (Manuscrit D, mai 1894, lettres du 29 novembre 1895, du 8 décembre 1895, Manuscrit K, du 1er janvier 1895) contemporaines de l'élaboration de l'*Esquisse*. La première mention est du reste antérieure à celle-ci ; elle figure dans les *Etudes sur l'hystérie*, 1893-1895 [7]. Or, si le principe de constance est d'appartenance fechnérienne, le principe d'inertie est, lui, purement freudien. Ce qui veut dire que, dans les allusions cursives ou la correspondance, il n'est question que du maintien à un niveau constant aussi bas que possible de l'excitation, tandis que, dans l'essai de systématisation de l'*Esquisse,* le désir de Freud d'en rendre compte par une théorie lui fait pousser ses hypothèses jusqu'au bout et préférer le principe dont la visée est d'atteindre au niveau zéro et non plus seulement « au niveau aussi bas que possible ». Nous voyons ici l'origine d'une dualité de principes dont l'ordre de préséance fluctuera dans la suite des écrits de Freud. Mais il faut d'abord souligner leur différence pour bien comprendre leurs permutations ou leur fusion ultérieure. Le principe d'inertie est pour Freud fondamental [8], appartenant à l'ordre des buts primaires (comme attribut du système neuronique primaire). Il doit son existence à la propriété du système neuronique de supprimer totalement l'excitation par la fuite, ce qui, en revanche, est impossible pour les stimuli internes. C'est en fonction de cette impossibilité qu'il faut se contenter de la solution du maintien de la tension à son niveau le plus bas. *Cette fonction est ici qualifiée de secondaire par Freud* [9].

---

6. « En conséquence, le système neuronique se voit obligé de renoncer à sa tendance originelle à l'inertie (c'est-à-dire à un *abaissement du niveau de tension à zéro*). Il doit apprendre à supporter une quantité emmagasinée (Qὴ) qui suffise à satisfaire les exigences d'un acte spécifique selon la façon dont il le fait ; cependant, la même tendance persiste sous la forme modifiée d'un effort pour maintenir la quantité à un niveau aussi bas que possible et éviter toute élévation, c'est-à-dire *pour conserver constant ce niveau* » (souligné par moi). *Esquisse pour une psychologie scientifique*, trad. A. Berman, p. 317.
7. Mentionnée par Breuer, l'attribuant à Freud dans la *Communication préliminaire* ainsi que dans une conférence de Freud prononcée en 1893, *S. E.*, III, p. 36.
8. « Principe qui, nous l'espérions, éclairerait bien la question, puisqu'il semblait bien embrasser l'ensemble de la fonction neuronique et que nous appelons principe de l'inertie des neurones », « Esquisse », in *Naissance de la psychanalyse*, P.U.F., 1956, p. 316.
9. *Loc. cit.*, p. 317 : « Toutes les réalisations du système neuronique

Notons à cette occasion les libertés que prend Freud — alors qu'il s'attache à scinder les fonctions en primaires et secondaires — avec le point de vue génétique, puisqu'il est bien évident que les possibilités de supprimer l'excitation par la fuite chez un jeune organisme sont fort limitées et que les stimuli les plus intenses et les plus nombreux viennent sans conteste des grands besoins vitaux, qui, en bonne logique, devraient être, en position de primarité. Mais Freud ne s'arrête pas à cette considération. Ce qui importe pour lui est de se centrer sur l'efficacité ou la réussite de l'opération de fuite contre la gêne des stimuli et d'ériger cette configuration inexcitabilité-tension-fuite-annulation de la tension-inexcitabilité, en modèle, c'est-à-dire, dans une perspective psychologique, en aspiration fondamentale, même si celle-ci est irréalisable dans les faits. Voilà pourquoi le maintien de la tension au niveau le moins élevé et la prévention contre toute montée ultérieure sont, à ce moment de sa pensée, un second choix, comme disent les Anglais, une fonction secondaire. Cette différence est celle à laquelle Freud paraîtra renoncer dans *Au-delà du principe de plaisir* lorsqu'il fondra les deux principes en un seul. La protection derrière l'autorité de Fechner, au moment où il fait preuve de l'audace la plus grande, est bien de sa manière. En faisant du principe de constance de Fechner le régisseur dont l'abaissement de tension au niveau zéro n'est plus qu'un cas particulier, il avancera d'un cran les rapports primaires-secondaires. La primarité est accordée au principe de constance, d'où il fera dériver le principe de plaisir [10], et la secondarité au principe de réalité.

---

doivent être envisagées soit sous l'angle de la fonction primaire, soit sous celui de la fonction secondaire imposée par les exigences de la vie. » La fonction primaire est la tendance à l'abaissement du niveau de tension au niveau zéro, la fonction secondaire celle du maintien de la quantité au niveau aussi bas que possible.

10. « Le principe de plaisir dérive du principe de constance » (*Au-delà du principe de plaisir*, chap. I). Freud s'explique en ajoutant immédiatement à la suite : « En fait, ce dernier, le principe de constance, fut inféré par les faits qui nous forcèrent à adopter le principe de plaisir. » Il faut sans doute remonter plus haut pour comprendre l'origine probable de ce glissement. Ressentant comme une exigence imprescriptible de maintenir sa théorisation dans la différence primaire-secondaire, et rattachant depuis 1911, depuis les *Deux principes du fonctionnement mental*, la secondarité au principe de réalité, il ne peut plus attribuer la fonction primaire à des phénomènes dont le but est d'amener la tension au niveau zéro, afin d'instaurer la totale inexcitabilité, mais se contente d'une valeur relative, c'est-à-dire du maintien de la tension au niveau constant et, autant que faire se peut, le moins élevé possible. Car le principe de réalité ne peut être que le détour supplémentaire imposé à la sauvegarde du plaisir et ne peut s'accorder avec la tendance à l'inexcitabilité.

Dès lors, il devient compréhensible qu'une confusion puisse naître de ce changement. On peut être amené à prendre pour équivalents la levée d'une tension avec le retour au calme apporté par la satisfaction d'une pulsion dont l'insatisfaction était génératrice de déplaisir, et l'état d'absolue élimination de la tension du modèle initial, qui faisait de l'inexcitabilité, c'est-à-dire d'une mise hors circuit du système, son critère absolu. La différence est sensible, au premier coup d'œil, entre l'inertie et le calme, comme entre la nuit et l'obscurité. Ce report est d'autant plus significatif que Freud transposera les rapports principe de constance-principe de plaisir dans les termes d'une relation entre un modèle théorique abstrait et son illustration concrète [11] en paraissant oublier que, la relativité qu'il invoque pour la situation de plaisir, il l'avait préalablement appliquée au maintien de l'excitation à un niveau constant devant l'extinction totale des stimuli vers laquelle tendrait le principe d'inertie. Souvenons-nous cependant que ce recul apparent coïncide avec l'entrée en jeu de la pulsion de mort [12]. Et pourtant un indice montre bien que cette

---

11. « ... Il doit être remarqué cependant que, strictement parlant, il est inexact de parler de domination du principe de plaisir sur le cours des processus psychiques (...). Le maximum de ce qui peut être affirmé ainsi est qu'il existe dans la pensée une forte *tendance* vers le principe de plaisir, mais que cette tendance est contrecarrée par d'autres forces ou d'autres circonstances, de telle sorte que le résultat final ne peut être toujours en harmonie avec la tendance au plaisir. Nous pouvons faire la comparaison avec ce que remarque Fechner sur un point semblable. » Bien que toutefois la tendance vers un but n'implique pas que ce but soit atteint et que le but général ne soit accessible que par approximation... (*Au-delà du principe de plaisir*, chap. I, S.E., XVIII, p. 9-10).

12. Même quand il ne nomme pas séparément les deux principes inertie-Nirvâna et constance-plaisir, jusqu'en 1915 le partage de ce qui revient à l'un et à l'autre dans le texte est aisé. Les commentateurs de la *Standard* le relèvent très pertinemment. A cet égard, nous devons signaler que nous n'entendons pas les relations entre ces deux principes de la même façon. Selon nous, il ne faut pas distribuer, comme les commentateurs de la *Standard,* ces deux principes en principe de constance dont dérivera le principe du Nirvâna et principe de plaisir caractérisé par la tendance à la maîtrise des stimuli par leur abaissement à la tension la moins élevée et évitement du déplaisir. A notre avis, le principe de constance se confond avec cette tendance à la maîtrise que Freud affecte au principe de plaisir, tandis qu'il faut mettre du même côté principe d'inertie et principe du Nirvâna, desquels la notion de maîtrise est absente et que le sujet subit. Car, si le plaisir est bien la recherche que poursuit l'individu, par bien d'autres notations Freud nous montre que des forces d'une autre nature sont à l'œuvre, qui font que cette recherche y est elle-même assujettie. Il faut néanmoins être reconnaissant à Strachey et coll., d'avoir repéré l'existence de deux fonctions distinctes. C'est seulement dans la première partie d'*Au-delà du principe de plaisir* que la condensation des deux principes a lieu. Nous croyons — sans aller jusqu'à invoquer l'artifice de présentation — que c'est parce qu'il va défendre un peu plus loin un *Au-delà*

relégation au second plan du principe d'inertie est indécis. Au dernier chapitre d'*Au-delà du principe de plaisir* — et l'on pourrait penser que Freud peut maintenant y revenir, délivré de la préoccupation de se faire parrainer et ayant dit sa pensée sur la pulsion de mort —, il écrit : « La tendance dominante de la vie psychique, et peut-être de la vie nerveuse en général, est l'effort pour réduire, maintenir constante ou supprimer la tension interne produite par les stimuli ("le principe du Nirvâna", pour emprunter un terme à Barbara Low) — une tendance qui trouve son expression dans le principe de plaisir ; et la reconnaissance de ce fait est l'une de nos plus fortes raisons de croire à l'existence de pulsions de mort [13]. »

THÉORIE DES ETATS ET THÉORIE DES STRUCTURES.

Voilà donc les choses rétablies dans l'ordre : le principe du Nirvâna a pour tendance ultime la suppression des excitations, et le principe de plaisir en est seulement dérivé. La première théorie de l'*Esquisse* retrouve ses droits. Elle les retrouvera d'une manière encore plus indiscutable quelques années après dans les premiers paragraphes du *Problème économique du masochisme*, où Freud clarifie considérablement sa conception. Le divorce entre le principe du Nirvâna et le principe de plaisir est prononcé et l'obligation de ne plus les confondre prescrite [14]. Le partage de ce qui revient à chacun se fait ainsi : « Le principe du *Nirvâna* exprime la tendance de la pulsion de mort ; le principe de *plaisir* représente les demandes de la libido ; et la modification de ce dernier principe, le principe de *réalité,* représente l'influence du monde extérieur. » La tâche de réduction des tensions n'incombe plus au principe de plaisir — la notion de constance disparaît

---

du principe de plaisir qu'il commence par donner à celui-ci la plus grande dimension possible. Que Freud n'ait jamais été jusqu'à le croire vraiment nous est indiqué par une phrase du *Moi et le Ça* : « S'il est vrai que le principe de constance gouverne la vie qui ainsi consiste en une descente continue vers la mort... (*S. E.,* XIX, p. 47).

Il faut insister sur ce point, car l'interprétation des versions modernes du narcissisme primaire en dépend. Elles sont compatibles avec une souveraineté du principe de plaisir, la levée des tensions — et, à l'extrême, l'annihilation du conflit — qui peuvent expliquer l'euphorie ou l'égo-cosmicité du Moi. Par contre, si le principe fondamental est bien celui de la réduction annulant (et non plus équilibrant) toute tension, alors les manifestations décrites, si elles gardent leur valeur clinique, ne peuvent être mises au compte du narcissisme primaire.

13. *S. E.,* XVIII, p. 55-56.
14. « Et nous prendrons garde à l'avenir de considérer que les deux principes ne font qu'un », *S. E.,* XIX, p. 160.

de ce remaniement — et reste la tâche exclusive du principe de Nirvâna, tandis que la fonction du principe de plaisir est très étroitement liée aux « caractéristiques qualitatives des stimuli ». Nous sommes donc en droit de postuler que tous les états comportant une caractéristique affective, ou le plaisir et ses formes dérivées (élation, expansion, ou toute autre manifestation du même registre), sont étrangers au narcissisme primaire *absolu*.

Relevons immédiatement que l'énonciation de cette trinité n'est pas une entorse à la règle épistémologique de Freud qui maintient toutes les oppositions dans le cadre de la dualité. Le principe de réalité n'est qu'un principe de plaisir modifié. En fait, il n'y a pas d'autre solution que d'envisager une double problématique : opposition principe du Nirvâna-principe de plaisir, et une autre, celle qui a le plus souvent cours, principe de plaisir-principe de réalité. Car, dans le texte, alors que Freud emploie les mêmes termes pour décrire la transformation du principe de Nirvâna en principe de plaisir et la relation principe de plaisir-principe de réalité [15], il ne fait pas le raccord entre les deux opérations. Nous n'avons d'autre ressource que de faire l'hypothèse que Freud ne peut accorder ces deux modifications que parce qu'elles appartiennent à des registres, à des sphères foncièrement différentes et qui ne tolèrent ni le mélange ni l'amalgame.

Dans son écrit princeps sur le narcissisme (1914), Freud désigne ce par quoi pourrait s'éclairer cette double problématique : « L'individu (...) mène une double existence : en tant qu'il est lui-même sa propre fin, et en tant que maillon d'une chaîne à laquelle il est assujetti contre sa volonté, ou du moins sans son concours. Lui-même tient la sexualité pour une de ses fins tangibles, tandis qu'une autre perspective nous la montre simple appendice de son plasma germinatif, auquel il loue ses forces contre une prime de plaisir — porteur d'une substance peut-être immortelle —, comme l'aîné d'une famille ne détient que temporairement un majorat qui lui survivra [16]. » A-t-on le droit de penser qu'on peut sans dommage faire le sacrifice de la part que Freud attribue à l'héritage de l'espèce, en estimant que cette élaboration relève d'un romantisme métabiologique à l'égard

---

15. « Le principe du Nirvâna, appartenant comme il se doit à la pulsion de mort, a subi une *modification* chez les organismes vivants par laquelle il est devenu le principe de plaisir (...). Quelle fut la source de la modification ? « Ce ne peut être que la pulsion de vie, qui, à côté de la pulsion de mort, s'est emparée d'une part de la régulation des processus de la vie », *S.E.*, XIX, p. 160.

16. Trad. J. Laplanche, in *Névrose, psychose, perversion*, P.U.F.

duquel un réflexe d'hygiène scientifique exige qu'on se détourne ? On peut trouver la formulation freudienne surannée et dire que ses hypothèses sur cette part de la théorie sont maladroites et discutables. Mais on est beaucoup moins en droit de refuser l'examen du problème sur le fond, qui n'est nullement celui du rôle de l'espèce ou de l'hérédité des caractères acquis, mais celui d'une double problématique. La tendance générale actuelle de la psychanalyse est résolument ontogénétique ; son tort est peut-être de ne pas l'être assez. Freud l'était davantage en ne se laissant pas paralyser par une conception linéaire du temps. Mais il était sans cesse renvoyé d'une *théorie des états* qui n'éliminait pas d'elle la part descriptive de formes cliniques à une *théorie des structures* qui créait des modèles, sinon comme des conventions pures, du moins comme des développements de ces états jusqu'aux limites où ils révèlent leur fonction et leur sens dans les termes les plus abstraits.

L'opposition entre le principe de plaisir et le principe du Nirvâna n'en est-elle pas un exemple ? Si Freud fit fausse route avec le principe de constance, n'est-ce pas parce que cette notion était à mi-chemin entre une théorie des états — ici, l'état de plaisir — et une théorie des structures, la constance du niveau d'excitation tenant le milieu entre l'extinction de l'excitation et l'élévation de la tension interne ? A bien y réfléchir, on s'aperçoit que la théorie des états qui a engendré le monstre hybride de la phénoménologie psychanalytique est, en dernier ressort, théorie des manifestations du sujet mais non théorie du sujet. Et, si le conflit garde encore sa place, il est, comme on dit aujourd'hui, « personnalisé ». C'est toujours en définitive le sujet comme être de vouloir, qui veut ou qui ne peut, qui se permet ou s'interdit, qui aspire à ou s'effraye de. On ne comprendra pas, dès lors, pourquoi une analyse menée dans cette visée ne lèverait pas les obstacles quand les entraves invisibles auront été mises à jour et désignées. On peut sans peine constater que la bonne volonté de l'analyste, même lorsqu'elle se manifeste avec lucidité et vigilance, a peu d'effets mutatifs. Si la conception d'une *Entzweïung* du sujet a quelque consistance, elle n'est pas à comprendre dans l'opposition et la réconciliation de deux vouloirs, mais comme conflit entre deux systèmes animés par deux rationalités opposées et têtues, repérable jusque dans les effets de la constitution du discours, ou dans l'énonciation elle-même (dans la suture et la coupure des éléments d'un membre de l'énoncé et dans la suite de ceux-ci), où se reflètent les marques du travail de cette division. La théorie des structures cherche à établir les conditions de possibilités du discours, l'agencement de celui-ci permettant de n'appréhender le sujet que dans son parcours, comme réalité dont le fonctionnement témoigne. Le sujet n'est alors pas dans une position de modalité [17] où l'index à l'origine de l'énoncé y désigne l'opération de la pensée distincte de la représentation qu'elle va viser ; il n'est pas plus à la fin de la phrase où, l'énoncé terminé, on pourrait par voie régrédiente éclairer tout ce qui précède ; il est l'opération par laquelle *il y a* de l'énoncé.

Il ne faut pas croire que nous récusions entièrement tout ce qui dans la psychanalyse relève de la théorie des états. Elle représente un premier niveau de l'épistémologie psychanalytique et les psychanalystes ne peuvent éviter dans leur communication silencieuse avec leurs analysants ou avec d'autres analystes de s'exprimer ainsi : il désire *en fait* ceci ou cela, il dit *au fond* telle ou telle chose, il revit *à nouveau,* etc. Mais ce palier inévitable ne peut être tenu pour le degré d'organisation qui rend compte du procès de l'analyse. La garantie du déroulement de ce procès est le silence de l'analyste, qui en dernier ressort n'a pas d'autre fondement. C'est le grand mérite de l'impulsion donnée par Lacan à ce type de recherches de montrer en quoi les résultats de nos investigations psychanalytiques, même en respectant l'intention structurale, renvoient à des organisations *déjà structurées.*

L'APPAREIL PSYCHIQUE ET LES PULSIONS.

Arrêtons-nous sur l'appareil psychique. Il ne fait pas de doute que cette construction est liée dans la pensée de Freud à un modèle théorique situé en dérivation sur la ligne qui va du cerveau à la pensée consciente, instituant entre eux une discontinuité essentielle. Mais, ce modèle, Freud lui donne *un* espace [18] et *un* temps (puisqu'il parle des relations d'ancienneté entre les instances). On néglige de préciser de *quel* espace et de *quel* temps il peut bien s'agir, mais, puisqu'il est question de l'espace et du temps, on réintègre l'appareil psychique dans un univers de représentation pré-freudien en le traitant comme l'un de ces multiples organismes définis par notre espace et notre temps conscients. On glisse alors vers la recherche d'une architecture prise dans le cadre ontogénétique. L'appareil psychique devient une sorte d'auto-codification, de construction du sujet par lui-même. Ce glissement, on l'aura bien deviné, tend à rétrécir et fina-

---

17. Au sens où Charles Bally emploie ce terme.
18. « Nous supposons que la vie psychique est la fonction d'un appareil auquel nous attribuons les caractéristiques d'être étendu dans l'espace... », *S. E.,* XXIII, p. 145.

lement à superposer les dimensions de l'appareil psychique à celles du moi et fait fi de la remarque freudienne selon laquelle l'expérience individuelle, telle que le Moi a mission de la recevoir, ne détermine que « l'accidentel et les événements contemporains [19] ». Il est logique d'admettre que l'effet de structuration doit venir d'ailleurs si le Moi est ainsi engagé dans l'instantané du présent [20].

Pour conserver à cet appareil sa valeur métaphorique, il faut retourner la question et, plutôt que de rechercher à quel genre d'appareil la vie psychique peut renvoyer, il faut alors se demander : qu'est-ce qu'un appareil au regard d'une vie psychique qui en serait la fonction ? Peut-on considérer les principes sur lesquels nous nous sommes longuement étendus comme des causes premières originelles ou comme des régulateurs de fonctionnement ? Dans cette dernière hypothèse, tout pouvoir « législateur » leur serait ôté et plus rien ne justifierait leur nom de *principe*. Les tenir pour causes premières ou tout au moins comme ce qui conceptualise de telles causes, c'est voir en eux le fondement ultime de toute organisation psychique. Or, un examen attentif du dernier exposé théorique systématique — dogmatique, dit même Freud —, c'est-à-dire de l'*Abrégé,* montre que celui-ci admet à rang égal — à une même dignité conceptuelle — la théorie des pulsions et les principes du fonctionnement psychique. Même les valeurs de la première topique (conscient, préconscient, inconscient) sont cantonnées dans les *qualités psychiques* dont le statut ne s'explique que par la structure de l'appareil psychique, de la même façon que le *développement* de la fonction sexuelle — pour être l'origine de tout ce que nous savons sur Eros — est subordonné à la théorie des pulsions [21]. Freud a entrevu les difficultés de ces rapports dans le septième chapitre d'*Au-delà du principe de plaisir,* en abordant — beaucoup trop brièvement, malheureusement — les différences entre fonction et tendance. Il y dit notamment que le principe de plaisir est une *tendance* opérant au service d'une *fonction* « dont le travail est de libérer entièrement l'appareil psychique des excitations, ou de maintenir constant le montant de l'excitation, ou de le maintenir aussi bas

19. *S. E.,* XIII, p. 144.
20. Cf. A. Green : « La diachronie dans le freudisme », *Critique,* 1967, n° 238.
21. La première partie de l'*Abrégé,* à laquelle Freud n'a donné aucun titre, comprend deux chapitres sur les fondements, « L'appareil psychique » et « La théorie des pulsions », deux chapitres dérivés de ces deux premiers : « Le développement de la fonction sexuelle », à mettre en relation avec le deuxième, comme « Les qualités psychiques » sont à mettre en relation avec le premier, et le chapitre sur le rêve qui sert d'illustration, comme son titre l'indique, à la combinaison des précédents.

que possible. Nous ne pouvons encore décider avec certitude en faveur d'aucune de ces façons de faire ; mais il est clair que la fonction ainsi décrite serait en rapport avec les tâches les plus universelles de toute substance vivante, à savoir le retour à la quiescence du monde inorganique [22] ». Avec cette assertion il annonce tout un programme d'études qu'il ne remplira jamais, faute de temps, où se devinent les relations entre principe et pulsion, et affirme ici une contradiction, sinon entre le particulier et l'universel, du moins entre le personnel et l'impersonnel. Ce point étant atteint, nous pouvons avancer que les principes sont à la croisée des rapports entre l'appareil psychique et la théorie des pulsions [23].

Un principe est, au sein d'une pulsion, ce qui permet de rendre intelligible un *appareillage* de celle-ci, qui en gouverne le fonctionnement, d'une manière qui en aucun cas ne saurait être entendue comme l'impact d'une force extérieure à lui, mais qui trouve son application dans les constituants de la pulsion. De ce fait, celle-ci se déploie, se distribue, s'amplifie, la structure de l'*appareil* permettant alors d'articuler ses éléments, primitivement condensés sous une forme quasi tautologique, en un système de rapports. Cette action ne pourrait être par exemple celle du refoulement, opération elle-même soumise au principe de plaisir-déplaisir. La fonction « universelle » de la pulsion s'y individualise en un sujet particulier, mais à condition que ce sujet s'y assujettisse lui-même, ce qui ne pourra se matérialiser que par une « tendance ». Toutefois, ce mot ne doit pas nous induire en erreur, il ne sera pas synonyme de tentative, mais de tension vers. Et, si le but est cet absolu inaccessible, c'est sur l'effort de tension que cet absolu se reporte.

Or, on a rarement examiné les rapports entre appareil psychique et pulsions dans le détail. Il est commun de parler de la situation

---

22. *S. E.*, VIII, p. 63.

23. Ainsi, notre analyse nous a montré que ce qu'on peut mettre au compte d'une hésitation, voire d'une incertitude, entre principe d'inertie, d'une part, principe de constance et principe de plaisir, de l'autre, n'est pas étranger au contexte. Le principe d'inertie est affirmé tant que la pulsion n'est pas qualifiée sexuellement dans l'*Esquisse*, et si ultérieurement Freud paraît accentuer la relation entre le maintien de l'excitation constante et le plaisir, c'est justement parce qu'il va introduire un élément conceptuel qui a barre sur lui, situé *au-delà*. C'est la compulsion de répétition qu'il propose alors comme hypothèse. Et c'est enfin lorsqu'il ne fait plus de doute pour lui que la pulsion de mort, plus qu'une hypothèse de travail, est bien une donnée fondamentale, qu'il circonscrit le principe de plaisir et définit à nouveau le principe du Nirvâna, placé en position de généralité abstraite, de virtualité dont le principe de plaisir est une modification.

des pulsions dans le Ça [24] (le Ça comme siège ou réservoir des pulsions). Il est moins fréquent de voir mise en évidence l'articulation entre théorie des pulsions et appareil psychique.

Il est admis que la théorie de l'appareil psychique représente le dernier degré de la théorisation psychanalytique et, en un certain sens, cela est vrai. Cela est vrai à ce premier niveau de la théorie, celui que Freud désigne comme la part de l'individu dont un type d'organisation se reflète en cette construction. Mais, pour Freud, la théorie des pulsions met en jeu ce déjà-structuré auquel nous faisons allusion, et dont l'articulation est organisatrice des conditions de possibilité du fonctionnement où se dévoile un sujet. Si l'on répugne à y voir avec Freud une manifestation de l'espèce, il faut au moins admettre ce *depuis-toujours-déjà-là,* ce montage jamais accessible immédiatement mais auquel tout montage renvoie. Il n'est pas possible de dire si les pulsions sont toujours *pour* l'appareil psychique ou si l'appareil psychique est *pour* les pulsions. Déjà structuré ne veut pas dire que le mode de structure soit identique dans tous les cas. C'est même à cette hétérogénéité que tient l'intérêt du système.

L'appareil psychique représente la construction dont le jeu pulsionnel serait capable s'il était autre chose qu'un fonctionnement agoniste et antagoniste. Mais, à l'inverse, nous n'aurions aucune idée de ce que peut être la nature fondamentale de cet agonisme et de cet antagonisme si un appareil psychique ne nous les représentait pas. On aura peut-être une meilleure idée de ces rapports en rappelant l'opinion de Freud selon laquelle les pulsions agissent essentiellement dans les dimensions *dynamiques et économiques.* Elles ne sauraient avoir aucune localisation, même dans le cadre d'un modèle abstrait de convention [25]. Alors que l'appareil psychique a pour caractéristique d'avoir une *étendue dans l'espace,* c'est-à-dire de convertir les modes de transformation issus du système *dynamique économique* — et nous verrons plus loin lesquels — en un système interdépendant de surfaces et de lieux, apte à recevoir des modes qualitatifs et quantitatifs d'inscriptions diversifiées, à les filtrer et à les retenir sous des formes qui leur sont appropriées.

Entre la pulsion indifférenciée que certains auteurs présentent sous les formes du courant de force, de la marée, de la peinture

---

24. Le rapport approfondi de Daniel Lagache excelle surtout dans la critique des conceptions naturalisantes sur la pulsion. L'auteur voit principalement en celle-ci une « relation d'objet en puissance ». Ces « relations d'objet fonctionnelles » préexistantes aux relations d'objet effectives ne posent-elles pas le problème des rapports entre la théorie des pulsions et l'appareil psychique ? Cf. *La psychanalyse,* vol. 6, p. 18-22.

25. *S. E.,* XXIII, p. 149 et 156.

tachiste et le montage élégant et précis de Freud, mais qui paraît à beaucoup trop restrictif aujourd'hui, une médiation peut être évoquée avec la dernière théorie des pulsions. Ici, les fonctions d'Eros et des pulsions de destruction rejoignent les grandes catégories de la tendance à la réunion et de la tendance à la division, de l'intrication et de la désintrication. Dans un vocabulaire plus moderne, on parlera de conjonction et de disjonction, de suture et de coupure[26]. Mais Freud ne se contente pas de mettre en présence, à la façon des oppositions classiques, deux termes de dignité égale pour qu'en résulte, par la répétition et l'établissement de nouvelles relations, un pouvoir ordonnateur.

Eros et la pulsion de destruction ne forment pas une paire à termes égaux. On en voit un indice en ce que Freud s'est toujours refusé à nommer la pulsion de mort autrement que de cette façon (ou par la formule voisine de pulsions de destruction). Car, si la compulsion de répétition est le mode d'activité de toute pulsion — qui serait comme l'instinct de l'instinct, ainsi que le dit heureusement F. Pasche —, on peut dire alors que quelque chose de l'essence de la pulsion de mort est passé dans Eros, ou qu'Eros l'a capté à son profit, ce qui déqualifie la pulsion de mort et oblige à ce qu'on n'en puisse plus parler que comme le terme invisible et silencieux d'un couple dont le contraste n'est plus saisissable autrement que par une ombre jetée sur l'éclat d'Eros. Ici, une refonte de l'opposition va permettre à Freud de dire — premier redoublement — que les deux pulsions peuvent travailler ensemble ou l'une contre l'autre. Si la désintrication pulsionnelle — dans le cas du travail discordant —, telle que la pathologie nous en donne des exemples (mélancolie, paranoïa), peut en suggérer quelque représentation dans les relations amour-haine, la collaboration des deux pulsions laisse perplexe si l'on ne s'arrête pas, bien entendu, à l'idée d'une neutralisation de la haine par l'amour et si l'on ne se contente pas d'arguments d'ordre quantitatif pour supprimer la question.

L'intériorisation de cette contradiction conduit à retrouver en Eros une dualité qui sera le deuxième redoublement. A savoir le partage d'Eros entre amour de soi et amour d'objet et celui entre conservation de soi et conservation de l'espèce. Si, à première vue, on peut être tenté de réunir amour de soi et conservation de soi d'un côté et amour d'objet et conservation de l'espèce de l'autre, on ne tarde pas à constater qu'on fait disparaître ainsi l'opposition entre l'érotique personnelle dont l'amour d'objet fait

---

26. Dans « L'objet *a* de J. Lacan, sa logique et la théorie freudienne », *Cahiers pour l'analyse*, n° 3, nous avons tenté de tirer le parti de ces formulations en les appliquant aux visées théoriques de la psychanalyse.

partie et l'érotique impersonnelle dont la valeur heuristique est si importante. C'est peut-être en quoi la fécondité de la théorie lacanienne du sujet comme structure peut être étendue. Lorsque Lacan écrit : « Il n'y a que le signifiant à pouvoir supporter une coexistence, que le désordre constitué (dans la synchronie) d'éléments où subsiste l'ordre le plus indestructible à se déployer (dans la diachronie) : cette rigueur dont il est capable, associative, dans la seconde dimension, se fondant même dans la commutativité qu'il montre à être interchangeable dans la première [27] », on peut se demander si cette commutativité n'intéresserait pas les deux doubles registres que nous venons de mentionner. Il ne faudra pas alors oublier cette expression troublante que Freud emploie, dans l'*Esquisse* que Jacques Derrida a su si bien lire [28] et selon laquelle les processus livrés par l'étude des névroses, qui ne diffèrent que par leur intensité de la normale, sont des *quantités mouvantes*.

La question du narcissisme primaire semble s'être éclipsée derrière les problèmes de la théorie des pulsions. Nous verrons qu'il n'en est rien quand nous y serons revenus par le biais du problème suivant : le narcissisme n'est-il que la conséquence d'une orientation des investissements ?

ORIGINE ET DESTIN DES INVESTISSEMENTS PRIMAIRES.

Le paradigme de l'amibe domine nos réflexions sur les formes premières des échanges. Cependant, alors que Freud ne s'est servi de cette analogie que pour comparer des mouvements de poussée et de retrait des investissements, les phénomènes de périphérie qui étaient le mobile essentiel du recours à cette image ont glissé eux-mêmes à la périphérie de notre esprit pour laisser s'imposer l'idée que la forme générale de l'amibe devait être tenue pour modèle des formes premières d'organisation psychique, de l'Ego, nommément.

Cependant, si cette analogie peut être à la rigueur congruente avec le Moi dont parle Freud avant la dernière topique, les contradictions qu'on rencontre à vouloir continuer à se servir de la comparaison après la dernière conception du Moi surgissent inévitablement.

---

27. J. Lacan, « Remarque sur le rapport de D. Lagache », *La psychanalyse*, vol. 6, p. 121.
28. J. Derrida, « Freud et la scène de l'écriture », *L'écriture et la différence*, Seuil.

Cette boule protoplasmique, petite sphère complètement enclose en elle-même, suggère l'existence d'une modalité de fonctionnement qui s'adapte difficilement aux ambiguïtés ou aux imprécisions de Freud sur les premières relations entre le Moi et le Ça... Un autre paradigme, celui du réservoir, lui serait consubstantiel, Freud opérant même la condensation des deux dans certains textes. Il aura fallu toute la vigilance perspicace de Stratchey pour décomposer cette image [29]. Encore n'est-ce pas assez de distinguer entre la fonction de réserve et celle de source d'approvisionnement, ou de relever que les versions contradictoires où Freud situe l'origine des premiers investissements — alternativement dans le Moi (avant sa distinction de la dernière topique), puis dans le Ça, et enfin, paradoxalement, à nouveau dans le Moi —, doivent se résoudre dans la conception du Moi et du Ça indifférenciés. C'est là une clarification utile mais qui demande des précisions supplémentaires. Le Ça-Moi, indifférencié primitif, assure « à l'origine » deux fonctions en même temps. Celle d'être une *source d'énergie* et un *entrepôt de réserve*. En tant que source d'énergie, il envoie ses investissements en deux directions : vers les objets (orientation centrifuge) et vers le futur Moi (orientation centripète), contribuant ainsi à la deuxième fonction. Le Moi indifférencié, à mesure qu'il se développe, se constitue fondamentalement comme entrepôt de réserve. Et si le Moi joue sans conteste un rôle en tant que source d'énergie pour les investissements d'objet, il veille aussi au maintien de la réserve en investissement narcissique. En somme, la différenciation Ça-Moi institue une séparation fonctionnelle. Mais le Moi récupère une partie de la fonction dont il s'est désisté en faveur du Ça pour assurer en priorité l'investissement narcissique. Il interviendra donc dans les investissements d'objets qui relèvent du Ça de façon que ceux-ci ne compromettent pas trop l'investissement narcissique qui est sous son contrôle. Toutefois, c'est le détail de cette différenciation qu'il faut éclairer. Ce qui ne laisse pas place au doute est que Freud a lié, comme nous l'avons précédemment montré, l'état de narcissisme primaire absolu à l'abolition des tensions et à une relation avec le Moi. S'il a abondamment insisté sur la possibilité d'une conversion dans les échanges entre libido narcissique et libido d'objet, il n'en a pas moins soutenu la pérennité d'une organisation narcissique qui ne disparaît jamais. La libido investit le Moi et se donne de cette façon un objet d'amour, ce processus pouvant s'observer toute la vie durant. Jamais cependant sous la plume de Freud l'état de

29. Voir le capital « Appendix B » qui suit *Le Moi et le Ça, S. E.,* XIX, p. 63.

narcissisme primaire absolu n'a été associé au Ça. Il est relativement fréquent que Freud emploie le terme de Moi pour désigner
soit le Moi *stricto sensu,* soit le Ça-Moi de l'indifférenciation
primitive. Mais l'inverse n'est pas vrai. Freud n'associe jamais
le Ça à des fonctions ou des processus appartenant en propre au
Moi.

Or, définir le narcissisme par les qualités que sont l'expansion
ou l'élation ou tout autre affect du même ordre c'est, même en se
référant à l'indifférenciation Moi-Ça, parler des propriétés qui
n'ont de signification que dans le système du Ça [30]. C'est les
engager, pour définir leur appartenance au narcissisme, sur la voie
qui n'est pas celle des investissements du Moi. Les rapprocher
de la toute-puissance n'est pas suffisant, car l'élation ou l'expansion sont les conséquences de la toute-puissance et non l'opération
par laquelle la toute-puissance s'instaure. Celle-ci consiste à
supprimer le pouvoir de résistance de l'objet ou du réel par le
déni de la dépendance à leur égard et non par la fusion avec eux.
Cette fusion, si elle intervenait, ne serait possible qu'une fois
que le Moi se serait donné l'assurance qu'il conserve la haute
main sur les puissances de l'objet qu'il s'approprie à cet effet.

Le principe du Nirvâna — dont nous avons montré la place
dans une théorie des structures, mais qui est en fait absent d'une
théorie des états, où seules les expressions d'un amoindrissement
des tensions sont perceptibles — a subi une modification chez
les êtres vivants. Il est vrai que souvent nous devons passer par
le principe de plaisir (qui en est pourtant foncièrement différent,
attaché aux qualités du plaisir) pour en deviner la trace. Peut-être
faut-il dans le système freudien, où les modifications n'effacent
jamais complètement l'état qu'elles modifient, rechercher si un
déplacement de valeur ne permet pas de retrouver ce qui a semblé
disparaître. Et, puisque nous nous voyons condamnés avec la
pulsion de mort à ne voir que l'invisible, à n'interroger que ce
qui est muet, c'est du côté de cette part d'Eros qui lui ressemble
qu'il nous faut chercher.

N'est-il pas clair que l'amour que le Moi s'accorde à lui-même
(assurant l'indépendance à l'égard du monde extérieur et l'épargne
de la dépense en investissements à l'égard de l'objet), le retour
dans le Moi de la libido objectale, l'absence de conflit — pourvu
que la qualité de cet amour égotique compense la qualité libidinale destinée à l'objet et protège des déceptions qu'il peut

---

30. Ces affects narcissiques sont, après la différenciation Ça-Moi, trans-
férés au Moi. On peut évoquer ici la note de Freud, trouvée après sa
mort, sur le mysticisme — où les sentiments d'élation et d'expansion sont
intenses — comme auto-perception, au-delà du Moi, du Ça.

infliger — réussit à constituer un *système clos* et rejoint la condition la plus proche de ce à quoi tend le Moi dans le sommeil sans rêve ? Ici se trouve créée cette situation limite où le « bruit de la vie » d'Eros et celui de la lutte contre Eros tiennent la gageure d'installer ce qui est au principe de la mort dans le sein de l'amour, de les rendre quittes l'un et l'autre, au détriment de l'objet. Mais par quelle voie cela est-il possible ? Il nous faudra faire un large détour avant de répondre.

L'INHIBITION DE BUT DE LA PULSION.

La remarque répétée [31] selon laquelle, même si la psychanalyse n'a su voir, jusqu'à l'état présent de sa recherche que l'œuvre des pulsions de conservation dans le Moi (libidinisées depuis l'introduction du narcissisme), il n'est pas exclu que d'autres pulsions participent à son activité, est restée lettre morte. Freud ayant noué les relations du Moi à la réalité pour la sauvegarde du principe de plaisir sans être plus explicite sur les formes de cette activité des pulsions non libidinales, on a conclu que ce silence devait recouvrir une de ces mystérieuses affirmations dont Freud a emporté le secret dans sa tombe.

Entre les pulsions autres que libidinales « qui seraient à l'œuvre dans le Moi » et le travail insaisissable de la pulsion de mort, Freud va introduire une série intermédiaire qu'il situe parmi les constituants d'Eros. A côté des pulsions libidinales à plein effet et des pulsions d'auto-conservation viennent prendre place les *pulsions libidinales à but inhibé ou de nature sublimée, dérivées des pulsions libidinales* [32]. Sans doute s'élèvera-t-il contre toute interprétation qui rendrait autonome ce contingent sous la houlette des « instincts sociaux », dont la vogue est grande dans la psychologie de l'époque. Mais, après examen, il distinguera des pulsions à but inhibé. La meilleure description que Freud en donne se trouve dans la trente-deuxième conférence, où il les

---

31. Notamment dans *Au-delà du principe de plaisir* : « La difficulté demeure, la psychanalyse ne nous a pas permis jusque-là de nous révéler d'autres pulsions [du Moi] que les libidinales. Ceci cependant n'est pas une raison pour nous de tirer les conclusions que d'autres n'existent pas en fait. » Et dans l'article d'*Encyclopédie*, de 1922 : « Néanmoins, il faut avoir présent à l'esprit que le fait que les pulsions d'auto-conservation du Moi sont reconnues comme libidinales ne prouve pas nécessairement qu'il n'y a pas d'autres pulsions à l'œuvre dans le Moi », *S. E.*, XVIII, p. 53 et 257.
32. *Le Moi et le Ça, S. E.*, XIX, p. 40.

rapproche de la sublimation. « En outre, nous avons des raisons de distinguer des pulsions qui sont "inhibées quant à leur but", mouvements pulsionnels venant de sources bien connues de nous, ayant un but non ambigu mais qui subissent un arrêt sur leur chemin vers la satisfaction, de sorte qu'il n'en résulte qu'un investissement d'objet durable et une inclination permanente. Telles, par exemple, sont les relations de tendresse, qui naissent indubitablement des sources des besoins sexuels et invariablement renoncent à leur satisfaction [33]. » C'est en définitive l'idée de la restriction, du freinage, du non-développement de l'investissement qui s'impose pour justifier une dénomination particulière. En proposant de faire une place à part à ce type pulsionnel, Freud complète une hypothèse entrevue en 1912 [34]. Lorsqu'il attribue au courant tendre de la sexualité infantile le pouvoir d'entraîner avec lui les investissements sexuels primitifs des pulsions partielles, il soulève la question de savoir d'où le courant tendre tient une telle puissance. Et si, dans les *Trois essais sur la sexualité,* les inhibitions pulsionnelles sont le résultat de la période de latence, les pulsions étant retenues par des digues qui entravent le plein développement de l'activité sexuelle, Freud est ensuite conduit à distinguer l'effet de l'action des digues — sans conteste, le refoulement — et une inhibition *interne à la pulsion,* comme cela se précise davantage à chacun des passages où il aborde la question.

Car ce n'est pas le refoulement qui est la cause de l'inhibition de but de la pulsion, puisque c'est justement la façon dont la pulsion s'épargne le refoulement que réalise ce destin particulier des pulsions. Et c'est grâce à ce statut de pulsion non démantelée mais seulement arrêtée dans son accomplissement que celle-ci peut s'arroger le pouvoir d'en entraîner d'autres plus attachées à des fonctions partielles.

---

33. *S.E.,* XXII, p. 97.
34. Dans son étude *Sur le plus général des rabaissements de la vie amoureuse,* Freud attribue certains troubles psychiques de la sexualité à l'absence de jonction de deux courants de la libido : *le courant tendre et le courant sensuel.* Le courant tendre, *le plus ancien,* est celui qui correspond au choix d'objet infantile primaire. Il s'augmente de l'apport de pulsions sexuelles qui sont à l'origine d'investissements érotiques formés sur le mode de l'étayage. Le courant sensuel, apparu à la puberté, qui ne méconnaît plus ses buts, suit les voies créées par les courants qui lui ont préexisté. La faille dans la réussite de l'activité sexuelle vient de ce que le courant tendre aurait entraîné avec lui, sur une voie divergente, les apports des pulsions sexuelles primitives, de sorte que les investissements de la puberté, séparés par la barrière de l'inceste des investissements infantiles, ont le dessous dans l'organisation définitive. *S.E.,* XI, p. 180 sq.

Il ne faut pas croire non plus que les pulsions à but inhibé pourraient être toujours rangées du même côté que les pulsions prégénitales. Elles en sont à l'opposé. La qualification des pulsions prégénitales est de viser au plaisir d'organe. Les composantes érotiques génitales procéderont ultérieurement, par le nouveau but sexuel que représente l'union avec l'objet, à des transformations qui dénonceront les pulsions prégénitales en tant qu'orientation vers le plaisir d'organe et les soumettront aux desseins qui les confinent au plaisir préliminaire. Certaines même en seront exclues. En somme, les pulsions qui ont subi l'inhibition de but seront celles dont la part sera la plus préservée. Elles se joindront à parties égales avec les investissements proprement érotiques de la phase génitale ; tandis que celles dont la tendance à la satisfaction n'a pu, comme les précédentes, se contenter d'une « approximation » seront laissées en arrière. Elles contribueront, par l'échange de leurs buts, de leurs objets, à la complexité de l'organisation du désir. Néanmoins, leur temps sera limité ; pour n'avoir pas subi l'inhibition du but, elles deviendront de simples introductrices à l'union avec l'objet. On voit la différence : d'un côté, une inhibition de l'activité pulsionnelle qui maintient l'objet en faisant le sacrifice de la pleine réalisation du désir d'union érotique avec lui, mais conserve une forme d'attachement qui en fixe l'investissement, de l'autre un développement sans frein de l'activité pulsionnelle à la seule condition que buts et objets entrent dans des opérations de permutation et de substitution ne connaissant de limitation que par l'influence du refoulement et d'autres pulsions. Le premier type d'activité, dominant ultérieurement, fera entrer à son service les pulsions du second type qui sont compatibles avec son projet et récusera les autres. Il est clair que le sort de ce contingent à but non inhibé est forcément le plus vulnérable et le plus propice à prêter main-forte à l'insoumission des pulsions au Moi. Paradoxalement, les pulsions à but inhibé sont des pulsions qu'il faut surtout caractériser par leur lien à l'objet. Sans le dire expressément, Freud paraît considérer que ce qu'on pourrait appeler la vocation génitale visant l'objet, en sa qualité d'objet libidinal définitif, celui de l'union sexuelle, est présent dès le départ. C'est pour sauvegarder cette visée, évitant ainsi que la place soit entièrement livrée aux pulsions prégénitales qui font passer le plaisir d'organe avant tout autre, qu'intervient l'inhibition de but de la pulsion [35].

---

35. On peut établir un pont entre ces notions freudiennes classiques et certaines formulations de J. Lacan, sans toutefois les faire coïncider totalement. Dans cette division des tâches, les investissements ayant subi

Le complexe d'Œdipe met en présence des relations de tendresse et d'hostilité. Cependant, il existe une relative indépendance entre les relations de tendresse ou d'hostilité et l'organisation phallique sous l'égide de laquelle l'Œdipe se place. La relation de tendresse pour le parent aura partie liée à ce qui appartient à la relation de sensualité, censurée par la menace de castration. Mais il n'y a pas confusion entre les deux. La preuve en est que le maintien de l'investissement tendre peut être la meilleure manière par laquelle peut être tournée la crainte de la castration, comme dans la situation décrite dans le rabaissement le plus général de la vie amoureuse. Si Freud rattache les investissements à l'objet maternel de l'Œdipe à ceux qui étaient primitivement reliés au sein [36], c'est peut-être à ce niveau qu'il faut concevoir l'inhibition de but, au moment où la perte de l'objet-sein va de pair avec la perception totale de l'objet maternel [37].

---

l'inhibition interne de la pulsion rejoignent bien l'objet, à la condition de sacrifier au manque, tandis que les pulsions qui se satisfont dans le plaisir d'organe restent en attente d'un destinataire non identifié, errant sans terme, dédiées au désir de lAutre.

36. *Le Moi et le Ça*, *S. E.*, XIX, p. 31.

37. C'est en adoptant ce point de vue que deviennent intelligibles certains passages essentiels. Freud se serait-il engagé si profondément dans l'article sur *La psychologie de la vie amoureuse*, donnant aux deux courants la même importance ? Aurait-il construit la problématique des rapports sociaux de *Malaise dans la civilisation* autour de l'opposition amour pleinement sensuel et amour à but inhibé, si le second terme de couple n'avait pas mandat pour se faire entendre au même titre que le premier ? Lorsque, dans les *Nouvelles Conférences*, il retrace la théorie des pulsions, il paraît bien ranger la modification de but et d'objet (la sublimation) avec l'inhibition de but en les distinguant expressément des autres pulsions. Si *Pulsions et destins des pulsions* ne définissait la pulsion que par la demande de travail faite à l'esprit par suite de son lien avec le corporel, Freud ici ajoute : « sur le chemin de sa source à son but la pulsion devient effective psychiquement ». On comprend mieux alors pourquoi il ne peut admettre que cette retenue, cette réserve, ne soit pas un destin parmi d'autres. Peut-il en être autrement si l'on veut bien se rappeler que dès *Pulsions et destins des pulsions* Freud, entrevoyant la nature de la sublimation, voit en elle l'un des quatre modes fondamentaux du destin des pulsions avec le refoulement et les deux retournements (contre soi et en son contraire). Toutefois, si notre conception de la coïncidence du processus de l'inhibition de but avec la perte de l'objet-sein et l'appréhension de l'objet-mère paraît nous rapprocher de celle de J. Laplanche et J.-B. Pontalis dans le rapport qu'eux-mêmes établissent entre ce moment structural et l'auto-érotisme, la suite de notre travail précisera les divergences d'interprétation et les points de discussion sur la relation entre le narcissisme et le refoulement. Cf. « Fantasme originaire, fantasme des origines, origine du fantasme », *Les Temps modernes*, n° 215, avril 1964.

LA FONCTION DE L'IDÉAL.
LA DÉSEXUALISATION ET LA PULSION DE MORT.

Cette contention de la pulsion par elle-même, qui n'est pas due à un processus évolutif, cette restriction sans intervention d'une force extrinsèque, comment ne pas y voir l'action du groupe de pulsions antagonistes d'Eros, des pulsions de destruction ? Au lieu que les deux groupes de pulsions expriment leur antagonisme dans la relation à l'objet par la désintrication, c'est au contraire par une modification intrinsèque des pulsions érotiques que le travail des forces de séparation agit.

Freud se doute, dès 1912, qu'une solution de cet ordre s'imposera plus tard lorsqu'il se laissera aller, à la fin du deuxième article sur la psychologie de la vie amoureuse, à soutenir que la pulsion sexuelle porte en elle-même des composantes qui vont à l'encontre de sa propre satisfaction [38]. Ce ne sont pas les pulsions prégénitales qui entravent cet épanouissement mais un facteur que Freud attribue à la civilisation et qui serait devenu partie intégrante du patrimoine héréditaire.

Nous aurions sans doute la tâche plus facile si nous pouvions admettre qu'une influence de cet ordre — qui n'est, dans la pensée de Freud, à mettre au compte d'aucune forme de transcendance — serait le produit d'acquisition d'une acculturation progressive de chacun. Mais cette simplification n'est guère de mise ici. A partir de *Le Moi et le Ça,* Freud paraît attribuer à la vie psychique trois centres de développement. Ainsi la perception lui semble si étroitement liée à l'activité du Moi que par deux fois il la compare à ce qu'est la pulsion pour le Ça [39]. Bien entendu, il ne s'agit pas d'une opposition brute, mais d'une confrontation des différents types de surinvestissements dont l'issue dialectique sera la représentation inconsciente de la pulsion : le représentant-représentation. Une fonction correspondante devrait exister pour

---

38. Notons une fois de plus que ce sont les composantes de la pulsion qui en sont responsables et non l'action du refoulement, si originaire soit-il. On pourrait presque dire que celles-ci trouvent preneur avec le refoulement. Cette affirmation de 1912 est retrouvée à peine modifiée dans la note laissée par Freud après sa mort datée de juin 1938, *S. E.,* XXIII, p. 299. Il est à remarquer que Freud fait la part des interdits sociaux puisqu'il mentionne l'autre grande cause de la fragilité de la fonction sexuelle : la prohibition de l'inceste. En somme, il y a les deux séries complémentaires : l'une de l'ordre des restrictions et des limitations du Surmoi, l'autre intrinsèque au Ça.

39. « Pour le Moi, les perceptions jouent un rôle qui dans le Ça échoit à la pulsion. » « Généralement parlant, on peut dire que les perceptions ont la même signification pour le Moi que les pulsions pour le Ça », *S. E.,* XIX, p. 25 et 40.

le Surmoi. C'est la fonction de l'idéal qui en tient lieu. Freud ne dit-il pas, du reste, qu'il ne saurait assigner aucune localisation à l'Idéal du Moi, contrairement à ce qu'il a tenté de faire pour les rapports du Moi et du Ça ? On pourrait penser, en essayant de suivre le mouvement de la démarche métapsychologique de Freud, que la distribution dispersée de l'Idéal du Moi, sa quasi-généralité dans le champ des processus psychiques, est une conséquence des rapports topographiques du Moi et du Ça. Comme si la limitation spatiale imposée au Ça, au moins par la frontière qui le met en rapport avec le Moi, était payée en retour par le champ libre laissé à la fonction de l'idéal. Car, si le Moi a réussi à obtenir, par la liaison des processus psychiques, que soit, ne serait-ce qu'en partie, bâillonné le Ça, le Ça n'y peut consentir qu'en masquant sa défaite. En conséquence, il installe, au lieu de la satisfaction pulsionnelle obéissant au principe de plaisir, une nouvelle exigence aussi impérieuse que la sienne qui en est le calque ou le double négatif. Celle-ci n'aura de cesse qu'elle n'ait atteint l'illusoire affranchissement de celui-là. L'Idéal du Moi, au regard duquel le Moi s'évalue et cherche à atteindre la perfection, est étalonné sur la mesure de la demande du corps faite à l'esprit. Les prétentions de la fonction de l'idéal n'y figurent pas à titre de consolation ou de contrepartie. A la place même où la satisfaction pulsionnelle avait lieu, elle instaure son contraire. Elle attribue une valeur encore plus grande au renoncement. L'orgueil est devenu un but plus élevé que la satisfaction ; le Moi idéal a été remplacé par l'Idéal du Moi. Rien ici qui mérite une autonomie de droit ou de fait, puisque ce greffon ne pousse que sur le sol de la pulsion qu'il ne peut que refléter négativement. Il est moins question de faire de nécessité vertu que de faire de la vertu une nécessité.

Que cette fonction de l'idéal soit née « des expériences qui conduisirent au totémisme » (des expériences... et non du totémisme lui-même), qu'elle contienne « le germe dont toutes les religions sont sorties [40] », Freud ne la rattache à l'identification primordiale au père que pour autant qu'il s'agit d'un père mort. Ce qui veut dire que la mort est la condition nécessaire pour que l'agrandissement du disparu passe par les signes qui lui restituent moins une présence qu'ils ne lui garantissent pour toujours qu'il sera pérennisé en cette absence qui lui conférera une puissance éternelle. Il faut, ici encore, revenir à la pulsion de mort où la mort est le plein accomplissement de sa tendance. La pulsion de mort rejette la mort effective et restaure l'investissement

---

40. Le *Moi et le Ça*, S. E., XIX, p. 37 et 38.

paternel en s'efforçant d'en éliminer toute tension possible par célébration du renoncement dans la fonction de l'idéal. Que veut dire cette référence au père mort dans le temps de l'onto- genèse ? Que la paternité ne saurait se transmettre intégralement du parent à l'enfant, parce que le père n'en détient qu'un chaînon, la lignée des ancêtres étant devenue la propriété de la culture dont il n'est qu'un représentant, ce dont l'enfant aura à découvrir les traces. Traces qui s'écrivent avec une encre autre que celle qui consigne l'expérience. Ce processus est à la base de l'identi- fication primordiale au père. Finissons-en avec les chicanes autour du texte [41] sur l'antériorité chronologique de la mère et admettons une fois pour toutes ce qu'il en est, dans une perspective freu- dienne. Préciser, comme il le fait dans une note adjointe, qu'il peut peut-être s'agir *des* parents autant que du père ne signifie pas que cette expérience sera vécue deux fois, la première avec la mère et la deuxième avec le père, mais que le moteur de cette identification inaugurale est un *principe de parenté,* la condition de géniteur à laquelle l'enfant sera appelé. Deux exigences devront être remplies : la préservation intangible du lien et le non moins inéluctable affranchissement de l'objet. « (L)'identification est la seule condition sous laquelle le Ça peut lâcher ses objets. [...] On peut donc dire que cette transformation d'un choix d'objet éro- tique en une altération du Moi est aussi une méthode par laquelle le Moi peut acquérir un contrôle sur le Ça et intensifier sa relation avec lui, au prix, il est vrai, d'acquiescer dans une grande mesure à ce que le Ça éprouve [42]. »

On ne peut manquer de rapprocher les deux types de phéno- mènes, qui ne se réduisent aucunement l'un à l'autre mais révèlent deux destins possibles où se trouvent réunies les condi- tions du maintien d'une relation à l'objet au prix d'un sacrifice qui fait du renoncement la condition de survie du lien le plus essentiel en même temps qu'il révèle que cette relation prime toute autre considération et qu'il ne peut être question d'y suppléer uniquement par une permutation d'objet ou de but. Le renoncement ou l'inhibition de but doivent fournir la meilleure preuve que rien ne saurait remplacer l'objet et qu'aucune suite d'actions ne peut être pensée hors de la continuité du rapport qui l'unit au Moi. Ce n'est donc pas par hasard si, immédiatement après ces considérations, Freud fait intervenir la désexualisation et la sublimation, alors qu'il vient de parler, dans les paragraphes immédiatement précédents, des tous premiers investissements, ceux de la phase orale, et de se demander si toutes les formes de

41. *Loc. cit.,* p. 31.
42. *Le Moi et le Ça, S. E.,* XIX, p. 30.

la sublimation — question qui reviendra par trois fois dans *Le Moi et le Ça* [43] — naissent par l'intermédiaire du Moi ou si l'on ne peut penser que celle-ci s'origine de la désintrication des pulsions. En définitive, nous devons reconnaître dans cette aptitude à la création d'investissements *durables, permanents,* une justification structurale, toujours perçue comme telle, quoique jamais complètement clarifiée conceptuellement, qui trouve son fondement dans la désintrication pulsionnelle, c'est-à-dire dans le travail de la pulsion de mort sur les pulsions de vie érotiques qui incluent les pulsions d'auto-conservation [44].

Le rattachement de ces processus aux opérations gouvernées par le principe de plaisir et le principe du Nirvâna témoigneraient plutôt en faveur de la prééminence de ce dernier. Dans le chapitre de *le Moi et le Ça* consacré aux deux classes de pulsions, Freud pousse ses hypothèses jusqu'au bout : la sublimation, l'identification, ne sont que des formes de transformation de libido érotique en libido du Moi qui s'accomplissent par une désexualisation, un abandon des investissements d'objet qui peut aller jusqu'à une énergie neutre dédifférenciée, forme hybride entre la libido d'Eros et celle des pulsions de destruction : libido « mortifiée ». Libido en tout cas plus vulnérable à l'effet de la pulsion de mort.

Il semble bien que Freud assigne à la désexualisation une fonction très générale susceptible d'affecter les premiers investissements d'objet : « En se débarrassant ainsi de la libido des investissements d'objet, en s'installant soi-même comme seul objet d'amour et en désexualisant et sublimant la libido du Ça, le Moi travaille en opposition avec les buts d'Eros et se met au service des pulsions opposées. » Le travail accompli de cette manière est attribué par Freud à la désintrication [45]. Et si nous devons tenir compte de l'affirmation qui suit, et qui qualifie le narcissisme du Moi de narcissisme secondaire, la direction suivie par l'investigation qui a amené Freud à cerner toujours plus étroitement la pulsion de mort dans le narcissisme nous invitera à la reconnaître dès son temps primaire.

---

43. *Loc. cit.*, p. 30, 45, 54.
44. Preuve supplémentaire de ce que Freud lie dans sa pensée l'identification à cette classe commune de phénomènes : « Les effets des premières identifications établies dans la prime enfance sont généraux et durables », *S. E.*, XIX, p. 31.
45. *S. E.*, XIX, p. 46 et 54. Ce n'est évidemment pas là favoriser l'interprétation d'une énergie aconflictuelle, alors que Freud vise la part la plus léthale d'Eros.

LE PARE-EXCITATION ET LE REFOULEMENT.

Comment peut s'établir dans le registre des processus dynamiques et économiques cet investissement stable, durable, permanent ? Freud n'en a donné d'exemples qu'en se référant à des *états* dont chacun a suffisamment l'expérience pour les reconnaître. Notre curiosité reste insatisfaite sur les opérations qui président à la formation de leur *structure*. Or, chaque fois que Freud a eu à fournir une explication sur les moyens par lesquels peut être acquise la durabilité, et à la limite la permanence, contre la mobilité et le changement, il a eu recours à la métaphore du passage de l'énergie libre à l'énergie liée. Il paraît difficile d'y échapper ici, car on ne voit pas quelle autre solution proposer. Tout ce que nous venons de rappeler concernant les rapports de la pulsion à but inhibé à l'objet devrait pouvoir être décrit dans le langage dont se sert Freud lorsqu'il s'attache à la description de ces processus.

Précisons sans plus tarder qu'il n'y a aucune raison de considérer que l'inhibition de but de la pulsion ne se produit — bien que Freud n'en parle que dans ces cas-là — qu'en faveur des pulsions érotiques comportant un choix d'objet et qu'on ne voit pas pourquoi il faudrait l'exclure dans le cas des pulsions érotiques d'auto-conservation. Dès le moment où l'on admet que les pulsions d'auto-conservation ont, elles aussi, un antagoniste, dans les pulsions qui sont liées à la conservation de l'espèce et qui trouvent leur accomplissement dans la fusion avec l'objet lors du rapport génital, on peut reconnaître qu'ici encore l'inhibition de but préserve l'objet de son assimilation complète dans le Moi, ce qui, du reste, entraînerait la dissolution de l'organisation du Moi.

Les mécanismes de transformation d'énergie libre en énergie liée décrits par Freud montrent comment l'organisme se protège contre l'excès des stimuli externes en offrant une surface de résistance ayant subi une neutralisation des investissements, mais susceptible de recevoir, d'éponger et de transmettre les excitations de l'extérieur. On voit donc que cette barrière, ce « pare-excitation », a la double fonction d'interdire à son niveau toute transformation de la réception de stimuli qui soit de l'ordre des changements du registre d'expression, de la mutation, de la combinaison, etc. Il ne s'agit que d'amortir : de transmettre, sans le déformer, le résultat affaibli de son enregistrement. Fonctions donc de blocage — réception et liaison — et de transmission par mise en circulation. La protection prime la réception. Une surface analogue doit recevoir l'impression des stimuli internes et cherche, elle aussi, à éviter le trop grand afflux ou la quantité excessive des excitations. Mais il est évident que les deux opérations, pour homologues qu'elles semblent être, ne sont pas équivalentes, puisque le pouvoir de refus opposé aux excitations externes les élimine, tandis que le refus des stimuli internes ne peut avoir d'autres conséquences qu'un retour vers les processus inconscients, une nouvelle charge, entraînant une nouvelle poussée vers la conscience devant laquelle les possibilités de rejet seront limitées. Un dispositif comparable à celui du pare-excitation ne peut donc fonctionner ici. L'articulation entre les deux modes d'activité, celle qui a pour fonction l'aménagement des stimuli externes et celle qui fait face aux stimuli internes, n'est pas concluante. Freud s'est ici servi, encore une fois, de la métaphore de l'organisme comparé à la boule protoplasmique. Le Moi réalité du début fournit la distinction entre l'origine des deux sources d'excitation certes, mais son action n'est pas sans défaillance, puisque la projection est possible. En outre, l'intervention de ce mécanisme projectif se produit à une échelle beaucoup trop vaste pour qu'on ne puisse envisager — pensons au cas particulier de la douleur — qu'une brèche dans le dispositif entraîne une osmose telle que ce qui est reçu de l'intérieur sera attribué à l'extérieur. Cette opération ne consiste pas seulement en un rejet, elle a l'avantage de fournir la possibilité de mettre en œuvre des moyens pour se défendre — une fois cette extériorisation obtenue — contre ce qui a provoqué la projection.

Freud lui-même exprime quelques réserves sur cette façon de se représenter les choses dans l'*Abrégé* [46]. Les rapports entre les deux couches externe et interne, pourraient peut-être nous offrir une meilleure solution. La particularité de la couche externe de l'organisme métaphorique est d'avoir été tellement « travaillée » qu'elle est parvenue à abaisser au minimum tous les processus organiques. Celle-ci se borne à connaître la source et la nature des excitations, ce qui est possible par son orientation. En fait, une telle réalisation ne peut pas nier sa parenté avec les types de processus qui, sous l'action du principe de Nirvâna, visent à l'abolition de toute tension. Freud dit même que *la mort* de cette couche semble représenter le sacrifice nécessaire à la survie des couches plus profondes qui abritent les organes des sens,

---

46. « Les processus conscients à la périphérie du Moi et tout le reste dans le Moi inconscient, — telle serait la plus simple façon de se représenter cet état de choses. Et telles pourraient être en fait les conditions qui l'emportent chez l'animal. Mais, chez l'homme, il y a une complication supplémentaire due au fait que les processus internes dans le Moi peuvent acquérir la qualité de la conscience. » Et d'enchaîner sur le langage..., *S. E.*, XXIII, p. 162.

lesquels traitent avec des quantités infinitésimales et sélection-
nées.

Nous avons conclu qu'un tel dispositif ne saurait s'appliquer
à la barrière interne. Mais, si Freud les rapproche, c'est qu'il
voit entre eux non une similitude — ce qui est impossible —
mais une analogie. Tout se passe comme si le modèle fourni par
le pare-excitation était pour les stimuli internes la solution tentante. Ainsi les stimuli seront traités comme des quantités à
réduire, à lier, à « inanimer » ou mortifier. Et si certaines tensions continueront à rompre les barrages et à engendrer des
effets comparables à un traumatisme externe, ce cas reste limité.
La force liante sera fonction du niveau quantitatif des investissements du système. Puisqu'il n'appartient plus à cette force
quiescente de neutraliser, de déqualifier les excitations, comme
le fait le pare-excitation, elle offrira un équivalent de celui-ci :
un miroir où pourra se réfléchir le leurre de l'abolition des tensions. Et le Ça deviendra, selon la belle expression de Freud, « le
second monde extérieur[47] » du Moi. Il arrive que les organes
périphériques qui reçoivent les excitations externes puissent également transmettre des sensations et des sentiments tels que la
douleur. Le travail de la force de liaison interne est de rendre
perceptibles et de maîtriser (par l'abaissement des tensions) les
stimuli internes. Mais sa capacité discriminante quant à la source
des excitations est moindre, si bien que ce qui est reçu par elle
comme venant de partout — et Freud, dont les formulations ne
sont jamais vagues, parlera ici d'un « quelque chose » qui correspond aux sensations et qui devient conscient — est sujet à
toutes les confusions en ce qui concerne sa localisation. Cependant, un résultat a lieu ; la comparaison avec les organes périphériques qui reçoivent les excitations externes permet une analogie,
et Freud de dire « qu'en ce qui concerne les organes terminaux
des sensations et des sentiments, le corps lui-même prend la
place du monde extérieur[48] ». Ce qui ne signifie pas qu'on soit
autorisé · à parler d'une confusion de l'un et de l'autre, mais
seulement d'un redoublement de celui-ci, qu'on peut aussi prendre
pour une division. Cependant, en installant un « second monde
extérieur » dans la relation du Ça au Moi, Freud réévalue le
système de rapports entre ces trois instances. Au processus de
l'inertie mortifiante instaurée dans l'enveloppe qui sert de médiation avec le dehors correspond le dispositif (le refoulement) qui
préserve des exigences et des pressions et dont l'affranchissement

---

47. *Le Moi et le Ça*, S. E., **XIX**, p. 55.
48. *Abrégé*, S. E., **XXIII**, p. 162.

posera plus de problèmes que le traitement des stimuli externes. Ce premier rapport se complique, comme nous l'avons vu, par l'action de la fonction de l'Idéal.

L'AUTO-ÉROTISME.

C'est ici que nous verrions l'application d'un processus comparable à ce qu'était l'inhibition de but pour la pulsion érotique et qui, sans en avoir tous les caractères, en garderait certains. L'auto-érotisme n'a certes pas la pérennité et l'immuabilité des relations de tendresse dont parle Freud, mais il est tout à fait clair que ni l'auto-érotisme ni le narcissisme ne sont que des stades. Le Moi — ou à l'origine, les pulsions du Moi — peut s'offrir comme source de satisfaction par des mécanismes qui persisteront la vie durant. Il est légitime de vouloir assigner un début, une entrée dans l'auto-érotisme, comme le font Laplanche et Pontalis [49] lorsqu'ils insistent sur le fait que la pulsion *devient* auto-érotique lorsqu'elle a perdu son objet. La formulation de Freud sur ce point est trop importante pour que nous puissions nous dispenser de la citer. « A l'époque où la satisfaction sexuelle était liée à l'absorption des aliments, la pulsion trouvait son objet au-dehors, dans la succion du sein de la mère. Cet objet a été ultérieurement perdu, peut-être précisément au moment où l'enfant est devenu capable de voir dans son ensemble la personne à laquelle appartient l'organe qui lui apporte la satisfaction. La pulsion devient dès lors auto-érotique... » Lorsque Laplanche et Pontalis soulignent dans un autre passage qu'il n'est pas nécessaire que l'objet soit absent pour que se réalise la condition autoérotique, leur argument n'est pas contestable. Mais alors ne faudrait-il pas en revanche définir plus précisément l'auto-érotisme [50] ? Car on ne peut désolidariser la remarque de Freud de son contexte, et ce qui nous intéresse ici est que ce processus est lié à l'introjection. Ce dont il faudrait pouvoir rendre compte est le passage de l'objet de la satisfaction « au-dehors » à la recherche d'une satisfaction, sinon « au-dedans », du moins dans le propre corps de l'enfant, à sa limite de contact, concrétisant remarquablement

49. « Fantasme originaire, fantasme des origines, origine du fantasme », *Les Temps modernes*, avril 1964
50. Ce n'était pas leur projet. Laplanche et Pontalis se proposaient de lier le fantasme au temps de l'auto-érotisme ; mais, puisqu'ils récusaient certaines interprétations du fantasme en proposant de le faire naître avec l'auto-érotisme, il aurait été logique qu'ils aillent jusqu'au terme des ressources que fournit la théorie freudienne sur cette question.

la proposition selon laquelle le corps prend la place du monde
extérieur. Nous sommes d'accord avec Laplanche et Pontalis
soutenant après Freud que l'idéal de l'auto-érotisme, ce sont des
« lèvres qui se baisent elles-mêmes ». Il faut alors reconnaître
à cette figure une portée beaucoup plus vaste, un mouvement
ayant une valeur plus radicale et plus générale. Ce n'est pas que
la répartition entre l'enfant et l'objet soit abolie, c'est plutôt
qu'avant son avènement, au moment de la perte de l'objet qui
jusqu'ici n'était qu' « au-dehors », le « sujet » était cette orientation centrifuge de la recherche. La séparation reconstitue ce
couple sur le propre corps du sujet, puisque l'image des lèvres se
baisant elles-mêmes suggère l'idée d'une réplication suivie d'un
recollement laquelle, dans cette nouvelle unité, trace le trait de
refend qui a permis au « sujet » de se rabattre sur lui-même.
L'auto-érotisme est sur le chemin de ce rabattement, il en représente la forme d'arrêt, la halte à la frontière et serait à cet égard
comparable à l'inhibition de but décrite pour les pulsions érotiques libidinales [51]. Car nous avons vu que cette inhibition de
but était très liée à la conservation de l'objet. Or, ce qui nous
frappe dans cette situation auto-érotique, c'est le statut particulier de la pulsion, eu égard au but et à l'objet. On ne saurait en
effet — et nous sommes d'accord avec Laplanche et Pontalis
sur ce point — lier l'auto-érotisme à l'absence d'objet. Mais en
aucun cas on ne peut assimiler ce qui se produit ici à une substitution d'objet ou même à un échange de but, puisque celui-ci
demeure le même : le plaisir lié à la succion, dont le suçotement
ne représente pas l'équivalent mais la quintessence. C'est pourquoi l'auto-érotisme est bien en une certaine mesure plaisir
d'organe, mais en une certaine mesure seulement. Dire du caractère auto-érotique de la pulsion qu'il est « produit anarchique
de pulsions partielles [52] », c'est peut-être légèrement décaler la
théorie, puisque c'est situer ladite pulsion du même côté que ces
pulsions dites à but non inhibé caractérisées par le déplacement
constant, les transformations d'énergie, la permutation répétée
des buts et des objets. Primordialement, la pulsion auto-érotique
est pulsion apte à se satisfaire elle-même, en l'absence comme
en la présence de l'objet, *mais indépendamment de lui.* Car on
ne peut se faire une idée claire de la question si l'on n'admet
pas comme Freud qu'il est deux catégories de pulsions : les
unes capables de trouver dans le propre corps du sujet une satis-

---

51. On peut trouver cette idée paradoxale, puisqu'il y a là obtention
d'un plaisir d'organe. En fait, ce que nous souhaitons souligner est que
le plaisir auto-érotique inhibe le plaisir de succion du sein porteur de lait.
52. *Loc. cit.*, p. 1866.

faction, les autres qui ne peuvent se passer de l'objet. Dès lors, il n'est plus justifié de lier l'auto-érotisme au surgissement du désir [53], comme Laplanche et Pontalis le font, puisque celui-ci est désir de contact avec l'objet et qu'ils négligent dans leur conception le rôle des pulsions qui exigent la participation de l'objet. De même, il n'est pas nécessaire, comme Pasche le soutient, de postuler un anti-narcissisme [54], puisque celui-ci est implicite dans ce dernier type de pulsions. Cette différenciation, chez Freud, s'inscrit dans une remarquable continuité de pensée. Car, si l'on ne veut pas se limiter à ne voir dans l'auto-érotisme qu'un stade, il faut alors tirer de cette notion toutes les potentialités théoriques qu'elle recèle, pas toujours explicitement, pour justifier le refus d'une position génétique simplificatrice, incomplète et peu satisfaisante.

Arrêtons-nous à ce passage tiré de *Pulsions et destins des pulsions* [55] : A l'origine, au tout premier début de la vie psychique, le Moi est investi de pulsions et est dans une certaine mesure capable de les satisfaire lui-même. Nous appelons cet état "narcissisme" et cette manière d'obtenir la satisfaction "auto-érotique". C'est à l'occasion de cette citation, qui paraît à première vue venir renforcer le point de vue génétique, que Freud ajoute une note qui a retenu l'attention de beaucoup d'auteurs, dont Winnicott. Freud y reconnaît que le groupe des pulsions sexuelles et des pulsions auto-conservation n'est pas homogène et qu'il faut encore faire la part des pulsions capables d'une satisfaction qui ne passe pas nécessairement par l'objet et des pulsions dont le lien à l'objet ne peut être épargné. C'est la vicariance des soins de la mère qui rend possible le fonctionnement des pulsions auto-érotiques. Mais cela ne veut pas dire pour autant qu'elles sont subordonnées aux pulsions qui exigent la mise en rapport avec l'objet. Et ce n'est pas parce que la mère veille à la satisfaction des besoins et supplée à l'immaturité de l'enfant qu'elle occupe une fonction totale d'objet primordial qui ôte toute réalité à une organisation propre à l'enfant, laquelle prend sa valeur non sur le plan biologique — ce qui est évident, puisque sans les soins de la mère l'enfant mourrait — mais dans le champ du désir et du signifiant. *La mère couvre l'auto-érotisme de l'enfant.*

---

53. *Loc. cit.*, puisque Laplanche et Pontalis voient dans le fantasme le surgissement du désir et font naître celui-ci dans le temps de l'auto-érotisme.
54. « L'anti-narcissisme », *Revue française de psychanalyse*, XXIX, 1965, p. 503.
55. *S. E.*, XIV, p. 134.

Ces remarques éclairent la question que nous avons préalablement abordée de l'origine des investissements primaires qui, selon les différentes versions de Freud, partent du Moi ou du Ça. Strachey a raison de situer le débat en rappelant l'état indifférencié primitif du Ça et du Moi. Ne serait-on pas encore plus près de la vérité en proposant pour l'intelligence de ces rapports une image du Ça qui inclurait la mère en partie, investie primitivement et directement, tandis que le Moi s'édifierait à partir de ses propres possibilités de satisfaction, essentielles par leur fonction fondatrice, mais mises en question par les pulsions dont l'objet est le destinataire obligatoire.

LE REFOULEMENT ET LE MOI.

On voit peut-être mieux maintenant le rapprochement que nous esquissions entre pulsions à but inhibé et pulsions auto-érotiques. Est-ce par hasard si la caresse et le baiser qui sont les marques les plus communes de la tendresse appartiennent en commun aux deux catégories ? L'auto-érotisme s'inscrit donc dans *la lignée des phénomènes où le corps prend la place du monde extérieur.*

Il nous faut maintenant dire comment peut se concevoir dans la perspective d'une théorie structurale, en nous tenant le plus possible à l'écart de l'esprit de reconstitution archéologique, la barrière de protection qui permettra, prenant comme modèle le pare-excitation, de recevoir comme sur un écran ce qui émane du corps, ce second monde extérieur.

Dans certaines conceptions métapsychologiques récentes, c'est au refoulement qu'on reconnaît ce rôle (Laplanche et Pontalis, Stein) ; on lui attribue la propriété de fonder les registres du conscient et de l'inconscient, comme de séparer les processus primaires des secondaires [56]. Cette façon de voir, si elle a l'avantage de centrer les distinctions sur un acte fondateur, permettant ainsi une articulation plus aisée des divers ordres de faits ou de phénomènes, me paraît avoir le danger de postuler, en deçà du refoulement, un chaos inintelligible, que l'on opposera à l'ordre primordial à partir duquel advient le structuré intelligible. Le pare-excitation, dont les propriétés localisent la source externe des excitations, voit son action renforcée par le principe de réalité [57], qui accomplit pleinement la distinction entre Moi et

---

56. Et certaines citations de Freud dans la *Métapsychologie* permettent de le penser à première vue.
57. Par le Moi-réalité, initialement.

monde extérieur. Le refoulement en serait la doublure. Dans cette optique, pour certains, le narcissisme primaire serait du côté de cet en deçà du refoulement — du côté d'un monde non ordonné, illimité, où le Moi se confondrait avec le cosmos, d'où sa qualification égo-cosmique. Cette situation est, à notre avis, plus spécifique du Ça que du narcissisme. Or, comme nous l'avons précisé, la caractéristique du narcissisme primaire absolu est la recherche d'un niveau zéro de l'excitation. L'abolition de tout mouvement, la mise à l'abri de toute tension ne sont pas forcément générateurs de ce sentiment d'expansion, bien que cela puisse être parfois le cas.

Il est important de rappeler qu'à de nombreuses reprises, Freud refuse au refoulement le statut d'une fonction inaugurale, et ceci à près de vingt ans de distance. « Originellement, on peut en être sûr, tout était Ça ; le Moi se développa à partir du Ça sous l'influence continuelle du monde extérieur. Dans le cours de ce lent développement, certains des contenus du Ça furent transformés en état préconscient et furent donc ainsi pris dans le Moi. D'autres contenus restèrent inaltérés dans le Ça, comme son noyau difficilement accessible. Mais, durant ce développement, le jeune et faible Moi repoussa à l'état inconscient, se défit de certains contenus qu'il avait déjà pris en lui et se comporta de façon semblable à l'égard de nouvelles impressions qu'il *aurait pu* prendre en lui, de sorte que ceux-ci, ayant été rejetés, ne purent laisser de trace que dans le Ça. En considération de cette origine, nous appelons cette dernière portion le refoulé [58]. » Il ressort de ce texte :

— que le Moi n'est pas constitué par le refoulement, mais lui préexiste ;

— que si ces traces ne sont déposées que dans un Ça disjoint d'avec un Moi, le problème reste posé de la forme sous laquelle a été accepté et admis le contenu du Ça primitif ;

— que le refoulement n'opère pas de séparation originaire, mais rejette ce qui a déjà été admis une première fois ;

— que la division en inconscient-préconscient est une condition nécessaire de la mise en œuvre du refoulement ;

— qu'enfin il est lié à un mécanisme de *re*-passage, de *re*-tour du *re*-foulé.

Une question inévitable est soulevée : « Qu'est-ce qui fait que ce qui a été admis une première fois est ultérieurement rejeté ? » Même quand on insiste beaucoup sur le contre-investissement — cette dépense considérable en énergie —, on ne doit pas

---

58. *Abrégé de psychanalyse*, S. E., XXII, p. 163.

perdre de vue que le refoulement est aussi « stade préliminaire de la condamnation ». Il est sans doute heuristiquement intéressant de lier ces deux aspects. On y trouve l'avantage de rendre les processus du jugement consubstantiels à ceux de l'activité énergétique. Peut-être est-ce là aller trop vite. Non qu'il faille contester la liaison entre l'ordre du signifiant et l'ordre énergétique. Mais cette liaison exige, à notre avis, une médiation de plus. C'est bien à une raison de ce type que Freud paraît faire droit lorsqu'il écrit : « Ce serait donc, par conséquent, une condition pour le refoulement que la puissance motrice du déplaisir ait acquis plus de force que celle du plaisir obtenu par la satisfaction. » Or, le seul type de plaisir que nous connaissons qui ait pu prétendre sauvegarder — sous le couvert des soins maternels — une telle possibilité de satisfaction à l'abri du déplaisir est bien l'auto-érotisme [59]. Le temps de la séparation d'avec la mère et le temps du refoulement pourront se rejoindre après coup, mais ils ne sont pas confondus à l'origine, puisque cette conjonction des temps est rétrospectivement inférée par la recherche de l'objet perdu, qui réunit la perte réelle de l'objet lors de la séparation et la perte subie par le refoulement. Nous soutenons qu'il y aurait plus de cohérence à justifier cette recherche autrement. La perte du sein, contemporaine de l'appréhension de la mère comme objet total qui implique que le processus de séparation entre l'enfant et celle-ci soit accompli, donne lieu à la création d'une médiation nécessaire pour pallier les effets de son absence et son intégration à l'appareil psychique, ceci en dehors de l'action du refoulement, dont le but est différent. Cette médiation, c'est la constitution, dans le Moi, du cadre maternel comme structure encadrante.

La suite du texte de Freud nous éclaire : « De plus, l'observation psychanalytique des névroses de transfert nous conduit à conclure que le refoulement n'est pas un mécanisme de défense qui est présent depuis le tout début et qu'il ne peut intervenir avant qu'une franche coupure ne se soit produite entre conscient et inconscient — *que l'essence du refoulement réside simplement dans la répudiation de quelque chose au loin et de son maintien à distance,* du conscient [60]. » Dire que l'essence du refoulement

---

59. Du moins dans ses formes premières.
60. *S. E.*, XIV, p. 147, souligné par Freud, formule répétée à la fin de l'article. Cette citation exprime sans ambiguïté qu'on ne saurait attribuer au refoulement le pouvoir de constituer l'inconscient, puisque, aux yeux de Freud tout au moins, la distinction entre conscient et inconscient lui préexiste En outre, Freud reconnaît implicitement l'existence de mécanismes de défense antérieurs à son installation On a ici un exemple frappant du fait que, pour lui, le plus ancien n'est pas toujours le plus important, car

réside *simplement* dans la répudiation d'un contenu psychique, ce n'est pas diminuer son importance, c'est seulement spécifier sa fonction sans rien méconnaître de sa valeur privilégiée.

Certains passages d'*Inhibition, symptôme et angoisse* [61] vont très loin dans la comparaison entre la défense opposée par le pare-excitation aux excitations externes et celle qui est opposée aux excitations internes. Il faut être bien attentif à l'idée que c'est la *fuite* qui est en ce dernier cas le mécanisme fondamental, plus que la répudiation. Ici, les correspondances linguistiques nous font défaut, car il y a la notion d'un détournement, d'un congédiement dans le terme freudien, ce qui, somme toute, implique une attitude active dans le contre-investissement, alors que la fuite est une attitude, si l'on peut dire, activement passive [62]. Les deux modes de défense seraient comparables — et les images n'en rendent compte que partiellement — à des tactiques opposées en leur principe. La première, celle du pare-excitation, serait celle d'une retraite où périodiquement, à la mesure de ses forces, on fait face à l'ennemi en se retournant contre lui, profitant de chaque épreuve pour assurer la cohésion d'une défense qui, au moment venu, peut faire efficacement front pour que les forces de l'adversaire viennent se briser de leur propre élan contre elle. La seconde, celle qui répond aux excitations internes, pratique un repli en utilisant toutes ses ressources à la mise en application d'une tactique de la terre brûlée, jusqu'à une place fortifiée où l'on attendra des jours meilleurs.

LE DOUBLE RETOURNEMENT ET LA DÉCUSSATION PRIMAIRE.

Que le refoulement participe de ces deux formes, nous n'en disconviendrons pas. Freud, dans ce même passage, ajoutera que « le refoulement est un équivalent de cette tentative de fuite »,

---

il n'est pas contestable qu'à ses yeux le refoulement est le mécanisme de défense capital

61. *S. E.*, XX, 92. Une différence essentielle entre le pare-excitation et le refoulement serait sans doute à trouver dans leurs natures respectives : biologique pour le premier, psychique pour le second.

62. L'ambiguïté est extrême, car les termes doivent être rapportés aux situations du contexte. La fuite est un phénomène actif ayant permis à la longue la constitution d'un pare-excitation qui a en quelque sorte saisi à son profit le bénéfice de cette résistance par le barrage contre l'activité du dehors. Que la barrière interne fonctionne sur le même mode ne peut réussir à faire oublier que c'est en fonction d'une situation où le sujet est essentiellement passivisé que cette défense survient et que cette fuite, ne pouvant que se tourner vers le sujet lui-même, se nourrit, se préserve, s'entraîne à cette passivité.

mais ne reconnaîtra pas en lui cette fuite primaire elle-même [63]. La correction de l'erreur d'interprétation qui tendrait à confondre les deux peut se lire dans un des appendices d'*Inhibition, symptôme, angoisse*. Le concept de défense recouvre la catégorie générale des mesures de protection du Moi contre les exigences pulsionnelles et autorise « à justifier la subsomption du refoulement comme cas particulier, sous ce concept ». Freud dénie la solution antérieurement adoptée par lui, le refoulement lui paraissant alors illustrer dans sa généralité le processus de défense. Mais il ajoute aussi : « Allons plus loin : nous espérons découvrir une autre *corrélation importante* [64]. Il se peut bien qu'avant que le Moi et le Ça n'y soient nettement différenciés, avant la formation d'un Surmoi, l'appareil psychique utilise d'autres méthodes de défense qu'une fois atteints ces stades d'organisation [65] » Ici

---

63. Nous pouvons en avoir un indice supplémentaire dans toutes les protestations que Freud a élevées contre la confusion entre refoulement et régression. Notamment dans la conférence où il traite de leurs rapports (XXII) : « Ainsi, le concept de refoulement n'implique aucune relation à la sexualité : je dois demander de prendre expressément note de cela. Il est l'indication d'un processus purement psychologique, que nous pouvons désigner bien mieux si nous l'appelons "topographique" » (*S. E.*, XVI, 342). Toute la difficulté vient de la conception qu'on peut se faire d'une fuite interne devant un danger interne, et d'une fuite entre différentes parties d'une organisation commune, mais hétérogène. Freud le sait bien : « Selon nous, il se peut fort bien qu'il y ait des processus défensifs qui soient à juste titre comparables à une tentative de fuite, tandis que dans d'autres le Moi se met de façon bien plus active en position de défense et entreprend des ripostes énergiques. » « A moins que [la *S. E.* traduit : "peut-être que"] la comparaison de la défense avec la fuite ne se trouve d'emblée invalidée par le fait que le Moi et la pulsion dans le Ça sont bel et bien des parties de la même organisation et non pas des êtres séparés (...), de sorte que n'importe quel comportement du Moi doit nécessairement exercer [la *S. E.* traduit : "aura également pour résultat"] une action modificatrice sur le processus pulsionnel. » *Inhibition, symptôme, angoisse*, trad. Tort, p. 71-72, *S. E.*, XX, 146.
64. Souligné par moi.
65. *Addend. Ac.* trad. M. Tort, p. 93, *S. E.*, XX, p. 104. Il est exact qu'en un passage du texte écrit antérieurement à cet *addendum*, Freud est très près de rapprocher le refoulement originaire du mécanisme du pare-excitation. Mais il rappelle immédiatement les limites de l'analogie : il n'y a de pare-excitation que pour les excitations externes et guère pour les exigences pulsionnelles internes. Sans qu'il puisse en décider sur le moment, il laisse entendre que la limite entre refoulement originaire et post-refoulement ou refoulement après coup pourrait se situer à l'apparition du Surmoi (cf. traduction Tort, p. 10, *S. E.*, XX, p. 94). Nous voyons encore mieux ici le sens de cette rectification métapsychologique, puisque ici il est fait mention, à côté de l'apparition du Surmoi, de la différenciation Moi-Ça. En tout état de cause, la formulation finale de l'*Abrégé*, où le refoulement apparaît comme une conduite de refus à l'égard d'un *déjà accepté*, nous semble la plus intéressante, non parce que c'est la dernière, mais parce qu'elle est heuristiquement plus féconde.

encore on pourrait se contenter de mettre en regard du texte un point d'interrogation, en regrettant que l'auteur n'ait pas dit toute sa pensée. C'est pourtant sensiblement la même phrase qu'on trouve écrite, onze ans avant, dans le texte sur le *Refoulement* : « Cette description du refoulement serait rendue plus complète en supposant qu'avant que l'organisation psychique n'atteigne ce stade, la tâche de parer aux mouvements pulsionnels est assumée par d'autres vicissitudes que les pulsions subissent — par exemple, le renversement en son contraire et le retournement contre soi [66]. » Ceci nous renvoie à un passage semblable dans *Pulsions et destins des pulsions* [67]. En fait, Freud décrit là un processus unique en deux opérations, qui porte, d'une part, sur l'orientation — dont l'infléchissement indique que le sens centrifuge est inversé en sens centripète — et, d'autre part, sur le mode de renversement, qui ne se réduit ni à une inversion de direction ni à un simple changement de signe, mais demande qu'on le conçoive comme une *décussation*. La confusion pure et simple des deux mécanismes aboutirait à un repli sur soi, qui n'aurait en aucune façon résolu le problème posé par l'exigence pulsionnelle, dont il n'est possible de venir à bout que par une modification inscrite dans le corps qui laisse une trace de satisfaction. Dans ce retournement par décussation, c'est en quelque sorte comme si la réponse attendue de l'objet se trouvait entraînée dans ce mouvement où s'échangent, dans le courant pulsionnel, les positions extrêmes de l'intérieur et de l'extérieur. Ainsi s'effectue le croisement de ce qui, sur une surface, peut-être localisé à la droite et à la gauche d'une frontière hypothétique. Ce mouvement de retour permet de rejoindre la zone corporelle qui attend la satisfaction comme si, en celle-ci, c'était l'objet lui-même qui avait prodigué la satisfaction. Car, comme dans l'inhibition de but, l'objet a été ici conservé et n'a pas été échangé. Mais cette conservation a été payée par la limitation de la satisfaction — quelque chose qui serait pour nous le négatif d'une opération métonymique, puisqu'il s'oppose à la suture du sujet et de l'objet. Une telle limitation la préserve en même temps, parce que cette union supprimerait toute suite à ce premier et dernier enchaînement. Ce qui se constituerait ainsi est un circuit qui ne portera pas sur les propriétés de l'objet mais sur la réponse de celui-ci qui, tout en maintenant l'objet dans son absence, le déléguera auprès du sujet, *comme si* c'était l'objet qui en accomplissait la réalisation ; où l'on pourrait voir ici une opération de métaphore.

---

66. *Le refoulement*, S. E., XIV, p. 147.
67. *S. E.*, XIV, p. 126-127 et 132.

N'est-ce pas ainsi qu'on rend plus claire la mutation accomplie de la relation au sein où l'on ne saurait dire si « la mère donne à téter à l'enfant ou si elle est tétée par lui [68] », jusqu'à cette réversion des lèvres qui se baisent elles-mêmes ?

Entre l'indifférenciation Moi-Ça et mère-enfant et l'apparition du refoulement intervient un processus médiateur qui appartient à l'ordre d'une régulation pulsionnelle à partir de laquelle le refoulement sera rendu possible. C'est en somme dire qu'entre le processus « biologique » à l'œuvre dans le pare-excitation et ce que Freud lui-même nomme le processus psychologique du refoulement, il n'y a pas correspondance comme entre un extérieur et un intérieur, mais qu'entre eux se réalise un croisement afin que ce qui est intérieur puisse être traité comme est traité ce qui est issu de l'extérieur, à la condition pour l'intérieur de pouvoir être perçu comme venant de l'extérieur, et ceci *sans fusion de l'un et de l'autre.* C'est exactement ce qu'annonce le projet de Freud dans *Au-delà du principe de plaisir,* qui lie la constitution d'une barrière interne à la condition de la projection. Cette médiation, *le double retournement* nous offre la possibilité de la concevoir structuralement. La lecture du passage sur le double retournement montre que Freud décrit le travail qui s'oppose à ce qu'une pulsion aboutisse à la satisfaction directe, mais ici non pas par l'action d'une force qui lui serait étrangère — le refoulement en tant que processus psychologique — mais par une modification interne de sa nature propre.

Quand Freud considérera qu'il faut distinguer deux processus dans le renversement en son contraire : à savoir le changement d'activité en passivité et le changement de contenu (amour-haine), personne ne semblera se préoccuper de ce qu'il ait introduit alors une nouvelle qualification à la pulsion, à savoir son *contenu,* qui ne sera jamais reprise lors des descriptions ultérieures, ou seulement lorsqu'il s'agira du Ça. Une problématique s'amorce ici, qui rejoint celle de l'auto-érotisme et de la relation à l'objet, puisque Freud nie que l'opposition amour-haine puisse entrer dans le cadre d'un renversement en son contraire sur le même mode que le changement activité-passivité, ces affects ne pouvant s'adresser qu'à un objet complet. Le narcissisme, état où l'on s'aime soi-même, paraît bien représenter la forme, à ce dernier niveau, de ce qui en était l'équivalent dans le changement de l'activité en passivité. Nous serions donc fondés à dire que c'est au moment où l'activité pulsionnelle peut se comprendre comme relation du Moi aux sources de plaisir de l'objet, considéré

---

68. *XXXIII⁰ conférence,* S. E., XXII, p. 113.

comme indépendant du Moi, que le renversement activité-passivité prend la forme de l'amour que peut se porter le Moi à lui-même. Et si nous nous demandons à quoi correspond la préparation de ce temps structural, nous sommes renvoyés à une distinction que Freud ressent comme impérative, celle qui conduit à scinder l'opération de renversement de *buts* des pulsions d'avec le renversement sur la personne propre. Et c'est avec raison qu'il les sépare, mais pour aussitôt constater, à travers les situations qu'il évoque (sadisme-masochisme, scopophilie-exhibitionnisme) : « Nous ne pouvons manquer de remarquer que dans ces exemples le retournement vers soi et la transformation d'activité en passivité (c'est-à-dire du but) convergent ou coïncident [69]. » La conservation de l'objet, le maintien de certains investissements sur un mode durable et inchangé, sont liés solidairement à l'inhibition de but de la pulsion. L'auto-érotisme épargne l'objet et ne le perd pas tout à fait, puisque c'est au moment où le sujet peut avoir une appréhension complète de la mère que la pulsion devient auto-érotique. Et, s'il paraît changer d'objet, ce n'est que pour se porter sur *l'objet de l'objet* (le corps du sujet), pour n'y créer, attestant ainsi sa fidélité, qu'une seconde zone érogène « de moindre valeur [70] ». En revanche, que la perte de l'objet coïncide avec le moment où se réunit l'organe qui apportait la satisfaction, le *sein,* avec celle qui en est pourvue, la *mère,* et que cette perte débouche sur l'auto-érotisme inaugural, peut laisser penser qu'a pu être intériorisée également l'appréhension de ce rattachement de l'organe à la personne. Cette intériorisation n'aboutira pas à la conscience d'une forme corporelle mais, par la clôture de cette modalité circulatoire des investissements, au sentiment d'une autonomie, d'une perfection, d'une délivrance du désir, par la création symétrique, à peine différée, de l'appréhension globale et unifiante du Moi de l'enfant, comme Lacan l'a décrit dans le stade du miroir.

LE MOI ET SON IDÉAL.

Infériorité et indépendance sont, dans ce contexte, des termes liés : infériorité parce que la persistance d'un manque à l'égard de l'objet n'est pas abolie par l'auto-érotisme, indépendance qui témoigne encore de ce que la tutelle du désir est le joug le plus redoutable, sans doute nécessaire à l'organisation psychique, mais

---

69. *Pulsions et destins des pulsions*, S. E., XIV.
70. *Trois essais sur la théorie de la sexualité*, S. E., VII.

qu'il faut dépasser afin d'acquérir une *structure*. Nous retrouvons ici encore le travail de la pulsion de mort, comme dans le cas de l'inhibition de but. Ce n'est pas dans l'impossibilité d'atteindre une destination que l'on reconnaît sa marque, mais dans l'élection de cette zone de moindre valeur à une vocation privilégiée. L'abaissement de la tension au degré zéro, l'écrasement sur place de toute différence abolissant l'absence de l'objet reçoivent une consécration dans les temples de l'auto-suffisance. L'impression reçue est indélébile et se poursuivra, sinon tout le temps de la vie, du moins toute la vie. « Etre à nouveau comme dans l'enfance, et également, en ce qui concerne les tendances sexuelles, son propre idéal, voilà le bonheur que veut atteindre l'homme [71]. »

Mais sommes-nous bien sûrs que cette étape médiatrice entre l'indifférenciation Moi-Ça et le refoulement soit à rattacher au narcissisme par la voie de l'auto-érotisme ? Quelle autre façon de voir les choses pourrait entraîner notre conviction ? Ou le narcissisme est rejeté dans le chaos antérieur au refoulement, ou il est spécifié comme champ de l'illusion mais, dans tous les cas, il lui manque une structure propre. Freud paraît bien indiquer une solution : « Nous approcherons d'une conception plus générale — à savoir, que les vicissitudes pulsionnelles qui consistent dans le retournement de la pulsion sur le propre Moi du sujet et subissent le renversement d'activité en passivité dépendent de l'organisation narcissique du Moi et portent la marque de cette phase. Elles correspondent peut-être à des tentatives de défense qui, à des stades plus évolués du développement sont accomplies par d'autres moyens [72]. »

Le narcissisme est fondé sur les pulsions du Moi. Mais on aurait tort de croire que, pour avoir étayé notre interprétation de l'auto-érotisme sur ce contingent pulsionnel capable d'obtenir la satisfaction sans le secours de l'objet, nous considérons pour autant que ce mécanisme à lui seul suffit à répondre à toutes les questions pendantes. Nous ne renonçons pas cependant à aborder le problème de l'unité du Moi que Freud lie au narcissisme. Il y a loin de l' « énergie des pulsions du Moi » au narcissisme. Car Freud part de cette expression à laquelle il faut rattacher toute l'indétermination des pulsions primitives. La pulsion aura à reconnaître sa vocation au cours de son fonctionnement effectif, que sa visée met en mouvement mais qui se découvre en cours d'action, dans son effectivité, voué à une destination spécifique. Ce n'est pas introduire une téléologie dans la pensée freudienne que de l'inférer, puisque la spontanéité innée de sa mise en mouve-

---

71. *Pour introduire le narcissisme*, trad. de J. Laplanche.
72. *S. E.*, XIV, p. 132.

ment s'enrichit de la découverte du but qui l'anime dans le parcours même de sa mise en acte. En partant de cette énergie des pulsions du Moi, nous ne conférons aucun caractère biologique à cette préforme, mais nous nous figurons ainsi de la façon la plus commode un courant d'investissements entre deux bornes séparées par une différence de potentiel, sans laquelle aucun courant ne serait individualisable. C'est en somme pour nous l'état prérequis pour la constitution d'une chaîne. Car il faut bien trouver un mode d'expression convenable pour que nous puissions concevoir comment Freud peut à la fois soutenir que l'enfant ne peut faire aucune distinction entre son corps et le sein et localiser celui-ci quand il est absent — alors que l'indifférenciation persiste — « au-dehors » de lui. Nous pensons en effet, avec Laplanche et Pontalis, que l'étayage domine tout ce processus, mais nous serons tentés de rapprocher ce mécanisme où l'activité du besoin coïncide avec l'apparition du plaisir sur les lieux mêmes où le besoin est assouvi, avec la différence entre le « lieu » de la satisfaction du plaisir et ce qui permet de le satisfaire. Si cette mise en rapport était constitutive d'une demande, nous penserions volontiers que la demande et son circuit sont dissociables. *Le circuit est investi avant la demande.* Ce qui ne revient pas à dire — comme Lebovici le soutient — que l'objet est investi avant d'être perçu, mais plutôt que *l'investissement s'investit avant que l'objet le soit.* De même que le refoulé ne se borne pas à demeurer banni de la conscience, mais qu'il subit l'attraction du refoulé préexistant et va vers ce qui est prêt à s'en emparer, de même le parcours de l'investissement ne se constitue que parce que la mère l'investit aussi. Mais il est important de saisir que la fonction des deux courants est placée sous des signes contraires. Car la mère ne se réunit à l'enfant que pour autant qu'elle a consenti à sa séparation à l'avenir et que l'enfant, dans sa confrontation avec elle, subit les limitations de la conservation de soi. En voulant conserver, il s'efforce de maintenir le lien établi tandis que, dans une autre acception de ce terme, il a à s'approprier, avec la source du plaisir, la condition de sa satisfaction.

LA DIFFÉRENCE PREMIÈRE.

Nous ne pouvons aller plus loin sans nous servir de l'antagonisme d'Eros et des pulsions de mort. Le Ça et le Moi de l'état initial, l'un et l'autre indistincts, font pièce à l'action des pulsions de destruction qui œuvraient du côté de l'enfant vers le retour à l'état antérieur, tandis que du côté de la mère le mouvement d'Eros peut trouver un allié dans le désir de réintégration du produit de la création[73]. *Il faut qu'intervienne un véritable renversement des valeurs pulsionnelles pour qu'un changement décisif prenne place.* C'est-à-dire que, du côté de la mère, il faut que les forces qui poussent à la séparation se fassent entendre[74], tandis que du côté de l'enfant il faut tenir ensemble la partie du Ça maternel qui sert ces buts et tout ce qui a pris fait et cause pour la clameur de la vie de l'individu. Et voilà que ce qui au « temps » précédent n'avait d'autre visée que la suspension de toute perturbation vient dans ce nouveau contexte prendre une signification nouvelle qui est de conduire à soi, d'amener à réciprocité, de *lier* le Moi, non seulement pour garotter ou réduire à l'impuissance le Ça chaotique, mais aussi pour sceller le signe d'une appartenance de soi à soi et de soi à l'autre. On conçoit que ce renversement des valeurs ne va pas sans un décentrement des polarités pulsionnelles de la mère à l'enfant et de leur Ça commun, pour un Moi à naître. Le Ça a créé des investissements d'objets dont le Moi s'empare. *Telle est la première transgression.* Le Moi ne tire pas de là toute son origine, puisqu'il peut aussi faire fond sur cette partie des investissements qui ne passent pas nécessairement par l'objet. Cette alliance du Moi et du Ça, nous voyons qu'elle ne peut s'accomplir que dans une synergie relative, car si l'action du Moi est celle de la liaison, celle-ci ne saurait s'effectuer que dans la mesure où cette dernière a consenti à faire valoir, en son sein, la recherche de l'abolition de la tension qui prévalait dans le travail de la pulsion de mort. « Le principe de plaisir paraît servir la pulsion de mort[75]. »

On voit combien il est difficile de s'en tenir à une stricte opposition des deux types de pulsions antagonistes, mais qu'il faut, à chaque fois que l'une paraît avoir acquis la main haute sur l'autre, intérioriser dans ce nouvel état de choses la force qui a

---

73. Malgré leur convergence apparente, ces deux mouvements obéissent à des tendances différentes. La mère recherche la réunion avec son objet, pour former avec lui une plus grande unité, et ceci d'autant plus que la perception et le contact de l'enfant ont réactivé les fantasmes d'intimité avec elle. L'enfant ne vise qu'à retrouver les conditions où il se trouvait à l'abri de toute perturbation.

74. Il est remarquable que, lorsque cette acceptation de la séparation intervient, le désir de réunion ainsi sacrifié peut empiéter en retour sur les fonctions des pulsions d'auto-conservation les plus fondamentales ; le sommeil des nourrices en est un exemple.

75. *Au-delà du principe de plaisir.* Autrement dit, c'est à la liaison qu'incombe maintenant la fonction dévolue antérieurement à la décharge. La liaison n'épuise pas, comme la décharge, la tension. En liant, elle maîtrise en partie, et conserve par le lien ce qui disparaît en s'épuisant dans la décharge.

eu le dessous dans la situation de conflit qui les opposait. La pensée de Freud ne se prête pas à une simplification. Ainsi, à certains endroits le Ça est conçu comme antagoniste de la libido. Le plaisir, devenu qualification de la libido, est servi par le Ça contre elle. En vérité, il ne faut pas croire qu'il la supplante, mais plutôt que leurs buts convergent pour autant que le plaisir en est le destinataire. Aussi, quand nous parlons des forces de réunion, rien n'est plus éloigné de notre esprit que de les présenter comme l'équivalent de forces physiques ; ce sont plutôt des orientations et des buts, impersonnels et personnels. La ruse d'Ulysse se sert de la polysémie de la langue, le même mot désignant aucune personne et une personne particulière. Le recouvrement des opérations ne permet pas de toujours concevoir clairement ce qui est en jeu en elles. Lorsque nous faisons allusion à la contradiction conservation-appropriation, il est clair que nous ne nous figurons nullement ce renversement au profit du Moi comme un accaparement, une prise de possession qui accumulerait des biens au compte de l'acquéreur. Et si la séparation d'avec la mère en est la connotation, ce serait une erreur que d'imaginer qu'il y a là abandon de celle-ci ou transfusion des investissements dont elle était l'objet.

L'HALLUCINATION NÉGATIVE DE LA MÈRE.

Revenons à l'affirmation de Freud selon laquelle la constatation de l'objet est liée à son absence. C'est sur le fond de cette absence qu'il va falloir créer les signes qui s'inscriront à la place de ce qui manque, comme une valeur d'échange et non comme un objet substitut. Mais, comme ce constat d'absence est solidaire d'un constat de perte, on tend à confondre les deux en un seul. Ou alors on considère que l'auto-érotisme sera la forme nouvelle qui résoudra les problèmes posés par ce double constat. Si Freud pose comme contemporains la perte du sein et le moment où peut être appréhendée la personne totale de la mère, ce qui précède cette appréhension doit inclure potentiellement le contenu de l'appropriation ultérieure. Non sous la forme d'une perception, puisque en ce cas son objet serait au-dehors et que la représentation de cette perception ne serait qu'un calque dont la fonction de réplication ne serait pas congruente avec le renversement des polarités qui centre sur le Moi lui-même l'effort d'unification, mais au contraire sous la forme d'une *hallucination négative* de cette appréhension globale. L'auto-érotisme aux portes du corps signe l'indépendance à l'égard de l'objet, l'hallucination négative signe avec la perception totale de l'objet la mise hors-je de celui-ci, à quoi succède le *je-non-je* sur quoi se fondera l'identification. Cette hallucination négative, qu'aucune image ne peut suggérer par définition, nous la voyons dans la constitution du circuit de double retournement dont l'auto-érotisme ne représente que la marque de la fonction ou de la suture, mais qui est accomplie — et ici l'opération de renversement de l'activité en passivité est plus fondamentale que le retournement contre soi — par l'inversion des polarités entre l'enfant et la mère. Il se traite comme elle le traite dès lors qu'elle n'est plus cette simple excentration de lui. *La mère est prise dans le cadre vide de l'hallucination négative, et devient structure encadrante pour le sujet lui-même. Le sujet s'édifie là où l'investiture de l'objet a été consacrée au lieu de son investissement.* Tout est alors en place pour que le corps de l'enfant puisse venir se substituer au monde extérieur.

En ayant recours à l'exemple de la bobine, Freud n'a pas seulement figuré la création du statut d'absence, et ce serait faire violence à sa pensée que de soutenir qu'il a voulu surtout souligner l'aspect de maîtrise de cette activité. L'opposition phonétique qui accompagne le jeu est effectivement liée au signifiant. Cependant, elle ne peut se détacher du circuit qui la soutient [76]. L'enfant n'est pas le créateur de ce circuit, cela va sans dire, ou alors seraient réduits à néant les concepts de la division du sujet et de sujet de l'inconscient. Toute l'interprétation freudienne suppose ce dispositif : la bobine, la ficelle qui permet de la ramener, le rideau du lit, etc., le mouvement actif de jeter au loin et celui de ramener. L'enfant, à ce moment, se sert de ses mains mais l'activité est conférée à la mère qui revient. Le renversement de la polarité du sujet est indiqué par le lien qu'établit Freud entre ce jeu et l'apparition-disparition dans le miroir de l'image du bébé, comme s'il était vu par quelqu'un d'autre, bien que ce soit lui qui accomplisse les mouvements qui rendent possible la formation de son image, là où la mère était attendue. L'enfant dit : *Bébé, ooo,* nous fournissant un argument de plus pour lier l'hallucination négative de la mère à l'identification. Prenons garde de mal nous faire comprendre. Ce n'est pas la totalité des investissements qui ont subi ce sort, mais ceux-là mêmes qui sont porteurs de cette aptitude à se lier par l'auto-satisfaction. Rien n'est renié des investissements des pulsions partielles, qui continuent, sous leur forme fragmentaire mobile, changeante, à entrer en rapport avec l'objet de ces investissements que la perte de l'objet ne peut compenser par l'identification. C'est sur ce contingent plusionnel que portera le refoulement. Ainsi s'éclaire

---

76. Ainsi par exemple ne s'expliquerait pas pourquoi le *ô-ô-ô* est un son prolongé, tandis que le *Da* ne comporte qu'une scansion unique.

l'idée de Freud selon laquelle est refoulé ce qui a déjà été pris dans le Moi. Tel est le lot de la part homologue des investissements capables d'une auto-satisfaction, que rien ne sépare des autres, en tant qu'investissements d'objet, avant que ce destin leur soit offert.

Freud a toujours fait porter le refoulement sur les formes de la représentation (les affects qui subissent ce sort ne le sont que dans la mesure où ils ont été liés à un moment ou un autre au *Vorstellungsrepräsentanz*). Ne peut-on inférer que l'hallucination négative de la mère, sans être aucunement représentative de quelque chose, *a rendu les conditions de la représentation possibles*. Création d'une mémoire sans contenu, passage de la répétition à la suture préalable à la présence des éléments de la suturation que la chaîne qu'ils constituent présupposera.

LE DÉSIR DE L'UN.

Le narcissisme est l'effacement de la trace de l'Autre dans le Désir de l'Un. La différence instaurée par la séparation entre la mère et l'enfant est compensée par l'investiture narcissique. Celle-ci capte le terme qui, à tous égards, fondait la différence par la place qu'occupait l'enfant dans le désir de la mère. L'en deçà de la différence, établit une autre différence, constituée par la prise de la mère dans la structure encadrante. Les investissements partiels qui lui étaient destinés entrent cependant dans la suite des échanges et des transformations qu'ils subissent entre eux, dont les formes de la représentation seront le produit et le témoin. C'est ici que la barrière du refoulement, qui est la doublure de ce circuit, constituera le mur sur lequel viendront se réfléchir les pulsions partielles — favorisant le dédoublement à partir duquel la représentation s'effectuera. Dès lors, le refoulement pourra accomplir sa tâche de renvoi et de congédiement de la pulsion jugée indésirable. Un temps se marque ici, qui ouvre la voie vers d'autres modes d'échanges où se produisent ces conversions croisées entre investissements d'objets et investissements narcissiques secondaires « dérobés aux objets », dont la structure que nous venons de décrire règle l'économie. Et c'est alors, cette révolution étant parcourue, que le Moi pourra, se réclamant de la clôture dont les bords de l'hallucination négative avaient fourni le modèle, se proposer comme objet d'amour à la partie du Ça dont il s'est saisi en se parant des attributs de l'objet : « Vois, tu peux m'aimer aussi — je suis tellement semblable à l'objet [77]. »

---

77. *Le Moi et le Ça*, S. E., XIX, 30.

Notre façon de voir pourrait rendre compte de ce que Freud avance sur les premières identifications d'un caractère indestructible et du narcissisme du Moi comme narcissisme secondaire. Dans la première étape s'est imprimée la marque primitive de l'objet dont le Moi s'inspirera pour tenter d'offrir, non sa ressemblance avec celle-là, mais la qualité auto-suffisante de son impression. Les traits empruntés à l'objet pourront être diversifiés, sélectionnés, isolés un par un, mais ils devront pouvoir offrir au sujet le sentiment qu'ils le rendent indépendant face au désir. On pourrait voir ici une nouvelle forme d'étayage, celle entre deux narcissismes.

Le parcours bouclé, l'hallucination négative aura construit les limites d'un espace vide — comme dans une bande de Mœbius. C'est ce que Freud n'a cessé d'indiquer lorsqu'il a introduit la dernière théorie des pulsions. La division entre pulsions du Moi et pulsions sexuelles revient à remplacer une distinction qualitative par une distinction topographique [78], ce qui implique bien plus que la simple affectation d'une direction aux investissements et pose les fondements d'un appareil psychique que notre description a postulés. La structure de la bande de Mœbius nous donne l'équivalent de ce double retournement et délimite les deux parties de l'espace vide dont nous venons de parler [79]. Ce seront ceux qui seront respectivement occupés par les investissements d'objet et les investissements du Moi auxquels l'auto-satisfaction est refusée, dépendant des pulsions érotiques libidinales. Espaces délimités dans des orientations différentes et en des directions opposées, mais dont un détour par la surface extérieure et intérieure permet tour à tour le passage de l'une à l'autre, les parois limitantes de chaque espace autorisant l'échange de ces deux types d'investissements.

L'INTROJECTION ET LA PROJECTION.

Il est bien entendu impossible d'articuler tous ces mécanismes entre eux sans que l'introjection joue un rôle fondamental. Lorsque Freud, commentant le processus d'introjection dans la phase qui porte le sceau de l'organisation narcissique, déclare que l'objet

---

78. *Au-delà du principe de plaisir.*
79. Il est frappant de constater que la formation d'une bande de Moebius comprend deux opérations : un retournement de la bande vers son extrémité de départ (contre soi) et un retournement sens dessus dessous (en son contraire). Après quoi il suffit de suturer les deux extrémités. Nous devons à Lacan l'application de la bande de Moebius à la théorie psychanalytique.

est consommé, incorporé dans le sujet mais aussi détruit, ce commentaire est inintelligible si tout l'investissement est du côté de la destruction ; car comment quelque chose peut-il être conservé si la destruction totale a eu lieu ? Une réponse satisfaisante verrait *l'introjection se confondre avec l'inscription du circuit encadrant, constituant par là même la matrice des identifications et coïncidant avec la disparition de l'objet.* L'introjection est solidaire de la clôture du circuit dont nous avons dit qu'il a pour résultat l'abolition des tensions. La naissance de l'auto-érotisme se déroulant sur le registre de la satisfaction des pulsions indépendamment de l'objet achève le processus. Les introjections ultérieures pourront se démanteler sur le même mode que les identifications dont nous venons de parler, constituant le groupe des investissements d'objet. Que la projection trouve sa place ici n'est pas pour nous étonner, puisque tout l'effet du renversement de l'activité en passivité est de prendre au compte du sujet ce qui paraît s'accomplir hors de lui, où l'excentration de la mère s'annule par le modelage du circuit qui réinclut dans l'individu la polarité vers laquelle il tend, de telle sorte que cette polarité devienne partie intégrante de lui-même. La constitution de la bande de Mœbius ne permet plus de parler d'un envers et d'un endroit, d'un intérieur et d'un extérieur, sans toutefois les confondre dans un univers sans limites[80].

C'est à tort que la projection est toujours située hors des limites du sujet, alors que l'hypocondrie fournit l'exemple contraire. On la désigne souvent aujourd'hui comme le résultat d'une introjection. En fait, il faut, avec Tausk, qui avait si bien pénétré l'essence du narcissisme sinon sa structure, voir en elle un exemple de projection à distance dans le corps, trouvaille de l'objet perdu. L'objet hypocondriaque est découpé sur le corps par la libido corporelle de l'investissement psychique affecté au Moi. Le corps a pris la place du monde extérieur, permettant de constituer ainsi les investissements psychiques ; l'organe hypocondriaque représente le négatif de l'auto-érotisme, le point de rupture de l'hallucination négative de la mère, où le corps qui avait pris la place que celle-ci occupait primitivement, défaisant l'intériorisation de cette extériorité, rétablit sa présence ou plutôt celle de l'objet, dont l'absence était signe de sa localisation hors

---

80. Notre réflexion sur le modèle du narcissisme doit beaucoup à l'enseignement de Lacan. Nous avons laissé de côté la discussion des concepts de cet auteur sur ce problème qui mériteraient une étude particulière. Leur mise à l'épreuve devait être précédée du temps actuel de notre travail. Pour certains points communs, voir « L'objet *a* de J. Lacan », *Cahiers pour l'analyse*, n° 3.

de l'enfant. L'organe hypocondriaque n'est pas que cela, il est aussi source de scrutation, d'investigation, d'écoute. Il est cet œil dans le corps qui sent, pressent, devine et avertit.

L'ŒIL DE NARCISSE.

Freud attribue à certaines formations d'origine narcissique le rôle d'évaluer le Moi, de se mesurer à lui, de rivaliser et de s'efforcer envers lui à une perfection toujours plus grande. Nous relions ces formations au narcissisme secondaire. La lutte dont il est fait état se déroule entre la satisfaction et le renoncement des satisfactions libidinales, qui soutient le Moi. Les sacrifices qu'il a consentis, lui paraissent négligeables au regard du sentiment d'orgueil qu'il en tire. Nous savons par maints exemples que cet Idéal du Moi peut se montrer d'une intransigeance qui accule le Moi aux limites de ce qu'il est en mesure de supporter.

Les mythes, les productions artistiques, les fantasmes personnels nous ont familiarisé avec le thème du double [81]. La littérature romantique et expressionniste a beaucoup puisé dans ce fonds d' « inquiétante étrangeté ». Freud fait remarquer que l'une des caractéristiques les plus fréquentes du double est d'être immortel [82]. Nous avons là à reconnaître une trace du narcissisme primaire qui nous fait soupçonner sa participation à cet ordre de faits.

Strachey fait remarquer que Freud a balancé entre diverses formulations en ce qui concerne l'Idéal du Moi. Parfois l'Idéal du Moi est présenté comme ce qui rétablit la perfection du narcissisme perdu de l'enfance et, en ce cas, une autre formation assure les fonctions d'auto-observation, de surveillance et de mesure du Moi. Parfois, l'ensemble est confondu en une seule unité, celle du Surmoi. La plupart des auteurs admettent le lien entre le narcissisme et l'Idéal du Moi pour le distinguer du Surmoi. Mais peut-être faut-il plus nettement séparer la fonction de censure, qui relève davantage du Surmoi, et celle de surveillance, dite d'auto-observation. Ce qui fait office de regard ne naît pas d'une

---

81. On pourrait s'élever contre le recours à la bande de Moebius comme modèle en critiquant son caractère tout à fait abstrait. Nous nous souvenons pourtant d'avoir examiné un sujet il y a quelques années qui, dans ses fantasmes personnels, avait abouti à la création d'un double qui marchait sur la face « opposée » à celle sur laquelle lui-même évoluerait sans pouvoir jamais le rejoindre, en revenant constamment au point de départ.

82. Cf. « L'inquiétante étrangeté », dans *Essais de psychanalyse appliquée*, Gallimard.

fonction analogue à la fonction visuelle [83] mais du détachement d'une partie du Moi du reste de celui-ci. Lorsque nous nous serons rappelés que le double est immortel, nous reconnaîtrons que le Moi ne prétend pas à moins qu'à l'invulnérabilité la plus complète. Le narcissisme primaire, lui, n'admet aucun dédoublement et le voile tiré sur le sommeil sans rêve laisse entière notre curiosité. Grâce à ce dédoublement, nous pouvons nous faire une idée plus précise des visées les plus extrêmes du narcissisme primaire. Il n'y a pas de contradiction à le concevoir à la fois comme l'état de quiescence absolue d'où toute tension est abolie, comme la condition d'indépendance de la satisfaction, la fermeture du circuit par lequel se fixe l'hallucination négative de la mère, ouvrant la voie à l'identification, et la voie de l'appropriation de l'idéal pour la plus grande perfection dont l'invulnérabilité est le but final. L'étape qui nécessairement suivrait cette invulnérabilité serait à coup sûr *l'auto-engendrement supprimant la différence des sexes.*

LE PHÉNIX, NARCISSE ET LA MORT.

Nous ne serons donc pas surpris de constater que Marie Delcourt, analysant les mythes et les rites de la bisexualité dans l'Antiquité [84] classique, y retrouve la synthèse de la matière première Esprit-Corps, Ciel-Terre, et en fin de compte l'immortalité. La légende du Phénix en est l'exemple le plus frappant, conjuguant la bisexualité effective androgynique et le rajeunissement éternel qui ignore la mort. La légende de Narcisse, par bien des points, prolonge et complète la légende du Phénix.

Notre réflexion sur l'œuvre de Freud nous fait comprendre pourquoi, après la géniale introduction du narcissisme (1914), son abandon s'imposait sous peine de nous entraîner sur de fausses pistes — comme s'imposait l'introduction de la pulsion de mort (1921) qui amenait une redistribution plus cohérente des valeurs de la théorie psychanalytique, maintenue par Freud jusqu'à sa mort (1939) avec une insistance toujours plus vigilante. Et s'il n'a pas été explicite sur le devenir du narcissisme après la dernière théorie des pulsions, il en a assez dit pour que nous soyons en mesure de prolonger sa réflexion.

---

83. Ce n'est certes pas par hasard que Freud a introduit les pulsions de conservation à la faveur d'une étude sur la fonction visuelle et que la scopophilie est l'une des deux pulsions dont il se sert pour décrire le double retournement.

84. *Hermaphrodite*, P.U.F., 1958.

Le narcissisme primaire ne peut être compris comme un état, mais comme une structure. La plupart des auteurs, non seulement le traitent comme un état, mais n'en parlent que comme d'un narcissisme de vie en passant sous silence — le silence même qui l'habite — le narcissisme de mort présent sous la forme de l'abolition des tensions jusqu'au niveau zéro. Certains thèmes de la métapsychologie freudienne montrent le travail de la pulsion de mort dans certains aspects de la vie psychique : les pulsions à but inhibé, la sublimation, l'identification, la fonction de l'Idéal. Le problème du narcissisme primaire ne peut éluder la question de l'origine et du destin des investissements primaires, de la séparation du Moi et du Ça, ce qui conduit à l'examen des concepts de refoulement et de défense. Nous avons défendu, en nous fondant sur la théorie freudienne, l'existence de défenses antérieures au refoulement : retournement contre soi et en son contraire, que nous appelons le double retournement. En développant la structure qu'on peut en dégager, nous y avons vu un renversement des polarités pulsionnelles, un échange des buts qui aboutit à la différence primaire : celle de la mère et de l'enfant, dans laquelle nous distinguons plusieurs registres de pulsions : pulsions partielles dont l'objet est le sein, pulsions à but inhibé dont l'objet est la mère, dont le destin sera distinct jusqu'au choix d'objet définitif. Lors de la différence primaire, la perte du sein est l'homologue dans un registre de ce qu'est l'hallucination négative de la mère dans l'autre. Le narcissisme du Moi sera bien alors, comme le dit Freud, narcissisme secondaire dérobé aux objets — il implique le dédoublement du sujet, prenant le relais de l'auto-érotisme comme situation d'auto-suffisance. Le narcissisme primaire est dans cette perspective Désir de l'Un, aspiration à une totalité auto-suffisante et immortelle dont l'auto-engendrement est la condition, mort et négation de la mort à la fois.

chapitre 3
l'angoisse et le narcissisme
(1979)

La sortie du silence, le passage au discours n'est jamais sans risques.

Dans le livre de Houang Ti, il est dit : « La forme se déplace-t-elle, naît alors non pas une forme (nouvelle) mais l'ombre ; le son se déplace-t-il, naît alors non pas un son (nouveau) mais l'écho ; le non-être se meut-il, il naît non plus du non-être, mais de l'être. » Ces lignes sont extraites du *Vrai classique du vide parfait*[1] de Lie Tseu, dont certains prétendent que l'auteur n'a jamais existé.

Comment communiquer avec l'autre ? On sait que l'obstacle principal à une telle communication est le narcissisme. L'angoisse est souvent dite incommunicable. Quels rapports entre les deux ?

J'aborderai :

— *l'angoisse de l'Un* : de l'unité menacée, reconstituée, *liée* à l'Autre, sur fond de vide, où la forme réunit objet partiel et objet total ;

— *l'angoisse du couple,* où les figures de la symétrie, de la complémentarité, de l'opposition dans la différence de l'Un et de l'Autre, où joue la bisexualité, renvoient au fantasme de l'unité totalisée du couple, toujours recherchée, toujours impossible.

— *l'angoisse de l'ensemble* : par ce concept j'entends, après avoir évoqué les figures de l'Un, du Deux, approcher la question non du tiers mais du *diasparagmos*, de la dispersion, du morcellement ; ensemble fini ou infini où se rencontrent l'angoisse de

---

1. Lie Tseu (Maître Lie), *Vrai classique du vide parfait*, Gallimard, p. 45.

l'infans et l'angoisse du Surmoi, dans la mesure où ce dernier issu du Ça, devient « Puissance du Destin » (une fois accompli l'institution de la catégorie de l'Impersonnel).

Ces trois angoisses posent le problème de la limite, de la forme, de la substance ou de la consistance, où l'enjeu est la coexistence des Moi.

INTÉRIEUR ET EXTÉRIEUR : NAISSANCE DU MOI.

Dire, à nouveau, que la relecture d'*Inhibition, symptôme et angoisse* donne la mesure du génie de Freud, de sa rigueur et de sa richesse, ne dispense pas de constater que cet écrit admirable en son début tourne court en sa fin. On le sent à mesure qu'on progresse dans l'ouvrage et particulièrement, lorsque Freud aborde la question des rapports entre l'angoisse d'une part, le deuil et la douleur de l'autre. Aussi n'est-on pas surpris de constater que Freud est obligé — chose assez rare dans son œuvre — d'ajouter au corps de l'ouvrage des addenda dont le dernier, précisément, revient sur ces rapports.

Freud propose un certain nombre d'hypothèses qui me paraissent devoir être retenues, mais sont loin de résoudre complètement les problèmes qu'à bon droit il se pose. On sait que l'ouvrage a été entrepris pour répondre aux thèses de Rank — auxquelles, à mon avis, Freud fait trop d'honneur — sur le traumatisme de la naissance. Freud réfute l'idée de Rank que c'est la naissance qui institue la séparation entre la mère et l'enfant : « La naissance n'est pas vécue subjectivement comme séparation d'avec la mère, car celle-ci est, en tant qu'objet, complètement inconnue du fœtus *absolument narcissique* [2]. » En outre, Freud souligne que les réactions à la séparation se rattachent à la douleur ou au deuil plus qu'à l'angoisse. L'angoisse est liée à la notion de danger ; elle est différente de la douleur ou du deuil, qui appartiendraient plutôt à la catégorie de la blessure (narcissique). Dans son développement, Freud lie l'angoisse à l'excès d'excitation pulsionnelle. Il y a trop de libido ; c'est l'angoisse automatique, aucun secours n'étant à espérer de l'objet, ou c'est l'angoisse signal par anticipation devant le danger de perdre l'objet dont la fonction protectrice contre la montée libidinale au-delà d'un certain seuil fera défaut, ou c'est encore l'angoisse du danger de laisser se développer une excitation dont la satisfaction serait répréhensible, ou c'est enfin l'angoisse naissant de la menace d'élévation de la

---

2. *Inhibition, symptôme et angoisse*, p. 54. C'est moi qui souligne.

tension due aux reproches du Surmoi, faisant courir le risque de l'abandon par les « Puissances protectrices du Destin ».

La question qui se pose alors est celle du passage du fœtus « absolument narcissique », qui ignore la mère en tant qu'objet, aux conflits de désirs entre libido érotique et libido agressive de la phase œdipienne. C'est tout ce parcours que le texte élude, celui du destin du narcissisme primaire *absolu*. La genèse du Surmoi n'en rend pas compte, l'Idéal du Moi en est le terme. Destin des *figures narcissiques* dont le développement est parallèle aux vicissitudes des pulsions liées à l'objet. Quant au destin des pulsions, nous savons qu'il faut distinguer entre idéalisations de l'objet comme expression de l'investissement narcissique et sublimations comme transformations des pulsions.

Toutes ces opérations nécessitent un *sujet*, au sens structural qui n'est pas un *Je* existentiel, mais un *jeu* de déplacements de condensations, de *circulations*. Ce sujet s'éprouve existentiellement dans l'affect et de façon privilégiée dans l'angoisse ressentie par le Moi. *L'angoisse est l'épiphanie du sujet.* Epiphanie obtenue au moyen du Moi mais qui nécessite le sujet symbolique.

L'argumentation de Freud est juste et fausse à la fois. Elle est juste en ce qu'il refuse l'explication par l'origine : la naissance comme point zéro et le traumatisme de la naissance comme économie de la cure ; cause première, il aurait l'avantage d'abréger les analyses en neuf mois ! Il est également juste de dire qu'il ne suffit pas d'éteindre l'allumette qui a allumé l'incendie pour que celui-ci cesse. Mais elle est fausse en ce que la naissance est en effet une catastrophe, au sens théorique moderne du mot. Catastrophe surmontée par la reconstitution à l'extérieur des conditions aussi proches que possible de la vie intra-utérine. C'est là le sens profond et méconnu de l'importance du *holding* de Winnicott, qui n'est rien d'autre qu'une nidation externe de l'enfant. Si la naissance est l'origine de tous nos maux, plus que le péché originel, y renvoyer ne nous avance pas beaucoup dans la solution de nos problèmes [3]. Ce qu'il faut retenir de cette situation est la série des renversements dialectiques : naissance comme catastrophe (séparation d'avec l'utérus, coupure du cordon ombilical, passage à la respiration aérienne et à l'alimentation digestive, inauguration de la relation à la mère) et sa négation par l'adaptation de la mère aux besoins de l'enfant dans les premières semaines contemporaines de l'établissement du fonctionnement pulsionnel initial, sur un mode narcissique. L'étayage, justement mis en

---

3. Ce qui ne dispense pas d'en améliorer les conditions, dans la mesure où on le peut.

lumière par Laplanche, a pour effet la naissance de la sexualité humaine.

La deuxième naissance, qui est en fait la première pour Freud, est la perte du sein qui permet au Moi de naître, c'est-à-dire d'accéder au statut de Moi-réalité assurant la distinction d'avec l'objet. Le problème de la limite reçoit ici droit de cité [4]. Il n'est donc pas étonnant de voir Freud conclure que les facteurs qui sont la cause des névroses ne sont que des anachronismes, c'est-à-dire des réactions au danger relevant d'une attitude infantile adaptée persistant sans raison valable à l'âge adulte par le jeu de la fixation et du refoulement. Trois types de causes : *biologique,* l'inachèvement du petit d'homme (donc sa dépendance à l'objet) ; *phylogénétique,* le diphasisme de la sexualité (donc la compulsion à répéter la sexualité infantile dans la sexualité adulte) ; *psychologique* enfin, la différenciation Ça-Moi (donc l'obligation pour le Moi qui s'efforce de combattre le Ça de se combattre lui-même par contrecoup, puisqu'il n'en est qu'une émanation). Tout cela implique la reproduction, la réplication des rapports extérieur-intérieur. En effet, le danger intérieur fut autrefois extérieur, le combat contre le danger intérieur mime en vain la méthode utilisée contre le danger extérieur. Ces luttes que le Moi entreprend contre le Ça, comme s'il lui était extérieur, se retournent contre lui, dans la mesure où il n'en est qu'une partie modifiée par le contact avec le monde extérieur.

Ainsi, à la dichotomie pulsion-objet, répond celle de la distinction libido-narcissique-libido d'objet. Ici encore la libido d'objet naît de la libido narcissique, au moins en partie ; secondairement, la libido narcissique sera dérobée aux objets.

Nous ajouterons à ce rappel une hypothèse personnelle : l'étayage du narcissisme sur la libido d'objet, et sa relative autonomie. En outre, les rapports agonistes et antagonistes entre libido narcissique et libido d'objet ont pour conséquence, entre autres, la création de l'objet narcissique, qui tourne les limitations imposées par la marque des limites entre sujet et objet, entre Moi et Ça.

Le développement théorique auquel je viens de procéder en m'appuyant sur Freud visait à souligner l'importance du problème de la limite dans les rapports extérieur-intérieur et au sein de l'appareil psychique, dans une perspective plus métapsychologique que phénoménologique, les théories de Federn se situant davantage du côté de la phénoménologie psychanalytique.

---

4. Déjà posé avec l'institution du Moi-réalité originaire et du Moi-plaisir purifié.

LE MOI ET SA REPRÉSENTATION.

Un point apparu à la relecture d'*Inhibition, symptôme et angoisse* m'a semblé avoir été négligé. L'ouvrage débute par l'étude des inhibitions, que Freud s'efforce de distinguer des symptômes (plus loin, Freud assimilera l'inhibition à un symptôme). L'inhibition y est définie comme une *limitation fonctionnelle du Moi* dans le but d'éviter un conflit soit avec le Ça, soit avec le Surmoi. Mais, dans ce chapitre unique consacré à l'inhibition, il est remarquable que Freud ne parle jamais ni de représentations ni d'affect. Les déductions que je suis amené à en tirer sont :

— que la limitation fonctionnelle court-circuite l'intervention de représentations ou d'affects au niveau du Moi. Je ne dis pas que Freud ait raison sur ce point, je me borne à dégager les implications de son analyse ;

— que cette manière de comprendre la limitation fonctionnelle du Moi par rapport à la fonction sexuelle, alimentaire, locomotrice, ou ergastique (inhibition au travail) amène à se poser la question corollaire du rapport du Moi à la représentation et à l'affect. Si, en ce qui concerne l'affect, il paraît sûr que le Moi, siège de l'angoisse, est le siège de l'affect — à telle enseigne qu'un long débat, dans la littérature psychanalytique contemporaine, a porté sur l'existence des affects inconscients —, en ce qui concerne, par contre, les représentations, *Freud ne parle jamais que des représentations d'objet.*

Ma conclusion est donc celle-ci : ou bien Freud passe volontairement sous silence le problème des représentations du Moi (représentations que le Moi aurait de lui-même), ou bien, hypothèse à laquelle j'incline, *le Moi n'aurait aucune représentation de lui-même.* Dans ces conditions, parler de représentations du Moi n'aurait aucun sens au point de vue théorique, même si cette notion rend un écho phénoménologique. Au reste, Freud définit le Moi, dans *Le Moi et le Ça,* comme une surface, ou ce qui correspond à la projection d'une surface, et j'ajouterai une surface destinée à recevoir les représentations d'objet et les affects [5].

Je citerai un exemple tiré d'*A la recherche du temps perdu,* dont je me suis déjà servi dans un travail de psychanalyse appliquée [6].

---

5. Pour des raisons de discrétion, j'omettrai ici de rapporter les exemples cliniques sur lesquels je m'appuie pour avancer cette hypothèse, à titre d'illustration.

6. A. Green, « Le double et l'absent », *Critique,* mai 1973, n° 312.

Albertine a quitté Marcel au lendemain d'une nuit où il a pressenti la fin de leur liaison. Il imagine alors tous les moyens de la reconquérir : « J'allais acheter avec les automobiles le plus beau yacht qui existât alors. Il était à vendre, mais si cher qu'on ne trouvait pas d'acheteur. D'ailleurs, une fois acheté, à supposer même que nous ne fissions que des croisières de quatre mois, il coûterait plus de 200 000 francs par an d'entretien. C'était sur un pied de plus d'un demi-million annuel que nous allions vivre. Pourrais-je le soutenir plus de sept ou huit ans ? Mais qu'importe ; quand je n'aurais plus que 50 000 francs de rente, je pourrais les laisser à Albertine et me tuer. C'est la décision que je pris. Elle me fit penser à moi. Or, comme le Moi vit incessamment en pensant une quantité de choses, qu'il n'est que la pensée de ces choses, quand par hasard, au lieu d'avoir devant lui des choses, il pense tout d'un coup à soi-même, il ne trouve qu'un appareil vide, quelque chose qu'il ne connaît pas, auquel pour lui donner quelque réalité il ajoute le souvenir d'une figure aperçue dans la glace. Ce drôle de sourire, ces moustaches inégales c'est cela qui disparaîtra de la surface de la terre. Quand je me tuerais dans cinq ans, ce serait fini pour moi de pouvoir penser toutes ces choses qui défilaient sans cesse dans mon esprit. Je ne serais plus sur la surface de la terre et je n'y reviendrais jamais, ma pensée s'arrêterait pour toujours. Et mon Moi me parut encore plus nul, de le voir déjà comme quelque chose qui n'existe plus. Comment pourrait-il être difficile de sacrifier à celle vers laquelle notre pensée est constamment tendue (celle que nous aimons), de lui sacrifier cet autre être auquel nous ne pensons jamais : nous-mêmes ? Aussi cette pensée de ma mort me parut, par là, comme la notion de mon Moi, singulière ; elle ne me fut nullement désagréable. Tout d'un coup, je la trouvai affreusement triste ; c'est parce qu'ayant pensé que, si je ne pouvais plus disposer de plus d'argent, c'est parce que mes parents vivaient, je pensai soudain à ma mère. Et je ne pus supporter l'idée de ce qu'elle souffrirait après ma mort [7]. »

A la lumière de cette citation, j'aimerais préciser que l'on fait souvent une confusion entre image du corps et représentation du Moi. Car, si le Moi est une surface, ou ce qui correspond à la

---

7. Edition de la Pléiade, t. III. Il est intéressant de constater que Proust a primitivement situé cet ajout sur le manuscrit à un endroit différent de celui choisi par l'éditeur, c'est-à-dire à la page 469 au lieu de 465, où sa place est en effet logique. Si acte manqué il y a, il est remarquable que celui-ci ait eu lieu à l'endroit où Marcel annonce à Albertine son désir de la remplacer par Andrée. Ainsi l'objet (Albertine) se trouve pris entre l'appareil vide du sujet d'une part et l'objet qui lui succède, en prenant sa place. Entre deux morts, celle du pas-encore et celle du déjà-plus.

projection d'une surface, image du corps et représentation du Moi relèvent de niveaux théoriques différents. L'image du corps se rattache à une phénoménologie de l'apparence. Lorsqu'on parle d'une représentation inconsciente du Moi, on se réfère d'ordinaire à ce qu'on déduit de la projection d'un fantasme inconscient relatif à l'objet *rapporté* (au sens d'une pièce de vêtement rapportée) au Moi. Quant au Moi lui-même, il est un concept théorique et non une description phénoménologique, c'est une *instance*. De même qu'il serait absurde de parler d'une représentation du Ça ou du Surmoi, il est absurde de parler d'une représentation du Moi. On peut admettre que l'on parle de *représentants* du Ça, du Surmoi ou du Moi, c'est-à-dire d'émanations mandatées, de *rejetons,* ou de dérivés d'instance. Mais la représentation d'une instance est théoriquement insoutenable. Le Moi travaille *sur* les représentations, il *est* travaillé *par* les représentations, il ne peut être représenté. Il peut, et même il ne peut faire que cela, *avoir* des représentations d'objet. C'est par l'affect que le Moi se donne une représentation irreprésentable de lui-même.

L'AFFECT ET L'OBJET ; L'OBJET TRAUMA.

On voit donc que le problème des représentations ne concerne que l'objet, alors que la structure de l'affect est double, à la fois affect à l'égard de l'objet et affect comme affect du Moi, les deux pouvant se confondre sans que le Moi puisse faire toujours la différence. Il y a quelques années, à la lecture du rapport de M. Bouvet sur « Dépersonnalisation et relations d'objet [8] », je m'étais posé la question des relations narcissiques, proposant qu'une place distincte leur soit consacrée. J'ai, depuis, changé d'avis. S'il est justifié de définir la notion d'une relation du Moi à lui-même, ce que Winnicott appellera l'*ego-relatedness,* il est clair que cette relation auto-égotique à valeur narcissique entre dans le cadre général des relations d'objet. Plus précisément la relation d'objet comprend :

— la représentation d'objet et les affects qui leur correspondent ;
— les affects du Moi sans représentation du Moi (ce qui n'exclut pas les représentations du corps).

Cela veut dire que, lorsqu'on parle de représentations du Moi, il faut savoir que cette licence s'arrête là où la théorie commence.

---

8. M. Bouvet, « Dépersonnalisation et relations d'objet », *Revue française de psychanalyse*, 1960, 24 (4-5), p. 611. Cf. mon intervention, p. 651-656.

Les représentations du Moi sont en fait des représentations d'objet qui se travestissent en représentations du Moi par investissement narcissique. Ceci est en accord avec la phrase de Freud où le Moi, s'adressant au Ça, dit : « Vois, tu peux m'aimer, je ressemble tellement à l'objet. » Dès lors, la question si importante de l'angoisse narcissique s'éclaire autrement : phénoménologiquement, on est en droit d'en décrire les manifestations ; théoriquement, l'angoisse narcissique est angoisse d'objets travestis en objets narcissiques, le narcissisme ne connaissant à proprement parler que les affects — dans l'ordre du déplaisir — de la douleur, du deuil, de l'hypocondrie.

Je ne puis ici, malgré l'intérêt qu'il y aurait à le faire, rappeler la liste des fonctions du Moi pour montrer qu'il ne saurait être question de représentations du Moi, mais j'aimerais par contre examiner s'il n'y a dans le Moi que des représentations d'objet. Dans les « Considérations actuelles sur la guerre et la mort » (1915), Freud envisage les conséquences de la perte des êtres chers. « D'une part, les êtres chers forment notre patrimoine intime, sont une partie de notre Moi ; mais, par d'autres côtés, ils sont en partie, tout au moins pour nous, des étrangers et même des ennemis [9]. » Il me paraît beaucoup plus intéressant de dégager les implications de ces remarques, non en fonction de l'ambivalence comme Freud le fait, mais davantage en fonction des rapports entre le narcissisme et l'objet. Dans cette optique, l'objet qui est pourtant à l'origine le but des satisfactions du Ça est en fait pour le Moi, à certains égards, toujours une cause de déséquilibre — pour tout dire, un trauma. S'il est vrai que le Moi aspire à l'unification et que cette unification interne s'étend à l'unification avec l'objet, la réunion totale avec l'objet oblige le Moi à perdre son organisation. En outre, lorsque cette réunification est impossible, elle désorganise aussi le Moi, lorsque ce dernier ne tolère pas cette séparation. L'objet-trauma (pour le narcissisme) nous amène alors à considérer le Moi non seulement comme le siège des effets du trauma mais aussi comme celui des réactions contre cette dépendance à l'objet, réactions qui constituent une partie importante des défenses du Moi, non contre l'angoisse, mais contre l'objet dont les variations indépendantes déclenchent l'angoisse. Ainsi dans la série : traumatisme précoce — défense (cet ensemble constituant la fixation) — latence — explosion de la névrose — retour partiel du refoulé,

---

9. « Considérations sur la guerre et la mort », dans *Essais de psychanalyse*, Payot, édit., 1951, p. 248. Le lecteur pourra se reporter à la traduction plus récente de la nouvelle Edition parue dans la Petite Bibliothèque Payot.

j'aimerais souligner la *confusion entre la pulsion* (*représentée par l'affect*) *et l'objet,* car le danger vient aussi bien de l'effraction de la sexualité dans le Moi que de l'effraction de l'objet.

Dès lors, on comprend que le problème des rapports entre Moi et objet est celui de leurs limites, de leur coexistence. Ces limites sont aussi bien internes qu'externes. Je veux dire que les limites entre Moi et objet entrent en résonance ou se réverbèrent avec les limites entre Ça et Moi. Le problème ne se pose pas pour le Surmoi, dont on se souvient qu'il s'étend du Ça (sa source) au Moi (son objet) dans le schéma des instances présenté par Freud. C'est-à-dire que l'effraction du Surmoi dans le Moi revient à une effraction déguisée du Ça modifié par le développement du Moi.

Ceci m'amène à préciser ce que je vais exclure de mon développement : le rapport du Moi aux syndromes psychosomatiques, qui relève des relations entre le Moi et le soma par l'intermédiaire du Ça (ancré dans le soma mais distinct de lui), et au délire, qui résulte des relations entre Moi, Surmoi et réalité. Par contre, le cas du deuil sera ici envisagé de manière élective, dans la mesure où c'est bien dans le deuil que se matérialise la relation du Moi à lui-même, puisque alors une partie du Moi s'identifie à l'objet perdu et entre en conflit avec le reste du Moi, la régression se produisant dans la mélancolie sur le double plan du Ça (fixation orale cannibalique) et du Surmoi (auto-reproches et sentiment d'indignité). Toutefois, si ces extrêmes sont écartés de mon développement, je ne négligerai pas les termes moyens tels que je les ai définis dans le modèle que j'ai proposé pour les *borderlines,* dans mon rapport de Londres [10].

LE CONFLIT ENTRE LE MOI ET L'OBJET-TRAUMA.

La théorie psychanalytique du Moi est particulièrement confuse, puisque, comme on le sait, elle oscille constamment entre le Moi comme instance partielle de l'appareil psychique et le Moi comme entité unitaire, totalisation de la personnalité psychique. Je m'attacherai à la première de ces deux acceptions, parce que, même si cette ambiguïté est constitutive de la théorie du Moi en psychanalyse, il reste que l'idée d'une structure unitaire totalisante demeure inconcevable pour la pensée psychanalytique. C'est pourquoi je crois qu'il faut demeurer réservé à l'égard

---

10. A. Green, « L'analyste, la symbolisation et l'absence dans le cadre analytique », *Revue française de psychanalyse,* 1974, *37,* p. 1192-1230.

des conceptions psychanalytiques sur le *Self*, ou sur l'identité, d'inspiration phénoménologique.

Si le Moi est une instance partielle — je forge l'expression sur le modèle de celle de l'objet dit partiel —, il faut le concevoir ainsi que Freud le fit à ses débuts dans l'*Esquisse* : un système d'investissements à niveau constant — ou relativement constant. C'est là, à mon avis, le sens qu'il faut attribuer à l'idée de Freud que le Moi est le résultat de la différenciation d'une partie du Ça sous l'influence du monde extérieur. L'appréhension de la réalité, fût-elle sélective et orientée par les mécanismes de projection, nécessite l'établissement d'un niveau d'investissement relativement stable. C'est bien pourquoi Freud conçoit le Moi comme résultant de l'inhibition de la représentation inconsciente. Il me semble même que l'on pourrait soutenir, complémentairement à l'idée que le Moi n'a aucune représentation de lui-même, qu'il est *ce par quoi il peut y avoir de la représentation*. En effet, poser le Moi comme fonctionnement d'un réseau d'opérations — sans représentation de lui-même — permet de concevoir la logique de cet ensemble d'opérations : la perception, la représentation et l'identification. Cette dernière, pour autant qu'elle est inconsciente, a pour effet l'intégration, par disparition de la dimension sensible dans la première ou imaginaire dans la seconde, qu'elles comportent [11].

Dans l'identification, la qualité imaginaire s'efface au profit de l'être-comme-l'objet ; c'est-à-dire que l'identification supprime la distance séparatrice entre l'objet (perçu ou représenté) et le Moi. L'identification n'est pas qu'aliénante, elle est structurante, dans la mesure où l'objet de l'identification est supposé avoir atteint la stabilité de ce fonctionnement grâce à l'investissement à un niveau relativement constant. C'est bien ce qui qualifie le rapport mère-enfant dans la métaphore des soins maternels. C'est aussi ce que le transfert nous montre quand nos analysants nous prêtent une vie ordonnée et tranquille, sans tourments pulsionnels, comme l'enfant s'imagine que l'adulte n'a aucun mal à vivre en paix avec ses pulsions ou qu'il a le pouvoir de les satisfaire totalement, de sorte qu'il ne souffre d'aucune frustration et ne connaisse pas les affres du désir.

Or, cette vision idéale du Moi — celle d'un Moi idéal — est battue en brèche par le désir d'objet. C'est le manque d'objet qui va rompre cette fragile réussite que représente l'organisation

---

11. Cela ne contredit pas l'idée que l'identification puisse être imaginaire — identification à une image de l'objet plutôt qu'à l'objet lui-même — : c'est par rapport à l'imaginaire de la représentation que l'identification accomplit une transformation.

du Moi comme réseau d'investissements à niveau relativement constant. Présence de l'objet. Jamais plus présent que dans l'absence où il vient à manquer, l'objet est « fauteur d'excitations », comme dit Freud. Il faut rappeler ici sa position intermédiaire — en fait, double. L'objet est un carrefour. Il est la quête des désirs du Ça en mal d'objet pour le satisfaire, donc générateur de tensions libidinales, nécessairement contradictoires, d'amour et de haine. Il est partie du monde extérieur, puisque c'est bien là, en dehors du sujet, que l'objet se trouve situé. Winnicott nous a appris comment la fonction de l'objet transitionnel surmonte partiellement cette double source de tensions. Mais il est encore une autre solution que nous connaissons pour résoudre ce problème : le narcissisme. Par l'investissement libidinal du Moi, le Moi se donne la possibilité de trouver en lui-même un objet d'amour, constitué sur le modèle de l'objet, susceptible, grâce aux ressources de l'auto-érotisme, d'obtenir la satisfaction pulsionnelle recherchée. C'est le narcissisme qui permet l'achèvement unitaire, ou plutôt le leurre de l'achèvement unitaire, par la voie de l'identification imaginaire. Cette narcissisation sera d'autant plus forte que l'objet investi aura déçu. Déception plus que frustration, car c'est la déception qui est à la racine de la dépression. La déception entraîne d'autant plus aisément le mouvement dépressif que les deux objets (interne et externe, maternel et paternel) auront été *désillusionnants* de trop bonne heure, non fiables, trompeurs. Le sujet a perdu sa foi en eux. Ils sont devenus précocement « trop réels ». Il ne reste plus qu'à compter sur les ressources de la confiance — illusoire — qu'il place compensatoirement en sa toute-puissance.

Ce long préambule était indispensable pour étayer mon hypothèse sur l'objet-trauma. On a soutenu, à juste titre, d'une part que le trauma n'était pas nécessairement d'origine externe, que l'irruption de la sexualité dans le Moi était un traumatisme, et d'autre part que l'introjection des pulsions dans le Moi était un mode de résolution de conflits liés à l'incorporation de l'objet. Le point de vue que je développe ici s'inscrit dans une perspective différente mais complémentaire. En parlant d'objet-trauma, je vise essentiellement la menace que l'objet représente pour le Moi, dans la mesure où il force le Moi à modifier son régime par sa seule existence. Car, d'une part, l'objet étant interne au montage pulsionnel, il est chargé de toute l'énergétique et de toute la fantasmatique pulsionnelles ; il cherche donc à pénétrer dans le Moi de l'intérieur. D'autre part, en tant qu'il est extérieur au montage pulsionnel, l'objet n'est pas à la disposition du Moi et celui-ci doit — tout en ménageant les autres instances (le Ça, le Surmoi et la Réalité) — se faire violence pour sortir de sa quiétude et *aller à* l'objet, comme on dit aller au travail. En outre, et c'est là le plus important, l'objet n'est, lui, ni fixe ni permanent. Il est *l'aléatoire* dans le temps comme dans l'espace. Il change d'humeur, d'état, de désir et force donc le Moi à un travail d'ajustement considérable. Enfin, l'objet a ses désirs propres, qui ne coïncident que partiellement avec ceux du Moi. Il a *son* but et *son* objet, qui ne vont pas nécessairement dans le sens de la réciprocité souhaitée par le Moi. Autant de sources de traumatismes, s'il en est, comme le montre l'incapacité du Moi à le contrôler. A ces difficultés s'ajoutent les problèmes quantitatifs (donc qualitatifs) ; l'objet est encadré par le sentiment du trop et du trop peu : trop présent, trop peu présent ; trop absent ou trop peu absent. Or, si la fusion avec lui est souhaitable, elle ne peut être totalement complète, le Moi disparaissant complètement dans la fusion. Et, si la séparation permet au Moi de « souffler », l'objet ne doit être ni trop éloigné ni trop longtemps hors de portée. A ceci s'ajoutent les exigences parallèles de l'objet à l'égard du Moi, et celui-ci le sent, hors les moments de grâce toujours trop courts, toujours insuffisants, face aux réalisations attendues.

Il devient alors compréhensible que l'objet soit à la fois désirable et indésirable — aimable et haïssable — et que le pôle narcissique préfère l'être à l'avoir, bien que l'avoir renforce le sentiment d'être. Un moindre besoin d'avoir doit préparer aux aléas de l'avoir, un moindre être peut assurer la sécurité devant les dangers des vicissitudes d'être, l'illusion narcissique pouvant suppléer à cette suppression d'apport par des « tirages » sur les investissements du Moi puisés sur ses réserves — ses « provisions narcissiques », comme on dit [12].

Mais le repli narcissique est un leurre de plus, Freud l'avait vu dans sa description des *Types libidinaux* (1931). Le caractère narcissique est plus indépendant, mais plus vulnérable. Lorsque le Moi se déçoit face à l'Idéal du Moi qui devient son objet, le Moi idéal perd son fragile équilibre. Deux issues se présentent : la dépression par déception de l'objet et, plus régressivement, le sentiment de faillite du Moi face aux exigences de l'Idéal du Moi qui a pris la place de l'objet. Ou bien, deuxième possibilité, le morcellement lorsque, à la déception de l'objet, fait place le sentiment de persécution par l'objet — résultant de l'identification projective — où le Moi s'identifie à ses parties projetées, le mauvais Moi étant identifié avec l'objet. On voit

---

12. La quantité des investissements peut s'amoindrir au profit de l'élévation du niveau de ces investissements diminués.

donc que le conflit est inévitable entre le Moi et l'objet-trauma, et que le désinvestissement d'objet et le repli narcissique exposent le Moi du sujet à un type d'angoisses très menaçantes : les angoisses narcissiques.

ANGOISSES NARCISSIQUES ET ANGOISSES PSYCHOTIQUES.

Comme je l'ai indiqué, je n'aborderai pas la question du délire, mais il me faut préciser, dans le cadre des relations entre narcissisme et psychose, les rapports entre angoisses narcissiques et angoisses psychotiques. Cette question se pose tout particulièrement à propos de l'objet-trauma.

L'objet en tant qu'il est objet de la pulsion est nécessairement objet-trauma. Cependant, il n'est pas que cela. Le rôle de l'objet, en tant qu'objet externe (c'est-à-dire extérieur au montage pulsionnel), a pour fonction de remédier au mal dont il est cause. Facteur de trouble, agent de l'étranger, perturbateur de la tranquillité du Moi, l'objet interne peut aussi, bien entendu, dans la mesure où il est un bon objet, être utilisé comme objet consolateur, apaisant, « objet-porteur », au sens du *holding* de Winnicott. Cet objet interne, qui pourra donner naissance à l'objet transitionnel, s'étaye sur l'objet des soins maternels de la mère dite « suffisamment bonne », selon la terminologie de Winnicott.

Le rôle de l'objet externe lié à l'amour d'objet établit une fonction oscillante de l'objet. Je veux dire par là que l'amour d'objet est une fonction transitive où alternativement l'objet est soit la mère, soit l'enfant. L'enfant devient l'objet de l'objet dans la relation d'illusion de l'unité mère-enfant.

Jusqu'au jour où cette illusion fait place à la désillusion créée par la prise de conscience du tiers qu'est le père. Celui-ci a, depuis toujours, déjà été. Mais il n'a été présent qu'*in absentia*, dans le psychisme de la mère. La prise de conscience de son existence à l'état séparé, qu'il faut relier à la prise de conscience de la mère et de l'enfant comme êtres distincts, dont les vœux ne coïncident plus absolument dans la relation d'omnipotence mutuelle, ouvre l'espace de la triangulation précoce (antérieure de beaucoup à la phase œdipienne proprement dite).

Or, cette évolution n'est possible pour l'enfant que si la mère suffisamment bonne a fait jouer à plein l'amour d'objet. En quoi consiste l'amour d'objet n'est pas facile à dire, mais tout observateur d'une relation mère-enfant ordinaire sait de quoi il s'agit. Formulé dans le vocabulaire de la psychanalyse, nous dirons que l'amour d'objet consiste dans l'investissement par l'enfant de la mère comme garante d'un bien-être lorsque les pulsions sont activées à la recherche de la satisfaction qu'elles attendent d'un objet situé hors de la sphère des pulsions. Nous savons que la satisfaction immédiate des pulsions est impossible, que la frustration est inévitable, que l'adaptation parfaite de la mère à l'enfant est un moment de grâce qui ne dure pas, s'il a jamais existé, et qu'il faut plutôt le comprendre comme un fantasme rétroactif d'une idéalisation du passé : l'âge d'or entre une mère parlante et son infans.

Tout ce qui vient à la suite, tout ce qui est remémorable, voire mémorable, est la série pulsion-désir-demande-frustration-satisfaction différée, nécessairement incomplète, plus ou moins adaptée au désir mis en branle par la pulsion. Par conséquent, l'amour d'objet ne peut, du côté de l'objet externe, avoir qu'un but et qu'un résultat, hormis le cas de ce que Freud appelle l'*action spécifique* (la satisfaction pulsionnelle) : rendre les pulsions tolérables par le Moi. C'est bien l'action spécifique qui donne à l'enfant le sentiment d'être aimé et constitue parallèlement le narcissisme positif et la croyance en l'amour d'objet. Toute satisfaction anticipée (avant même que le désir ne devienne conscient pour l'enfant), toute satisfaction donnée sans amour ou différée au-delà des possibilités d'attente du bébé, toute diffusion des angoisses de la mère transforment cette action spécifiquement bonne en action spécifiquement mauvaise. Quelles sont les conséquences pour l'appareil psychique ?

Lorsque l'action spécifique demeure spécifiquement bonne, le Moi peut constituer le système qui lui est propre et qui vise à établir le réseau d'investissements à niveau constant, à acquérir une organisation relativement stable. L'objet externe a joué le rôle de *miroir,* de *contenant,* de *Moi auxiliaire.* En ce cas, le Moi n'aura plus qu'à tenter de se défendre contre le caractère trop intempestif de certaines exigences pulsionnelles. Il peut compter sur l'aide et le secours de l'objet (externe et interne) dans ce conflit avec les pulsions. Si par la suite la déception de l'objet, ou des deux objets dans la configuration œdipienne, l'oblige au repli narcissique, il y trouvera un refuge précaire, mais protecteur dans l'auto-idéalisation. Et lorsque cet abri, cette auto-nidation, sera menacé, il connaîtra les angoisses narcissiques. Angoisses régressives sans doute, mais régression sans caractère foncièrement destructeur de la réalité psychique et de la réalité extérieure, matérielle.

Au contraire, lorsque l'action spécifique devient spécifiquement mauvaise et que l'objet ne remplit plus son rôle de miroir, de contenant et d'auxiliaire du Moi, ce qui vient à la place est une deuxième source de conflit. C'est-à-dire que le Moi, au lieu d'avoir à se défendre contre les seules pulsions et leurs dérivées (objets fantasmatiques), mènera un combat sur un double front. D'une part, il continuera de lutter contre les pulsions ; d'autre part, il aura à lutter contre l'objet. Pris en tenaille, ne sachant où donner de la tête et sur quel front le danger est le plus pressant, il mettra en œuvre les ressources dont il dispose par la mise en jeu des pulsions de destruction. Les pulsions de destruction s'arrêteront tour à tour sur l'objet externe, sur l'objet interne, voire sur le Moi lui-même. L'identification projective sera alors excessive. La réalité extérieure comme la réalité intérieure seront haïes (Bion). C'est là qu'apparaîtront, non plus seulement les angoisses narcissiques de la folie privée, mais les angoisses psychotiques de la folie publique : la psychose.

Ainsi l'objet-trauma deviendra un objet-fou. Affolé et affolant, contre lequel une neutralisation sera tentée par les pulsions destructrices. Dans ce cas, le repli narcissique ne pourra plus soutenir aussi efficacement l'illusion de la mégalomanie du Moi. C'est-à-dire que le narcissisme, de positif, deviendra négatif. Négatif à tous les sens du terme. Négatif au sens de contraire du positif : le bon devient mauvais, et négatif au sens de la néantisation où Moi et objet tendent vers la nullification mutuelle. Nous sommes ici à l'extrême des possibilités de l'appareil psychique dans la sphère psychique. Restent encore soit la régression psychosomatique, cette démence du soma, soit la désagrégation psychique dans la détérioration mentale. Dans les deux cas, il s'agit des débordements du psychique par le physique somatique. La réversibilité est conjecturale : possible ou impossible. La régression destructrice peut être temporaire ou définitive. Ce qui est probable, c'est que la réversibilité dépendra des soins physiques et psychiques d'un objet qui n'a jamais été. Il ne s'agira pas d'un objet parfait — peut-être seulement d'un objet-trauma, qui limitera l'inévitable traumatisme à sa non-adéquation parfaite au Moi [13], sans toutefois que vienne se mêler à ses interventions l'angoisse née de ses propres pulsions.

Ayant été jusqu'au bout de notre développement théorique, il nous faut maintenant revenir à des bases moins hypothétiques, en faisant retour au texte de Freud de 1926.

---

13. Diatkine a fait remarquer que cette inadéquation de l'objet est constitutive de la relation et qu'elle est une source de stimulations fécondes dans le développement ultérieur.

SIGNES ET SYMBOLES MNÉSIQUES AFFECTIFS.

Si Freud commence, dans *Inhibition, symptôme et angoisse*, par l'étude des limitations fonctionnelles du Moi pour les distinguer des symptômes et de l'angoisse, c'est qu'il pressent leurs différences. *Le symptôme ne se produit pas dans le Moi*, telle est la conclusion du premier chapitre. Plus tard, le Moi reviendra dans le texte comme l'instance qui déclenche l'angoisse lorsque les investissements d'objet constituent une menace pour lui. *Mais qu'en est-il du cas où le Moi déclencherait l'angoisse au niveau, non des investissements d'objet, mais de ses propres investissements ?* Ce cas, Freud ne parvient pas à l'envisager dans *Inhibition, symptôme et angoisse*. Tout au moins dans le texte. Il faudra attendre les appendices pour voir apparaître les différences entre angoisse, douleur et deuil dans les dernières pages de l'ouvrage. Distinctions essentielles en ce qu'elles prennent le narcissisme en considération. En effet, Freud conclut à la nature narcissique de la douleur *corporelle,* tandis que la douleur psychique résulterait de la transformation de l'investissement narcissique en investissement d'objet (*Inhibition,* p. 101). Freud est de cette façon cohérent avec lui-même, puisqu'il a soutenu, depuis 1914, que l'hypocondrie est la névrose actuelle préliminaire à la névrose narcissique de la psychose. Cette idée sera être corrigée par la distinction de 1924, où la mélancolie est seule à mériter le nom de névrose narcissique, tandis que la paranoïa et la schizophrénie sont dénommées psychoses. Toutefois, la conclusion de Freud en 1926 sur la douleur psychique comme liée à l'investissement d'objet appelle des précisions. Si Freud ne contredit pas *Deuil et mélancolie* — et rien ne montre qu'il souhaite modifier sa théorie sur ce point —, l'investissement d'objet de la douleur psychique ne peut en toute logique qu'être *l'investissement d'un objet narcissique*.

Ainsi, nous aurions un couple douleur corporelle-douleur psychique, où le passage de l'investissement narcissique à l'investissement d'objet (narcissique) situe d'abord le narcissisme au niveau du corps — donc du Moi corporel —, puis au niveau du Moi psychique, dans une relation où objet et Moi sont en miroir. Mais l'important est que, à la différence de l'angoisse qui est un *signal*, la douleur est une *blessure*. D'une sémantique du signe, nous sommes passés à une sémiologie métaphorique, l'hémorragie narcissique s'écoulant par la plaie du narcissisme blessé, entaillé. C'est dire que *l'unité narcissique* est compromise. Du point de vue de la forme, la blessure crée une béance, et, de celui de la consistance, le Moi subit une déperdition, voire une déplétion de sa substance. La consistance du Moi, si j'ose dire, *en prend un coup*. Le deuil, enfin — ici, il faut suivre Mélanie Klein —, est le deuil d'un objet, sinon total ou totalisé, du moins en voie de totalisation, et là encore les réactions en miroir, entre la structure de l'objet détruit et sa réparation symétrique par le Moi qui s'identifie à lui, sont remarquables.

On ne saurait assez insister sur les différences qui existent entre *affect* et *identification*. L'identification, surtout lorsqu'il s'agit de l'identification primaire, est avant tout affective : empathique ou sympathique, en tout cas « pathique ». On peut comprendre ainsi la différence entre identification primaire et identification secondaire. Tandis que la première est de l'ordre de l'affect, la seconde est surtout le fait de représentations de désir. Le désir n'est plus *éprouvé* comme dans le premier cas, il est réduit à des traits spécifiques, qui deviennent des traits d'identification sur un mode sémantique. La transition me paraît s'expliquer par la substitution du mode d'identification *diffuse,* dans le cas où l'identification est dite primaire, à un mode d'identification *articulée*, dans le cas où l'identification est dite secondaire. Dans ce deuxième cas, on comprend que le langage puisse y jouer un rôle tout à fait approprié, puisqu'il y a articulation, alors que, dans le premier, les identifications affectives, massives, n'ont qu'un choix limité, les oppositions étant commandées par la relation duelle plaisir-déplaisir, ou jouissance-douleur, selon des modes symétriques, opposés, ou complémentaires.

Cette référence à la sémantique, la sémiologie, voire la linguistique peut surprendre. Pourtant l'écriture même de Freud l'autorise. En effet, il définit le symptôme comme le *signe* et le substitut d'une satisfaction pulsionnelle qui n'a pas eu lieu (*Inhibition...,* p. 7). Plus loin, il réitère sa conception des états d'affects incorporés à la vie psychique « à titre de sédiments d'événements traumatiques très anciens, rappelés dans des situations analogues comme symboles mnésiques » (p. 9). Inutile de soulever ici la question de la phylogenèse, le sédiment ontogénétique suffirait à en rendre compte. Ce qui est plus important est la notion d'incorporation à la vie psychique ; dans la vie psychique s'incorporent des sédiments de traumas du début de la vie qui vont servir la fonction signal comme *symboles mnésiques*. Signe, symbole, l'écriture de Freud ne néglige aucune des ressources d'une sémiologie qui préserve l'unité de la sémantique tantôt appuyée sur les représentations, tantôt sur les affects. L'expression de Freud, « symbole d'affect » (p. 10) me paraît hautement significative.

Quelques années après, dans les *Nouvelles conférences d'introduction à la psychanalyse* (1932), il poursuivra, dans la même inspiration, la comparaison que je viens de suggérer, lorsqu'il

149

rapprochera l'angoisse signal, avec l'émission de petites quantités d'énergie, de la pensée explorant le monde extérieur. Ainsi, de l'affect à la pensée, la fonction mnésique-sémantique est à l'œuvre. Ce qui distingue les différentes manifestations, c'est le matériau que la fonction mobilise, sa nature et sa quantité, car il est clair que l'affect le plus minime mobilise une énergie qui n'est pas de même ordre que celle qui sert à investir, ou à désinvestir, les représentations, et encore plus, cela va sans dire, la pensée que le langage actualise.

Soulignons en tout cas la participation du Moi dans toutes ces opérations, qu'il soit déclencheur de l'angoisse ou agent des processus de pensée (qui sont l'apanage du préconscient) : le Moi est au milieu du jeu. Encore faut-il ajouter que ce ne sont pas les mêmes fonctions qui sont activées dans les différents cas, bien que des rapports analogiques les unissent.

Mais la question qu'on ne peut pas ne pas se poser, dans la mesure où Moi et narcissisme sont si étroitement solidaires, pour ne pas dire consubstantiels, est de savoir si, en dehors des cas décrits par Freud (douleur corporelle ou hypocondrie, douleur psychique, blessure narcissique, dépression, et ajoutons-y clivage et morcellement), si donc il n'y a pas moyen de compléter ces descriptions, ou de les affiner, et surtout de leur donner une formulation théorique plus conforme à l'expérience clinique et aux théorisations post-freudiennes.

Nous serons obligés de prendre en considération le destin des *motions* pulsionnelles narcissiques (c'est-à-dire orientées vers le Moi), celui des *représentants* pulsionnels narcissiques, pour comprendre la clinique et la théorie des angoisses narcissiques, ainsi que la façon dont celles-ci se manifestent dans l'analyse. Cela revient à examiner dans une même perspective le versant narcissique de l'angoisse — fût-elle liée aux investissements d'objet — et l'angoisse des structures narcissiques (organisations ou personnalités narcissiques). J'essaierai d'aborder des aspects moins étudiés mais dont la clinique psychanalytique moderne a reconnu l'importance avec une convergence remarquable.

Je proposerai donc une définition de l'angoisse dans une perspective moderne :

L'angoisse est le bruit qui rompt le continuum silencieux du sentiment d'exister dans l'échange des informations avec soi-même ou avec autrui.

Ce bruit est une information appartenant à un code qu'il convient de traduire dans le code régi par les rapports du langage et de la pensée dans leur relation au désir, afin d'accroître l'information de ce dernier système qui, comme tout système, a des fonctions donc des limites. L'angoisse pose donc au premier plan le problème de la limite entre les codes d'un même sujet ou entre deux sujets.

Deux stratégies sont alors possibles :
— englober sous le vocable « angoisse » tous les phénomènes affectifs désagréables ou pénibles ;
— réserver à l'angoisse sa spécificité, en distinguant avec Freud l'angoisse des autres affects pénibles. Il y a, en ce dernier cas, interaction constante entre les deux registres.

Nous allons maintenant laisser reposer cette définition et nous tourner vers une des formes les plus extrêmes des rapports entre angoisse et narcissisme : la douleur psychique.

LA DOULEUR PSYCHIQUE.

Il y a quelques années, la British Psychoanalytical Society proposait comme thème de réflexion à un congrès : « La douleur psychique [14]. »

Comme le rappelait J.-B. Pontalis à cette occasion, l'expérience de la douleur est celle d'un « Moi-corps [15] », la psyché se muant en corps et le corps en psyché. Les circonstances dans lesquelles j'ai pu observer la douleur psychique me permettent de décrire la constellation suivante :

— La douleur est provoquée par *une déception reçue dans un état d'impréparation*, ce qui la rend plus proche de la névrose traumatique que de la frustration, de la privation. Dire qu'elle est liée à la perte d'objet est moins important que de souligner l'impréparation du sujet, due à la scotomisation et au déni des signes du changement de l'objet jusqu'au moment où survient l'impossibilité de maintenir le déni. C'est toujours un coup de tonnerre dans un ciel serein, même si le soleil était masqué par les nuages depuis des semaines. Ce qui est intolérable est le changement de l'objet, qui contraint le Moi à un changement correspondant.

— La douleur procède d'une *séquestration de l'objet*, sur un mode proche de l'hypocondrie, à la différence qu'il s'agit d'un objet psychique et non d'un organe. Mieux, le Moi s'enkyste avec l'objet dans le maintien d'une unité algique où il cherche

---

14. C'est là une terminologie qui n'appartient pas au vocabulaire psychanalytique traditionnel, à tel point quelle fut récusée par la psychanalyse nord-américaine comme titre de table ronde à un congrès de l'Association psychanalytique internationale.

15. « Sur la douleur » (psychique), dans *Entre le rêve et la douleur*, Gallimard, 1978.

à l'emprisonner. La douleur est le résultat de la lutte que l'objet interne entreprend pour se dégager, tandis que le Moi s'acharne après lui, se meurtrissant à son contact, car le Moi en fin de compte ne blesse que lui-même, parce que l'objet séquestré n'existe plus, il est une ombre d'objet. Le Moi est comme l'enfant désespéré qui se cogne la tête contre le mur. A la différence de la mélancolie, il n'y a pas indignité et auto-reproche, mais sentiment de préjudice, d'injustice.

— La séquestration de l'objet et la douleur interne qui agit comme un aiguillon constant donne un tableau contrasté qui oppose des *signes extérieurs discrets* (*du fait d'un affect de honte*) *à un orage intérieur permanent.*

— Il existe une contradiction dans la structure du Moi *entre des possibilités sublimatoires remarquables accompagnant une relation d'objet marquée par l'idéalisation ainsi que le déni, et des pulsions clivées, à l'état sauvage.* La sensibilité narcissique est raffinée, la sensibilité objectale brute.

— Une défense fréquente contre la douleur psychique est la *mouvance des limites spatiales* : l'errance, le voyage. Le déplacement est agi, en une recherche d'un espace inconnu, alors que le déplacement interne est impossible, l'espace psychique étant absorbé par la séquestration de l'objet fantôme.

— La régression au passé prend une forme paradoxale. Alors que la prévision du changement de l'objet est impossible, du fait que le temps est nié, l'anticipation domine désormais. Car en fin de compte c'est l'intolérance au changement aussi bien du Moi que de l'objet qui est la caractéristique principale de la douleur psychique. La raison en est que le changement va contre la permanence et la pérennité de l'organisation narcissique unitaire dans l'espace comme dans le temps.

— Cet état de douleur psychique est le produit de ce que Masud Khan a appelé les *traumatismes cumulatifs.* Du fait de la structure narcissique du Moi, ces traumatismes accumulés sont surmontés en étant niés. Lorsque la blessure narcissique majeure est rouverte, l'état intérieur est, comme Freud l'a décrit, celui d'une expérience traumatique interne continue. Winnicott a parlé de comportement réactif. A sa suite, je parlerai d'un *fonctionnement psychique interne réactif.* En effet, la réactivité répond à un fonctionnement de symétrie, au coup par coup. La défense prend alors la forme d'une *identification primaire réactive,* ou, dans les cas les plus graves, d'une *dépersonnalisation plus ou moins confusionnelle réactive.* L'exploration du passé révèle que les formations du caractère relèvent moins d'orientations pulsionnelles définies que de formations réactives aux pulsions de l'objet. La réaction concerne moins les pulsions du sujet, qu'un effort tente de réduire au silence, que les pulsions de l'objet, haïes pour leur orientation nouvelle ou leur changement d'expression. De même, le monde interne est relativement désinvesti, tandis que la réalité extérieure — source de dangers permanents — est surinvestie.

— Devant les menaces venues du changement de l'objet, une activité de contrôle s'exerce. La contradiction est peut-être qu'il s'agit en même temps de contrôler l'objet et d'être contrôlé par lui. Autrement dit, le moyen de rendre l'objet prisonnier est de se constituer aussi comme son prisonnier. Les rôles se renversent, nous l'avons vu, lorsque, la blessure narcissique étant devenue une plaie ouverte, la séquestration de l'objet est indispensable, créant l' « hypocondrie psychique ». Le but de cette séquestration, qui peut s'accompagner d'identification projective, est de reconstituer l'unité perdue avec l'objet par la création d'une *complémentarité interne*. Le résultat de cette performance est que l'on a affaire à des sujets d'apparence extérieure « normale », dans la mesure où cet adjectif a un sens pour un psychanalyste, vivant avec une infirmité intérieure, réceptacle d'objets-trauma qui vampirisent le Moi hypnotisé. D'où la difficulté de statuer sur la structure psychopathologique.

Quelle est l'explication métapsychologique de cette structure ? Nous en donnerons un modèle hypothétique. Le sujet narcissique ne peut jamais prendre le risque, sous peine d'épuisement ou d'un « empiétement » de l'objet (Winnicott), d'investir pleinement l'objet dans l'abandon de soi. Abandon de soi veut dire confiance dans la situation où l'on s'abandonne à l'amour de l'objet. L'objet peut être aimé ; s'ouvrir à l'objet est périlleux. Si, dans ces conditions frustrantes pour l'objet, celui-ci se détourne ou part à la recherche d'un autre objet (objet de l'objet), le Moi fait l'expérience de la rage narcissique (Kohut) et de l'homosexualité à l'égard du rival. Tout contact avec l'objet, dans la mesure où ce contact suggère un rapport homosexuel avec le rival (l'objet de l'objet) ou un contact destructeur par la déception infligée, est suspendu. Cela ne suffit pas ; un retournement de l'orientation des investissements prend la forme d'un renversement à effet aspirant, qui « rentre » les investissements vers le Moi. La retraite narcissique est corollaire du désinvestissement objectal. Ce qui se produit alors à l'insu du sujet dans cette déflexion des investissements, ou cet infléchissement interne, est que, *sans s'en rendre compte,* le Moi ramène dans son filet l'objet, mais c'est un objet vide, un fantôme d'objet. Dès lors, la séquestration objectale dont nous avons parlé est l'enjeu d'un combat impitoyable où le Moi, croyant meurtrir l'objet, ne réussit qu'à se meurtrir lui-même. C'est le statut narcissique de l'objet tissé dans la toile du Moi qui ne réussit qu'à agrandir la déchirure du tissu. D'où l'investissement *négatif*, investissement du trou laissé par l'objet, comme trou ayant valeur de seule réalité. Ce que Winnicott exprime en disant que le négatif de l'un est plus réel que le positif de l'autre, c'est-à-dire de tout objet substitutif. L'aveuglement du Moi paralysé et endolori est d'autant plus compréhensible qu'il ne peut voir l'objet, puisque l'objet n'est pas sur la toile, la surface sur laquelle il s'inscrit, mais *est* la trame même de cette surface entoilée. A la place d'un *insight* on a un « *painsight* ». En français, à la place d'une *introvision* (pour ne pas employer introspection), on a une *algovision*. Cet investissement de « l'aspect négatif des relations » (Winnicott) montre une remarquable intolérance au deuil, puisque perdre l'objet c'est de perdre soi-même, l'objet étant la source de toute l'estime du Moi à l'égard de lui-même. L'analyse a pour but dans ces cas d'aboutir à une re-naissance — peut-être même une naissance — psychique par le moyen de « douleurs de croissance » (Bion). Ceci ne s'accomplit que par la tolérance à l'état non intégré, c'est-à-dire l'abandon de la mainmise narcissique et du contrôle de l'objet. L'état non intégré est différent de l'état désintégré (Winnicott). Le Moi lutte contre cette menace anti-unitaire, puisque l'objet et le Moi ne font qu'un. La douleur est une sorte de garde-fou, un état d'alerte, un moyen d'existence pour la survie, sans vie véritable, quand le Moi rencontre sa contingence vécue comme futilité.

Ces remarques me font beaucoup douter de l'affirmation de Freud, dans *Inhibition, symptôme et angoisse*, selon laquelle l'investissement négatif n'a pas de place dans l'inconscient. De même, quand il soutient — et sur ce point le bât le blesse, puisqu'il y était sujet — que l'évanouissement ne laisse pas de trace dans l'inconscient. Au contraire, je crois que le désinvestissement que constitue l'évanouissement ne se borne pas à revivre une expérience de fusion, mais réalise également une expérience de coupure, de vide, qui troue l'inconscient, dont les contre-investissements s'activent sur les bords de la plaie béante contre le retour ou l'extension d'une telle expérience affective. L'hallucination négative en est le correspondant dans l'ordre de la représentation.

Je dois ajouter que ce n'est pas seulement l'expérience de la perte qui est ici au premier plan mais aussi celle de la vie *inconnue* de l'objet changeant [16]. Si l'objet a changé sans que le Moi note ce changement, c'est que l'objet n'était, au fond, pas

---

16. Cela pourrait se rattacher à ce que Rosolato appelle la relation d'inconnu.

connu. Il était inconnaissable, donc imprévisible. Autant dire qu'il était un objet — et non un objet narcissique — *autonome*. Et c'est ce qui est intolérable au Moi, qui le regarde tour à tour comme partie de lui-même et comme étranger absolu. Même et Autre. Cette inconnaissabilité de l'objet oblige le Moi à se confronter avec son propre inconnu, que son narcissisme colmate. Divers moyens sont alors disponibles : construire une néo-réalité grâce à l'identification projective : *délirer,* ou bien vivre la douleur de l'inconnu en soi-même qui renvoie à l'inconnu de l'objet et rechercher la fin apaisante et refusionnante : *mourir.* L'analyste doit alors naviguer entre Charybde et Scylla : être le support d'un transfert délirant ou celui d'un transfert mortifère. Il n'est pas nécessaire pour l'analysant d'aller jusqu'au suicide pour cela. La mort psychique, embaumement du Moi et de l'objet dans l'inerte, peut largement remplir ce programme.

L'objet de l'analyse dans le cadre ne doit être ni *dans* l'analy-sant ni *dans* l'analyste, mais dans l'espace potentiel de leur entre-deux, dans une nouvelle forme de réunion qui permette d'accéder à *la métaphore de l'objet,* qui n'est que l'objet du lien ; ni mien ni tien : lien.

LE BLANC.

Avec Jean-Luc Donnet, j'ai décrit en 1973 la « psychose blanche [17] ». A l'époque, je me suis demandé si avec l'analyse d'un cas qui entrerait certainement dans la catégorie de l' « excep-tion » selon Freud (et l'exception est toujours liée à une blessure narcissique), je n'avais pas décrit une singularité tératologique sans portée générale. L'expérience m'a délivré de ce scepticisme. J'aimerais apporter quelques précisions sur l'ambiguïté de cette « blancheur ». Blanche au sens où je l'emploie vient de l'anglais *blank* [18], qui signifie espace inoccupé (non imprimé, par exemple pour la signature d'un formulaire ou la somme, pour un chèque en blanc, carte blanche), vide. Le terme anglo-saxon vient du français *blanc,* qui désigne une couleur. Le français vient lui-même du germain occidental : *blank,* qui signifie clair, poli. *Blank* a supplanté l'*albus* latin. Parmi les dérivés, on nomme blanchir, déblanchir, reblanchir. L'aubin est devenu albumine, blanc d'œuf ; ce qui nous fait rejoindre le narcissisme. En outre, le *Dictionnaire érotique* de Pierre Guiraud donne pour blanc

---

17. J.-L. Donnet et A. Green, *L'enfant de Ça,* Ed. de Minuit.
18. O. Bloch et W. von Wartburg, *Dictionnaire étymologique de la langue française,* P.U.F.

deux significations : 1) sperme, sans doute, dit l'auteur, au sens de « blanc d'œuf », et 2) sexe de la femme, ce qui rejoint les conceptions psychanalytiques sur la castration féminine et le vagin.

Nous avons donc affaire à une bifurcation sémantique : la couleur, l'*albus* latin, et le vide, le *blank* anglo-saxon. Comment s'associent ces deux sens ? B. Lewin a décrit l'écran blanc du rêve et le rêve blanc. L'écran blanc est pour Lewin une représentation onirique du sein après l'endormissement succédant à une tétée satisfaisante. Le rêve blanc est rêve vide, c'est-à-dire sans représentation mais avec affect. Il y a donc rapport de symétrie, de complémentarité et d'opposition entre le sein comme réalisation hallucinatoire du désir et l'hallucination négative du sein. C'est l'hypothèse que j'ai soutenue dans le *Discours vivant*, antérieur à « La psychose blanche », où je disais que ceux-ci sont comme l'avers et le revers d'une même médaille.

Quand le blanc désigne la couleur, il appelle le noir : « la noirceur secrète du lait », l'envers du « doux lait de la tendresse humaine ». Ce noir peut, dans la théorie freudienne, évoquer la violence ou le sadisme. Mais le noir est aussi l'espace nocturne, celui de la disparition de l'objet : sein, mère, pénis de la mère. Par là, la sémantique de la couleur rejoint la sémantique de la forme : le noir est l'espace dépeuplé, vide. La scène primitive dans le noir renvoie à cette disparition des formes — avec intrusion des bruits. Le blanc est donc l'*invisible* [19] ; alors que son contraire sémantique est la lumière de l'aube, dissipatrice des angoisses nocturnes mais annonciatrice du sentiment dépressif : « Encore une journée. »

Que se passe-t-il dans la psychose blanche ? Le Moi procède à un désinvestissement des représentations qui le laisse confronté à son vide constitutif. *Le Moi se fait disparaître* devant l'intrusion du trop-plein d'un bruit qu'il faut réduire au silence. La selle qu'émet l'Homme aux loups au cours de la scène primitive est de nature polysémique. A côté de l'excitation érotique anale que le témoin se procure, à côté de l'expulsion de la mère, j'ajoute l'*auto-expulsion* du sujet. « Je m'en fous parce que ça me rend fou. »

La jouissance de la mère, sans l'enfant, est impensable. Mieux que tout développement théorique, je rapporterai le propos d'une patiente — elle est Anglaise et n'a aucune chance de m'avoir lu — qui me disait un jour : « Tout ce que je sais, c'est que par moment je me sens vide et j'ai absolument besoin d'être avec quelqu'un

---

19. Ou plus généralement l'imperceptible, l'insensible et, à la limite, l'impensable et l'inconcevable.

à tout prix » ; puis, s'étant arrêtée : « Mais peut-être le vide ne peut-il pas être comblé, parce qu'il est en moi et qu'aucun objet ne peut le remplir ? » Quelques mois après, elle donne une description précise de son angoisse de la solitude nocturne. « La nuit, quand je suis seule, je n'arrive pas à dormir ; je m'assois et je suis incapable de rester là ; mon esprit est vide et je ne peux penser (*My mind is blank and I can't think*). Alors, je sens quelque chose dans mon ventre et j'essaie désespérément de faire en sorte que mon esprit et mon ventre se rejoignent et je rampe vers le bas pour opérer cette jonction et elle ne se fait pas. Comme je ne puis travailler, je téléphone à quelqu'un. »

Cette impossibilité de penser, accompagnée d'un double sentiment de séparation totale, de solitude intolérable et d'impulsion corporelle, nous la retrouvons dans la théorie à l'articulation des chapitres II et III du *Moi et du Ça*. Après avoir considéré le passage de l'Inconscient au Préconscient par la jonction des traces mnésiques de choses aux traces mnésiques verbales, Freud définit le Moi comme surface corporelle — et s'arrête là. Puis, au chapitre suivant, il change de registre théorique et aborde le problème de l'objet à l'occasion de la mélancolie et du rôle qu'y joue l'incorporation. Ce saut théorique entre le langage et l'objet est bien celui qui se produit dans ces structures narcissiques et *borderlines*, où le sujet en défaut de représentation, constatant la carence des mots, opère une mutation et passe sur le plan des objets —, oraux, tout particulièrement. L'échec des fixations phalliques que le langage soutient — qui passe aussi par la bouche — ramène le sujet à une oralité métaphorique matérialisée dans le corps. Le sein envahit le ventre pour occuper l'espace vide laissé par la représentation. Il est remarquable que l'angoisse ne se manifeste pas comme telle, plutôt comme un vide. Un vide institué contre le désir de l'envahissement par l'objet pulsionnel qui risque de faire disparaître le Moi.

Ainsi, la relation entre le blanc et la motion pulsionnelle se comprend comme l'interaction d'une coupure radicale d'avec l'objet et d'un désinvestissement de la représentation simultanément avec l'intrusion dans l'espace désinvesti (inoccupé) d'une motion pulsionnelle issue de la partie du Ça la plus ancrée dans la sphère somatique. Les deux temps paraissent successifs. En fait, l'extrême rapidité de ce processus circulaire fait qu'il n'est pas possible de parler de successivité (cela n'est concevable ainsi que dans la description faite après coup par le sujet), mais au contraire tout laisse penser qu'il s'agit d'une quasi-simultanéité, le blanc s'instaurant contre la motion intrusive, celle-ci ne se comprenant que comme effet de comblement du blanc. L'important est la disparition de la médiation offerte soit par la représentation, soit par l'identification. Dans les cas que je décris, c'est le *mouvement* qui est essentiel.

CONSTRUCTION DU MOI ET STRUCTURE NARCISSIQUE.

Le Moi, dit Freud, est une organisation ; c'est là le trait qui le distingue du Ça, qui n'en a aucune. Caractère non négligeable, cette organisation est solidaire du fait que son énergie s'est *désexualisée* (*Inhibition, symptôme et angoisse,* p. 14). Or Freud a souvent lié la différence entre investissement d'objet et investissement narcissique à la désexualisation. En somme, l'infléchissement des pulsions vers le Moi n'accomplit cette narcissisation qu'à la faveur d'une désexualisation relative (comme pour la sublimation), nécessaire au fonctionnement du Moi. Elle rend compte de ce fait corollaire : la vulnérabilité du Moi qui, lorsqu'il se désorganise, s'effondre [20] (cf. *Types libidinaux,* 1931). Il semble alors que l'énergie convertie par la désexualisation serve à constituer l'aspect spécifique des investissements du Moi : auto-conservation, assurance de ses limites et de sa cohésion, raffermissement de sa consistance (à tous les sens du terme), etc. Par-dessus tout, cette narcissisation garantit le fonctionnement du Moi par l'amour qu'il se porte à lui-même : sa foi en lui, si je puis dire. Les paramètres impliqués ici sont nombreux : ils comprennent les notions de constance des investissements, libre circulation de l'énergie, sentiment de sa distinction et de sa séparation d'avec l'objet, perméabilité limitée de ses frontières, capacité à résister aux intrusions de l'objet et à ses variations aléatoires, solidité interne, tolérance aux régressions partielles et temporaires sous réserve de pouvoir rétablir l'état antérieur, etc.

Cette vue idyllique du Moi est tout à fait utopique. Elle a pour contrepartie l'orgueil narcissique de l'autonomie à l'égard de l'objet : l'autosuffisance, la nécessité d'une maîtrise permanente, l'inclination à la mégalomanie et enfin la capture par les identifications imaginaires, comme l'a souligné justement Lacan. Ce qui nous amène à conclure à la *duplicité essentielle* du Moi, duplicité inhérente à son fonctionnement dans son statut de serviteur de plusieurs maîtres : le Ça auquel il doit fournir des satisfactions *réelles*, le Surmoi auquel il doit se soumettre, la réalité dont il doit faire grand cas. Mais ces trois maîtres qui exigent des servi-

---

20. En 1960, à propos de la discussion du rapport de M. Bouvet, *Déper-sonnalisation et relation d'objet,* j'avais proposé cette formule pour caractériser la relation narcissique décompensée : « Le Moi rompt mais ne plie pas ».

tudes contraignantes ne sont peut-être qu'un moindre mal en regard du plus tyrannique des agents de sujétion dont nous n'avons pas encore parlé : l'Idéal du Moi, héritier du narcissisme primaire. Car le bien-être du Moi, son ataraxie, sa quiétude pour accomplir ses tâches idéales, ne sont plus des états de sécurité bienheureuse mais des impératifs. Le Moi doit se sentir en paix — recherche vaine s'il en fût et, de plus, dangereuse, car rien ne ressemble plus à la paix que la mortification de la sclérose, signe avant-coureur de la mort psychique.

Ainsi le Moi est pris entre la compulsion à la synthèse qui est, notamment, à l'origine du narcissisme, puisqu'elle est responsable de l'aspiration à la liaison et à l'unification de lui-même et, du fait de sa dépendance à l'égard du Ça, le désir de ne faire qu'un avec l'objet. Lorsque des obstacles, d'où qu'ils viennent, s'opposent à la réalisation de cette unité du *deux en un*, il reste au Moi la solution de l'identification, qui réalise le compromis entre Moi et objet.

C'est alors que se manifeste la contradiction du Moi : il veut être lui-même, mais il ne peut réaliser ce projet que par l'apport libidinal de l'objet avec lequel il souhaite s'unir. Il en devient le captif. La captation imaginaire (Lacan) l'aliène alors dans ses identifications idéales, dont toute mise en question déclenche un grave sentiment d'échec, de faute, ou, mieux, de *faille* narcissique.

La question que nous aborderons maintenant nous amènera à considérer le résultat des cicatrices narcissiques. En vérité, le terme de cicatrice convient mal. Il s'agit plutôt d'adhérences que de cicatrices, c'est-à-dire de zones sensibles, vulnérables, en tant qu'elles risquent de réveiller la douleur. Lorsque à l'état aigu et subaigu fait place une forme d'organisation chronique, celle-ci tend à créer cette carapace narcissique protectrice et préventive contre les traumas, mais au prix d'une sclérose mortifiante qui mine le plaisir de vivre. La froideur, la distance, l'indifférence deviennent des boucliers efficaces contre les coups venus de l'objet. Ce dispositif, qui constitue un *pare-excitations psychique*, n'est cependant pas sans défaut. Achille avait son talon et Siegfried l'espace de peau par où le fer pouvait s'introduire. Je dirais même que, ce qui caractérise la structure narcissique, c'est ce point faible dans l'armure ou dans le blason. Point vite repéré par l'objet, qui souffre de se voir ainsi tenu à distance, exclu du rapport de proximité, gelé par le sujet narcissique. Que ce rapport de déprivation pousse l'objet à trouver la faille n'est que la réponse normale du berger à la bergère. La vengeance de l'objet est tentante, d'autant plus que le sujet, contrairement à ce qu'il croit, va exhiber sa faille de manière provocante, comme s'il appelait inconsciemment ce coup destiné à le blesser. Ici, un dilemme va s'instaurer entre l'angoisse de castration narcissique et l'angoisse de pénétration dans le vagin fantasmatique. Mais il faut savoir que la béance fantasmatique n'est en aucun cas un cul-se-sac, bien plutôt un gouffre sans fond. Acculé à ses défenses extrêmes, le sujet sera pris entre l'angoisse de séparation qui signifie la perte de l'objet et l'angoisse d'intrusion, le péril de l'envahissement par lui, où le désir de fusion sera synonyme d'une vampirisation par l'objet. En somme, l'objet est soit perdu, c'est-à-dire mort pour le sujet, soit fantomatique, c'est-à-dire changé en vampire assoiffé de sang.

Soumise à ces menaces, la carapace narcissique, d'une part, protège le Moi et alimente l'illusion de la toute-puissance de l'affranchissement de l'objet, l'assurant de l'auto-suffisance idéale et, d'autre part, doit faire face à la double angoisse de séparation et d'intrusion. Des mesures intermédiaires sont nécessaires pour accomplir les tâches acquises par la fonction signal. Cependant, la tendance à fonctionner sur le mode du tout ou rien restera toujours présente. Pour contrer ce mode de fonctionnement, une seule issue : la constitution dans l'Inconscient d'un complexe de représentations d'objet et d'affects (le fantasme) assorti de la fonction signal de l'angoisse. De cette matrice découlera la possibilité d'une autonomisation du monde de la représentation par la formation d'un langage singulier à double fonction : langage, comme « traduction », au sens le plus large (dépendant des objets) et langage-objet qui ne parle que de lui-même, et représente la pensée.

DISTANCE UTILE ET DIFFÉRENCE EFFICACE.

Ce que je viens de soutenir me paraît donner une assise à la théorie des relations d'objet de Bouvet dans laquelle il introduisait le concept de distance. Le temps n'a pas laissé à Bouvet la possibilité d'approfondir ce concept, qui va beaucoup plus loin que le point où il nous l'a légué. Au reste, Freud n'écrit-il pas dans *Inhibition, symptôme et angoisse* que, devant la menace d'un danger extérieur, « nous ne faisons rien d'autre que d'augmenter la distance spatiale entre nous et l'objet menaçant » (p. 71). Mais il ajoute que le refoulement fait plus que cela face aux pulsions menaçantes, « il en réprime [le cours], le détourne de son but, et le rend ainsi inoffensif » (*id.*). La question n'est pas résolue pour autant. Je ferai ici deux remarques : tout va dépendre des rapports de distance intérieure entre les éléments ayant subi le processus de défense, dont l'écartement règle l'intelligibilité du discours de l'analysant. Un écart minimal donne un effet de compression (Bion) bien différent de la condensation, un écart maximal crée une laxité du tissu discursif telle que la compréhension du matériel analytique devient très difficile. En outre, l'observation de certaines structures *borderline* révèle avec fréquence que la distance spatiale avec l'objet doit être matériellement établie, c'est-à-dire agie dans le réel. Il me souvient d'une jeune fille qui s'était fait affecter dans le Corps Diplomatique pour être envoyée aussi loin que possible de son père, auquel la liaient des rapports incestueux fantasmatiques, et de sa mère, à laquelle elle était unie par un lien fusionnel. Bien entendu, quelques mois après son affectation, c'était la dépression, le rapatriement, l'entrée en clinique. Tombant amoureuse d'un collègue, ce fut l'érotomanie, la poussée délirante et la répétition du circuit psychiatrique. Plus que l'éloignement absolu, c'est l'idée d'une matérialisation du parcours qui dominait dans sa défense contre l'angoisse. De même, dans un autre cas, une jeune fille, après échec à une grande école, avait vu s'effondrer ses ambitions narcissiques, seul moyen de valoir aux yeux d'un père grand commis de l'Etat et d'une mère dévalorisante. Cette faillite la plongea dans un état de dépression où la blessure narcissique la conduisit à des tentatives suicidaires sérieuses. Elle devint néanmoins une sinologue distinguée, adoptant avec enthousiasme la religion taoïste, à laquelle elle s'initia en Chine, mais qu'elle pratiqua aussi dans son domicile parisien, entraînant les siens dans cette conversion.

En fait, la *distance utile* et la *différence efficace* sont les conditions du fonctionnement du Moi dans son rapport au Ça, au Surmoi et à la réalité. Par distance utile, j'entends la distance intérieure, où l'objet peut être utilisé, pour servir la demande du sujet. Cela me renvoie à l'article de Winnicott « L'utilisation de l'objet [21] », où il montre l'incapacité de certains analysants à utiliser l'analyste ou, pour certains autres, de ne l'utiliser que pour répéter les carences de l'environnement, ou encore comme support de mises à mort répétées suivies d'autant de résurrections qui satisfont à la fois la toute-puissance destructrice et l'immortalité de l'objet. Par différence efficace, j'entends la différence dans l'association libre entre les éléments associés dans le but de favoriser la générativité du processus associatif dans un rapport de voilement-dévoilement optimal pour le travail au sein de l'association analytique. L'association analytique, que d'autres appellent l'alliance thérapeutique, est le fonctionnement *en couple* du travail analytique dont Freud ne parut comprendre

---

21. Dans *Jeu et réalité*, **Gallimard**.

l'importance que tardivement dans « Constructions en analyse » (1937), après « Analyse finie et infinie » (1937).

Quand distance utile et différence efficace sont remplacées par une distance inutilisable ou une différence inefficace se pose le problème des fonctions du refoulement dans ses relations à l'Inconscient — constitutif d'inconscient et gardien de celui-ci. Ceci est bien le cas dans la névrose, mais reste d'une valeur explicative insuffisante dans les cas limites et les structures narcissiques où le concept de clivage semble plus fécond.

Le refoulement est conçu comme une défense spécifique contre la sexualité et l'angoisse de castration. Freud déclare que, si le nourrisson a bien une propension à l'angoisse, celle-ci décroît dans un premier temps pour resurgir au moment de la période œdipienne. Il dit ainsi deux choses : que l'enfant normal n'a pas d'angoisse, à proprement parler, avant l'Œdipe, mais qu'en outre l'angoisse de castration est inévitable, normale — normative, pour ainsi dire. Lorsqu'il écrit : « Eros désire le toucher, car il aspire à l'unification, à la suppression des frontières spatiales entre le Moi et l'objet aimé » (*Inhibition...*, p. 44), il souligne que le contact serait le point commun entre Eros et les pulsions de destruction, mais il implique du même coup que l'Œdipe porte en lui inévitablement le germe de l'angoisse de castration, le contact étant impossible : érotique à l'égard de l'objet du désir, destructeur à l'égard du rival. Cependant, il se demande également : « Est-il établi que l'angoisse de castration soit l'unique moteur du refoulement (ou de la défense) ? » (*Inhibition...*, p. 45). Autant dire qu'il pose la question, implicitement, des prototypes ou des précurseurs de l'angoisse de castration. Ces angoisses relèvent-elles uniquement de la libido d'objet ? C'est ce dont je doute.

LA LIMITE.

Si le refoulement est le mécanisme structurant et défensif majeur qui permet au Moi de parvenir à la stabilité de son organisation et d'assurer en son sein la libre circulation des investissements, il faut remarquer que les investissements que le refoulement maintient à l'écart du Moi sont essentiellement des investissements d'objet. La question qui se pose alors est de savoir si c'est encore le refoulement qui est à l'œuvre lorsque l'on considère les investissements du Moi. Le refoulement, Freud le montre, est l'équivalent pour le monde intérieur de ce qu'est le pare-excitations pour le monde extérieur. Il me semble alors logique de postuler que le refoulement peut se concevoir selon un double fonctionnement. D'une part, il tient à distance les investissements d'objet qui peuvent menacer l'organisation du Moi. D'autre part, sur sa face extérieure (comme un gant possède une surface interne en contact avec la main et une surface externe en contact avec le monde extérieur), le refoulement constitue un revêtement dont la fonction est d'assurer les limites qu'il donne au Moi. Limite mouvante et sujette à variation qui dispose d'un certain *jeu*. La perméabilité de cette limite n'est pas constante, elle peut, et même elle doit, augmenter dans ce que Bouvet appelait le *rapprocher de rapprochement*, de même qu'elle peut, et qu'elle doit, devant toute menace sérieuse pour le narcissisme, se rassembler, se raffermir, voire se muer en carapace, lorsque la blessure (narcissique) est à l'horizon. Et c'est le moment de se rappeler que la névrose traumatique naît *par surprise*, le signal d'angoisse n'ayant pu être déclenché du fait de l'impréparation du Moi. Le Moi n'est pas pré-paré, prêt à parer. Il n'est pas exclu de penser que la jouissance masochique s'efforce à chaque fois de reconstituer la pénétration, et même l'effraction du Moi par le trauma douloureux, mais peut-être moins douloureux que l'anesthésie (érotique ou agressive) et même, à la limite, l'aphanisis, créée par la perte de l'objet.

Il y a donc une fonction limitante — ou une fonction à la limite du refoulement, qui en fait une fonction du Moi tant à l'intérieur (au voisinage du Ça) qu'à l'extérieur (au voisinage de la réalité et de l'objet). Que ces deux limites parfois tendent à ne plus faire qu'une par la projection, on le constate dans l'expérience analytique.

Le problème posé est de savoir comment l'avantage créé par la limite va surmonter les inconvénients de perdre l'illimité pour avoir séparé ce qui est maintenant de part et d'autre. C'est-à-dire d'avoir constitué un autre, une différence. La solution consiste d'une part à assurer la consistance des deux territoires et d'autre part à trouver les moyens de les faire communiquer sans s'enfermer dans le dilemme de l'invasion et de l'évasion, c'est-à-dire de la perte du voisinage, de la perte du prochain, l'Autre. C'est la porte ouverte à la constitution des objets narcissiques et des objets transitionnels, qui dépassent paradoxalement la différence Même - Autre, Existant - Non-existant, Etant - Non-étant.

Dès lors, la discussion sur les différences entre cas limites et structures narcissiques me paraît très relative. Une façon de trancher le débat est d'englober l'ensemble dans les cas limites, les *borderlines* classiques, mettant davantage en jeu les pulsions orientées vers l'objet, tandis que les organisations narcissiques poseraient le problème des investissements orientés vers le Moi. Les uns comme les autres nous confronteraient alors à l'unique question du destin des contre-investissements et des modalités qui en découlent — versant objectal, versant narcissique, envers et endroit d'une même réalité.

C'est pourquoi je continue de penser que le mécanisme du double retournement que j'ai décrit en 1966 assure cette fonction limitante en ouvrant deux sous-espaces qui communiquent entre eux : celui des investissements d'objet et celui des investissements narcissiques. C'est à l'analyste de savoir repérer dans le déroulement du transfert auquel des deux sous-espaces il a affaire de façon dominante. Il est important de ne pas se tromper trop souvent sur la nature de l'enjeu.

La clinique nous y aide par les repères de l'angoisse du sujet, la thématique singulière du matériel transférentiel, enfin les défenses qui s'y rapportent, tout particulièrement le langage de l'analysant.

L'ANGOISSE DE L'UN.

Ce qu'on a appelé la régression narcissique me paraît caractériser très partiellement ce que je cherche à décrire. Je n'en reprendrai pas les traits, qui sont dans toutes les mémoires.

Si nous admettons, comme Freud l'indiquait déjà, que dans le narcissisme le Moi cherche à être aimé comme son propre idéal, il faut considérer alors que la nature de l'amour que le Moi se porte à lui-même constitue un système aussi clos que possible. Ce dédoublement, *le Moi aimant s'aimer* (« Tu aimeras ton prochain comme toi-même » est un commandement difficile à observer, dit Freud) ou encore *le Moi s'aimant aimer* (lorsqu'un amour d'objet est en question), est évocateur d'auto-aimance autosuffisante et d'*une unité duellement divisée* ou d'*une dualité unitairement multipliée* ($1 : 1 = 1$, $1 \times 1 = 1$). Notons que ces expressions mathématiques sont psychologiquement contradictoires, sinon paradoxales : il y a division qui ne divise rien et multiplication qui ne multiplie rien, l'unité se retrouvant à la fin de l'opération comme au début. Ceci parce qu'il faut assurer l'unité à tout prix, et aussi parce que toute atteinte profonde à cette unité divise ou multiplie en n parties (morcellement). Ni en deux, ni en trois, *ni en aucun nombre fini*. C'est ici le moment de rappeler la différence entre le Moi et le sujet. Le sujet persiste même sous la forme du n en continuant d'assurer les relations entre les n éléments, tandis que le Moi unitaire est brisé en éclats. Dès lors, la problématique de l'angoisse comprend :
— la menace unitaire ;

— la duplication ;
— l'infini illimité ;
— les éclats morcelés (le *diasparagmos*) ;
— l'annihilation = néantisation ;

Ces deux dernières issues nous placent devant une opposition que je crois essentielle entre le *chaos* (*diasparagmos*) et le *néant* (ou *nadir*).

Que veut le Moi ? Qu'on le laisse en paix. Ignorer le monde extérieur fauteur d'excitations et le monde intérieur passée la phase du Moi-plaisir purifié. Winnicott a ouvert un champ nouveau dans la psychopathologie en créant la clinique de la dépendance et de la lutte contre la dépendance, de la quête de l'autonomie, c'est-à-dire, étymologiquement, le droit de se gouverner par ses propres lois *sous une occupation étrangère*. J'ai souvent remarqué ce fait au cours de certaines analyses qui apportaient, à ce que je croyais être le transfert, un matériel pulsionnel très riche. L'interprétation de ce matériel était bien acceptée par l'analysant tant que l'interprétation ne se référait pas explicitement au transfert, mais elle était régulièrement refusée lorsqu'elle était formulée comme interprétation de transfert. Autrement dit, l'analysant voulait bien qu'à la faveur de l'analyse, et même dans la situation analytique, il puisse éprouver toutes sortes d'affects très riches, fût-ce à l'endroit de l'analyste, quels que fussent ces sentiments érotiques ou agressifs. Ce qu'il ne pouvait accepter, c'était que l'analyste soit la *cause*, la source et l'objet de ces affects. Il fallait que cela ne concerne que lui. Goethe disait : « Je t'aime, est-ce que ça te regarde ? » Je (t')aime. A la limite on pourrait supprimer le t', « J'aime » est l'essentiel. Qui ? Cela est contingent. Le Moi dans tous les cas sauve son unité par la négation de l'impact de l'objet, de l'objet comme cause du désir (Lacan).

Lorsque le transfert objectal déborde les capacités de contention du Moi, alors apparaissent un certain nombre de thèmes caractéristiques. Tandis que le thème du miroir a été abondamment traité par les analystes, celui de la transparence l'a peu été. « Il me semble qu'entre vous et moi une paroi de verre, une glace transparente, nous sépare. » J'ai été frappé de voir la fréquence de ce matériel constaté par d'autres analystes. Une patiente d'Anne-Marie Sandler lui disait : « Vos paroles sont pour moi comme la pluie qui frappe sur les carreaux d'une vitre mais qui ne pénètrent pas dans l'intérieur de la maison. » Roy Schafer me parlait un jour du patient qui lui disait se sentir comme une glace qui doucement, doucement, se craquelle. Tout se passe comme si ces patients se sentaient menacés comme l'automobiliste roulant derrière un camion sur une route récemment refaite :

le minuscule gravillon d'un heurt léger transforme le pare-brise (ou le pare-excitations) en toile d'araignée.

L'ANGOISSE DU COUPLE.

La seconde figure est celle du miroir — glace sans tain à travers laquelle on verra sans être vu — qui permet à l'analysant de prendre à son compte l'avantage qu'il attribue à l'analyste et qui le pousse à refouler les associations les plus significatives, en l'invitant à parler à sa place : « Dites quelque chose, n'importe quoi. » Je compris un jour d'une patiente que cet appel répétait le mutisme de son enfance. Pour se défendre contre ce qu'elle appelait les « antennes » de sa mère, qui la comprenait même dans ses silences, elle ne trouvait plus de garantie à son autonomie que dans une pensée singulière qui devait déjouer l'intrusion maternelle : non signifiant oui, oui signifiant non, ce qui compliquait terriblement l'analyse de son refoulement. Elle avait institué une algèbre privée où le signe moins remplaçait le signe plus, le non venait à la place du oui. Cela allait bien au-delà de la fonction du refoulement. Plus qu'une dénégation, il s'agissait d'une survie dans l'opposition qui lui garantissait l'existence à l'état séparé dans une pensée subvertie et subversive à l'égard de ses représentations et de ses affects. Tout se gâtait lorsque la haine envers l'objet rompait cet équilibre et lui faisait courir la menace soit de la perte de l'objet, soit, dans une identification projective, d'une persécution en talion de la part de l'objet.

Ailleurs, le miroir est conforme à sa nature. C'est-à-dire que toutes les figures de la duplication se trouvent représentées dans la relation imaginaire : identité totale entre analyste et analysant, similitude, complémentarité, opposition, peu importent les variantes, l'essentiel est que la combinaison des affects et des représentations des deux partenaires du couple analytique aboutisse à une *totalité parfaite*, à l'image de la perfection sphérique dont le centre est partout, la circonférence nulle part, lisse et impeccablement ronde, sans la moindre aspérité ou irrégularité. Ce qui revient à dire que le sujet cherche à retrouver la mère idéale parfaitement adaptée aux besoins de l'*infans*, avec qui elle ne fait qu'un.

J'aimerais faire ici une remarque clinique sur l'homosexualité et l'objet narcissique. Chez nombre de patients — avec une forte proportion de femmes, pour des raisons inhérentes à la relation à l'objet primordial et à l'identité féminine —, l'assomption de la position hétérosexuelle bute sur un obstacle difficile à franchir : l'objet hétérosexuel est inassimilable car *étranger*, définitivement autre. La régression homosexuelle est en fait commandée par le narcissisme, qui cherche à tout prix à retrouver le

Même (ou le semblable homosexuel), comme si le changement d'objet entraînait le risque de la perte de l'objet homosexuel comme objet satisfaisant à l'exigence narcissique.

Ces figures de la dualité sont données par des structures cliniques diverses : la patiente à l'algèbre privée était en proie à des angoisses indescriptibles en sortant de chez le coiffeur, lorsque celui-ci n'avait pas entièrement réalisé son projet narcissique qui devait donner à sa mère une image très précise de « gavroche mutin », laquelle n'était rien d'autre que la façon dont elle pensait que sa mère la percevait. La mère avait fait une fausse couche ; l'enfant mort était bien entendu un garçon. Si conflictuelle que fût sa relation à sa mère, faite d'alternance, d'intrusion et de séparation, celle-ci resta pour longtemps le seul objet investissable. Toute interprétation évocatrice d'un transfert paternel était vécue dans l'angoisse, le père étant chargé de toutes les projections maternelles et le vagin menacé par un pénis destructeur. A la suite d'un fantasme de captation de mon pénis par un viol actif de sa part — fantasme analysé et accepté, puisqu'elle y assumait un rôle *actif* —, elle fit un rêve angoissant, un cauchemar où sa mère et sa sœur « entraient chez elle, comme dans un moulin » et fouillaient dans ses tiroirs. Cela la réveilla dans un état d'angoisse rageuse. Après l'analyse de ce rêve, à la veille de mes vacances d'été, la paix revint et elle m'exprima sa gratitude. Mais le hasard fit que son appartement fut inondé. Elle ressentit un état de panique et me téléphona après sa dernière séance, me disant : « C'est incroyable, mes fantasmes se réalisent », d'autant qu'elle avait fait deux ans avant un rêve où le plafond s'effritait et laissait passage à un flot de matières fécales que sa mère évacuait avec une cuillère, elle-même lui disait : « Mais, maman, ce n'est pas la solution. » Au retour des vacances où bien des choses s'étaient passées, nouvelle inondation, nouvelle panique. Cette fois, je compris qu'elle confondait les limites de son Moi avec les murs de son appartement. Mais ceci restait moins horrible que le fait que son voisin s'appelait M. G..., lettre initiale du prénom de sa mère et de son père. Elle avait complètement clivé le fait que j'étais moi aussi M. G... — ce qui provoqua une régression immédiate. Elle eut le fantasme de se blottir dans mes bras, dans les bras de sa mère.

L'ANGOISSE DE L'ENSEMBLE.

J'aborde enfin l'angoisse de l'ensemble. Angoisse de la dispersion, de la fragmentation, de l'éclatement, contre lesquelles s'installe la dépersonnalisation. Cette angoisse n'est pas l'angoisse du vide, c'est-à-dire du néant, mais l'angoisse du *chaos*. Elle est souvent externalisée par une conduite de désordre matériel, total : le syndrome de l'espace habitable comme capharnaüm, espace où l'étranger n'est pas admis. Espace parfois confiné à des pièces fermées au visiteur, à des tiroirs clos que même le familier n'est pas autorisé à ouvrir, placard laissé dans un désordre indescriptible soustrait au regard. Le contraire de la psychose de la ménagère. C'est la psyché qui se représente dans ces contenants.

L'angoisse du morcellement est si abondamment traitée dans la littérature psychanalytique moderne que je ne m'y étendrai pas. Elle a surtout été décrite par les auteurs qui se sont attachés aux structures psychotiques. Elle est devenue synonyme de menace psychotique. Ceci n'est vrai que jusqu'à un certain point. Il faut nous rappeler en effet que cette tentation du morcellement n'est pas toujours le signe d'une régression du Moi impliquant un danger psychotique. La dépersonnalisation est une défense contre la psychose, non un état psychotique. Le morcellement passager peut aussi être une défense contre la dépression. Il peut être recherché de manière hédonique quasi perverse dans la toxicomanie. L'hystérique, on le sait, y est enclin. Il me semble nécessaire de rappeler quelques données cliniques sur ce point. Le moyen de sortir des angoisses de morcellement est la quête à tout prix d'un objet substitutif *présent et incorporable* (le coup de téléphone où la seule voix de l'appelé suffit à interrompre le processus, le comprimé de tranquillisant qui apaise magiquement, le contact avec un objet élu — équivalent d'une tétine —, ce que les Américains appellent un *pacifier*).

Ce qu'il faut avoir en vue dans la régression morcelante ce n'est pas sa fonction de signal, d'ailleurs débordée, c'est sa valeur relative, relationnelle aux objets, dans l'évaluation de l'équilibre entre solidification unifiante et liquéfaction nullifiante. Aussi l'expérience n'a-t-elle pas les mêmes conséquences pour l'obsessionnel ou le paranoïaque rigides que pour l'hystérique ou le schizophrénique plastiques.

Dans le transfert, il faut remarquer que les expériences de fusion sont de durée limitée ; elles cèdent la place assez rapidement à des évocations affectives d'où émergent les figures de la dualité : l'angoisse du morcellement a donné naissance à la relation duelle [22]. Cependant, cette relation duelle, imaginaire selon la terminologie de Lacan, est inconsciente. Elle est donc à analyser et, sans craindre de s'y enliser, son interprétation aide à son

---

22. Cf. A. Green, « L'analyste, la symbolisation et l'absence dans le cadre analytique », *Revue française de psychanalyse*, 1974, t. 38, p. 1190-1230.

dépassement. Ce qui est important est de comprendre que la progression arithmétique 0, 1, 2, 3, ..., n n'est pas vraie dans le transfert et que les chiffres s'y succèdent en ordre dispersé, selon les oscillations du sujet.

Mais il est un autre point où l'angoisse de l'ensemble se manifeste : dans les relations groupales.

L'angoisse du groupe, les institutions la connaissent dans la hantise de l'éclatement dû au narcissisme des membres, antagoniste du narcissisme du groupe. L'angoisse du groupe est une angoisse devant le Surmoi, face à ses reproches associés à ceux de l'Idéal du Moi, envers lesquels on est toujours en dette. La réponse contre l'angoisse morcelante, c'est le clivage duplicateur. Un se divise en deux pour ne pas éclater en morceaux (n).

Ces différentes angoisses *se réverbèrent* les unes dans les autres : l'aspiration à l'unité comporte toujours la nostalgie de la fusion duelle, voire du morcellement, comme la dualité est toujours prise dans l'alternative : aller vers l'Un ou retourner à la multitude. Et, de même, la multitude désire s'unifier sous la bannière d'un seul. « Le grand homme », dit Freud dans *Moïse et le monothéisme*.

Le chiffre du code c'est toujours le 3, symbole de l'unité, de la double dualité qui unit un sujet à l'objet clivé en deux (bon et mauvais), et de la foule. Les Anglais disent : *Two is company, three is crowd*, « être deux, c'est être en compagnie ; à trois, on est dans une foule ». Ainsi l'Œdipe est la structure structurante. Elle est *réverbérée, réverbérante* : dans la relation au sein avec un père potentiel, dans la scène primitive avec un sujet exclu, dans le complexe d'Œdipe ouvert à la double différence.

La relation de l'enfant au sein annonce la scène primitive, à cette différence près que, dans ce dernier cas, la mère y jouit plus et avec un autre, qui exclut l'enfant. C'est peut-être ce qui est le plus tragiquement impensable pour lui.

Le narcissisme soutient l'illusion de l'*an-Œdipe* (non de l'anti-Œdipe, mais du non-Œdipe) en ce qu'il ne connaît que le Moi-Je. Comme Dieu, le Moi-Je se veut auto-engendré, sans sexe, c'est-à-dire sans limitation sexuelle et sans filiation, donc sans structure de parenté.

NÉGATION ET CONSISTANCE.

L'étoffe dont le Moi est fait, sa texture, signe sa consistance. Nous parlons fréquemment de la rigidité ou de la souplesse du Moi et de ses défenses. Cette image descriptive est vraie, mais elle l'est encore davantage lorsque le narcissisme est impliqué.

169

Devant les mutations régressives de l'indifférenciation, le *refus* de l'objet est une nécessité vitale pour le narcissique. Un tel refus est motivé par l'*indépendance* de l'objet qui suit ses mouvements propres, alors que le Moi se sent paralysé devant lui. Accepter l'objet, c'est accepter sa variabilité, ses aléas, c'est-à-dire qu'il puisse pénétrer le Moi et le quitter, ravivant ainsi les angoisses d'intrusion et de séparation. En outre, la régression s'accomplissant dans un état de *passivation,* le Moi pressent le danger d'une soumission totale (la *resourceless dependance* des auteurs anglais). Dans ces conditions, la négation n'est pas seulement garantie de l'autonomie du Moi, elle est, comme le disent les patients, ce qui permet d'avoir un *axe* autour duquel la consistance s'ordonne. « Je tiens debout, j'ai de bonnes jambes », dit une patiente. « Refuser ce que vous me dites quand je vous sens trop proche me donne une colonne vertébrale. » « Vouloir la mort de tous les miens, femme et enfants, c'est me mettre à l'abri des ennuis qui troublent ma "tranquillité" », dit encore un autre. On voit alors que la négation ne joue pas ici seulement le rôle d'un refoulement économique mais qu'elle est la condition pour que le Moi *consiste* en quelque chose. La question est de savoir comment l'introjection d'un objet qui narcissise le Moi et accroît son pouvoir de plaisir peut relever d'une interprétation autre que tautologique.

Le rôle de miroir prêté à l'analyste a pour but la confirmation de ce qui ne doit être vu ni par le patient ni par l'analyste dans le matériel ; il est alors une source d'approbation, d'étayage du Moi sur l'objet narcissique. Toute la difficulté réside alors, à cause de la négation, dans l'interprétation. Il s'agit d'introduire avec l'écho interprétatif quelques éléments étrangers, dissonants, à dose homéopathique, intégrables par le patient, un peu comme on donne aux enfants un médicament au goût désagréable enrobé dans une cuillerée de confiture. L'Autre déclenche le signal de la négation pour que le Même s'assure de son identité. Si le concept d'identité a un sens en théorie analytique, ce ne peut être que par rapport à la vulnérabilité narcissique. Son seul rôle est de permettre la venue de la différence, une fois l'illusion unitaire créée.

La négation soulève la question de ce que j'appelle les investissements négatifs. Par investissement négatif, j'entends l'investissement d'une satisfaction absente ou refusée par la mise en place d'un état de quiétude (négation de l'insatisfaction) *tout comme si* la satisfaction était, en fait, intervenue.

C'est la fonction que j'assigne au narcissisme primaire négatif.

UN MODÈLE GÉNÉRAL DE L'ACTIVITÉ PSYCHIQUE.

Angoisse de l'Un, angoisse du couple, angoisse de l'ensemble sont donc les figures narcissiques des menaces qui pèsent sur la structure du Moi.

Il faudrait montrer comment cet accomplissement du Moi se réplique, ou se réverbère, dans l'accomplissement du langage et aborder le problème du langage dans les transferts narcissiques ou le versant narcissique du transfert [23]. L'angoisse, qu'elle soit objectale ou narcissique, *coupe la parole*, fait parler le corps, ou plutôt cède la place à la cacophonie. La tentation du silence, ce signifiant zéro du langage, est alors grande. Mais le silence n'est pas seulement la suspension de la parole, il est sa respiration même. Lorsque le silence n'est pas manifeste, et même lorsqu'il ne marque pas les pauses, les transitions, les scansions du discours, il est dans la discontinuité constitutive du message verbal.

Alors, on peut se demander si l'on ne peut proposer un modèle général de l'activité psychique qu'on imaginerait en trois phases :

— le premier temps serait celui de l'investissement d'une préorganisation, qui serait celle de la perception et du fantasme inconscient qui l'accompagne ;

— le deuxième temps serait celui d'une négativité que l'image du blanc illustre. Ce temps négatif qui fonde la discontinuité serait l'espacement différentiel des lettres, des mots, des phrases, mais aussi l'espacement de toutes les variétés du contre-investissement : refoulement, négation, déni, désaveu, forclusion ;

— le troisième temps serait celui de la réorganisation comme effet rétroactif du contre-investissement sur l'investissement, effet après coup du deuxième temps sur le premier : retour du refoulé, du dénié, du désavoué, du forclos dont les formations symptomatiques et les tableaux de la psychopathologie démontrent qu'une logique plurielle y est à l'œuvre. Logique de l'Un, du couple ou de l'ensemble.

Le narcissisme, positif ou négatif, est concerné par ces tableaux. Son échec se traduit par l'angoisse narcissique, où les prétentions du sujet à la totalisation subissent le pouvoir de l'objet, source de tensions, contestant l'ordre trop ordonné, facteur d'entropie, c'est-à-dire de mort. La vie psychique — comme la vie — n'est qu'un désordre fécond. Le narcissisme, en vain, poursuit le mirage

---

23. Pour en donner une indication : le langage, en tant qu'il constitue une structure homéostasique par rapport à la réalité matérielle et à la réalité psychique, joue par rapport à la pensée le rôle d'une réalité *tierce* qui surmonte l'opposition des deux précédentes dans sa fonction prédicative et toujours assertive. Autonomie du sujet.

d'y faire obstacle. Tout érotisme est violence, comme la vie fait violence à l'inertie.

Notre difficulté à penser l'angoisse dans ses rapports au narcissisme vient de ce que notre civilisation occidentale est narcissique *sans le penser*. Elle a imposé au monde son occidentalo-centrisme sans penser son autre : l'Orient. L'Ouest est l'Ouest ; l'Est est l'Est. Il serait peut-être temps de nous intéresser aux pensées de l'Orient comme à l'ombre de notre pensée. Je citerai pour finir du *Vrai classique du vide parfait* ce chapitre : « Sage sans le savoir » (p. 132).

« Long Chou s'adressa à Wen Tche et dit : "Votre art est subtil et j'ai une maladie. Pouvez-vous la guérir ?" When Tche dit : "Je suis à votre disposition, mais j'attends que vous m'indiquiez les signes de votre maladie." Long Chou s'expliqua : "La louange de mes concitoyens ne me procure pas la satisfaction de l'honneur et je ne ressens pas de la honte à cause de leur blâme. Le gain ne me réjouit pas et la perte ne m'afflige pas. Je considère la vie à l'égal de la mort et la richesse à l'égal de la pauvreté. Quant aux humains, ils me paraissent valoir autant que des porcs et moi-même je me considère comme les autres. Je vis au sein de ma famille comme un voyageur à l'auberge. Ma patrie est pour moi un pays étranger. A l'encontre de ces défauts, dignités et récompenses sont sans effet ; blâmes et châtiments ne m'effraient pas ; grandeur et décadence, profits et pertes n'y feraient rien, non plus que les deuils et les joies. C'est pourquoi je n'ai aucune aptitude à servir le prince, ni à entretenir des rapports normaux avec mes parents et mes amis, avec ma femme et mes enfants, et je gouverne mal mes domestiques. De quelle sorte de maladie suis-je affligé et comment m'en guérir ?" Wen Tche fit tourner Long Chou le dos à la lumière et lui-même se mit derrière son patient pour examiner sa silhouette qui se découpait dans la lumière. Il dit alors : "Je vois bien votre cœur : c'est un pouce carré de vide ! Vous êtes presque comme un saint (*cheng-jen*). Six ouvertures de votre cœur sont parfaitement libres et une seule ouverture reste fermée [24]. Par le temps qui court, on tient la sainte sagesse pour une maladie. A cela, je ne connais pas de remède [25]." »

Je ne prétends pas offrir ici une alternative à notre éthique psychanalytique. Je crois que la psychanalyse n'est rien d'autre

---

24. « D'après la théorie chinoise, le cœur avait sept ouvertures, mais c'est seulement chez le saint qu'elles n'étaient pas obstruées ; chez le commun des mortels, elles étaient bouchées en nombre plus ou moins grand. »

25. *Le vrai classique du vide parfait*, p. 132.

que l'assomption de nos limites qui impliquent l'Autre, notre prochain *différent*. Mais je crois que l'Orient nous indique comment certaines voies sont préférées à d'autres. Il arrive au cours de certaines analyses que des patients investissent soudain un espace de solitude où ils se sentent chez eux. C'est un résultat non négligeable. Il n'est pas suffisant. Il faut longtemps avant qu'ils consentent à abandonner leur nid pour se sentir bien chez eux, chez un hôte ou un autre, ou qu'ils permettent à cet hôte de se sentir chez lui, ou chez elle, en eux. Cela n'est possible que si l'intersection des deux est limitée de telle sorte que chacun reste lui-même en étant *avec* l'autre. Car il est impossible d'être ni tout à fait l'Un ni tout à fait l'Autre. C'est peut-être le sens de ce qui constitue l'axe de la théorie freudienne et que nous appelons trivialement l'angoisse de castration, que je ne conçois que couplée à l'angoisse de pénétration. Peut-être comprendrons-nous que le chiffre de la psychanalyse n'est pas le phallus, mais le pénis dans le vagin, et/ou, ce qui est plus difficile à penser, le vagin dans le pénis.

DEUXIÈME PARTIE
FORMES NARCISSIQUES

chapitre 4
le narcissisme moral
(1969)

> « La vertu ne ressemble pas seulement à ce combattant dont la seule affaire dans la lutte est de garder son épée immaculée, mais elle a aussi entrepris la lutte pour préserver les armes ; et non seulement elle ne peut pas faire usage de ses armes, mais elle doit encore maintenir intactes celles de son ennemi et le protéger contre sa propre attaque, car toutes sont de nobles parties du bien pour lequel elle s'est mise en campagne. »
>
> HEGEL,
> *Phénoménologie de l'esprit*, trad. HIPPOLYTE, I, p. 317.

> « Ne rien sentir, voilà, voilà le temps le plus doux de la vie.
> « Il cesse, dès qu'on a appris ce que sont la joie et la peine. »
>
> SOPHOCLE,
> *Ajax.*

Le narcissisme auquel on a consacré en France, ces dernières années, tant de travaux théoriques, n'a fait l'objet que de peu d'études cliniques. Un travail antérieur (1963) sur la position phallique narcissique [1] nous a conduit à mieux préciser un état observé en clinique, dont Reich avait donné une première description. Nous aimerions maintenant essayer de donner un contour plus ferme à une autre figure révélée par la cure, en vérifier la

---

1. « Une variante de la position phallique-narcissique », *Revue française de psychanalyse*, t. 27.

validité dans l'expérience de chacun et si possible lui attribuer une structure. Nous allons donc mettre en question le narcissisme moral.

ŒDIPE ET AJAX.

Les héros légendaires de l'Antiquité constituent pour le psychanalyste un fonds où il ne se prive pas de puiser abondamment. D'ordinaire, il fait appel à ces hautes figures mythologiques pour parer une thèse d'un ornement séduisant. Quant à nous, nous partirons d'une opposition qui permettra à chacun, en faisant appel à sa mémoire, de se référer à un exemple commun qui pourra lui rappeler secondairement l'un ou l'autre de ses patients. Dodds, dans son livre sur *Les Grecs et l'irrationnel*[2], oppose les civilisations de la honte et les civilisations de la culpabilité. Il n'est pas superflu de rappeler ici que selon Dodds l'idée de culpabilité est liée à une intériorisation, nous dirions une internalisation, de la notion de faute ou de péché ; elle est le résultat d'une transgression divine. Tandis que la honte est le lot d'une fatalité, d'une marque du courroux des Dieux, une Até, impitoyable châtiment à peine lié à une faute objective, sinon celle de la démesure. La honte atteint sa victime inexorablement ; il faut sans doute l'attribuer moins à un dieu qu'à un *daïmon* — puissance infernale. Dodds rattache la civilisation de la honte à un mode social tribal où le père est tout-puissant et ne connaît aucune autorité au-dessus de la sienne, tandis que la civilisation de la culpabilité, en marche vers le monothéisme, implique au-dessus du Père une Loi. Il n'est pas jusqu'à la réparation de la faute qui ne diffère dans les deux cas. Le passage de la honte à la culpabilité est corrélatif d'un parcours qui mène de l'idée de la souillure et de la pollution à la conscience d'un mal moral. En résumé, la honte est un affect où la responsabilité humaine joue à peine, c'est un lot des Dieux, frappant l'homme passible d'orgueil (l'*hubris*), tandis que la culpabilité est la conséquence d'une faute où la volonté de l'homme fut engagée dans le sens d'une transgression. La première correspond à une éthique du talion, la seconde à une éthique de justice plus compréhensive.

Il m'a semblé qu'on pouvait opposer ces deux problématiques : celle de la honte et celle de la culpabilité, en confrontant les cas d'Ajax et d'Œdipe. Ajax, le plus brave d'entre les Grecs après Achille, espère, à la mort du fils de Thétis, se voir attribuer ses

---

2. *Les Grecs et l'irrationnel*, chap. II, trad. par M. Gibson, Aubier.

armes. Mais il n'en va pas ainsi. Les armes sont offertes à Ulysse, par les voies qui diffèrent selon les versions mythologiques. Dans les plus anciennes, l'attribution est faite par les Troyens, vaincus par les Grecs, qui ont à se prononcer sur l'ennemi qu'ils redoutent le plus. Ils désignent Ulysse, qui n'est peut-être pas le plus brave, mais le plus dangereux parce que le plus rusé. Selon d'autres versions — et Sophocle se rattache à cette tradition —, ce sont les Grecs eux-mêmes qui votent et désignent Ulysse.

Ajax ressent ce choix comme une injustice et une injure. Il décide de se venger par la violence en exécutant les Atrides, Agamemnon et Ménélas, de faire prisonniers des Argiens et de capturer Ulysse pour le fouetter à mort. Mais Athéna, qu'Ajax a offensée en refusant son secours dans les combats contre les Troyens, le rend fou. Au lieu d'accomplir un exploit par un combat contre ceux qu'il veut châtier, ce sont les troupeaux des Grecs qu'il détruit en état de folie, par un sanglant carnage. L'auteur de l'hécatombe ne revient à lui qu'une fois le mal accompli. Retrouvant la raison, il comprend sa folie. Deux fois fou, de douleur et de honte, pour n'avoir su triompher ni par le droit ni par la force, blessé dans son orgueil, il se donne la mort en se jetant — J. Lacarrière dit, et c'est vraisemblable, en s'empalant — sur l'épée d'Hector qu'il avait reçue en trophée.

A la lecture de Sophocle [3], on se rend compte que la honte est le mot clé de sa tragédie. « Ah ! rumeur affreuse — mère de ma honte », dit le chœur en apprenant la nouvelle du massacre. La folie elle-même n'excuse rien : elle est la pire des hontes, le signe de la réprobation du Dieu. Folie qui prend ici une signification déshonorante, car elle entraîne un acte meurtrier sans gloire. Elle ridiculise le héros qui prétend à la bravoure suprême en le contraignant à détruire sauvagement des bêtes inoffensives et nourricières. Elle le charge de la « lourde illusion d'un triomphe exécrable ». Dès que la raison rentre en ses foyers, la mort apparaît comme la seule solution possible. Ajax, ayant perdu l'honneur, ne peut plus vivre à la lumière du jour. Aucun lien ne résiste à cette tentation du néant. Parents, femme, enfants, que sa mort réduit pratiquement à l'esclavage, ne suffisent pas à le retenir. Il aspire aux Enfers en appelant de ses vœux la nuit de la mort : « Ténèbres, mon soleil à moi. » Il laisse sa dépouille comme une souillure dont ceux qui l'auront méprisé auront à décider quel sort lui réserver : l'exposition aux vautours ou l'ensevelissement réparateur. L'éthique de la mesure nous est donnée par le Messager : « Les êtres anormaux et vains succombent, disait le prophète, sous le poids des malheurs que leur

---

3. Dans la traduction de P. Mazon, Les Belles-Lettres.

envoient les Dieux. Ainsi en est-il pour tous ceux qui, étant nés hommes, conçoivent des projets qui ne sont pas d'un homme. »

L'exemple d'Ajax m'a paru soutenir la comparaison avec celui d'Œdipe. Le crime d'Œdipe n'est pas moins grand. Son excuse est la méconnaissance, la tromperie du Dieu. La punition qu'il s'infligera lui fera cependant accepter de perdre ses yeux qui ont voulu trop voir, de se bannir avec l'aide de sa fille Antigone, de vivre sa souillure parmi les hommes, de l'épuiser. Il acceptera enfin d'être, avant sa mort, objet de litige et de contestation entre ses fils (qu'il maudira), son beau-frère et oncle Créon, et Thésée sous la protection duquel il s'est mis. Il attendra dans le bois de Colone, dans les faubourgs d'Athènes, que les Dieux lui fassent signe. La vie après la révélation de sa faute ne saurait être l'occasion d'aucun plaisir. Mais c'est la vie que les Dieux ont donnée et que les Dieux reprendront quand ils l'auront jugé. Et, surtout, Œdipe tient à ses objets. Ils sont *sa vie*, comme ils l'aident à se tenir en vie. Il ne peut les quitter, même si de ses enfants il deviendra le sinistre enjeu. Il haïra certains d'entre eux — ses fils, naturellement. Il aimera paternellement ses filles, fruits de son inceste, pourtant.

On comprend que nous avons opposé deux problématiques qui répondent à deux types de choix d'objet et d'investissement de l'objet : avec Œdipe, l'investissement objectal de l'objet générateur, par la transgression, de la culpabilité ; avec Ajax, l'investissement narcissique de l'objet générateur, par la déception, de la honte.

ASPECTS CLINIQUES DU NARCISSISME : LE NARCISSISME MORAL.

L'apologue d'Ajax qui nous a servi d'introduction conduit d'emblée à poser une question au psychanalyste. N'apparaît-il pas clairement que cette forme du narcissisme a quelque rapport avec le masochisme ? L'auto-punition n'est-elle pas ici au premier plan ? Avant de trancher pour décider si le masochisme n'est pas, en dernier ressort, ce qui qualifie le mieux le thème d'Ajax — qui ne recherche pas la punition, mais se l'inflige pour sauver son honneur, autre mot clé du narcissisme —, arrêtons-nous un instant sur les rapports du masochisme et du narcissisme.

Dans son étude sur « Le problème économique du masochisme », Freud, en même temps qu'il scindait les couples tension-déplaisir et détente-plaisir, aboutissait à la dissociation du masochisme comme expression de la pulsion de mort en trois substructures : le masochisme érogène, le masochisme féminin, le masochisme moral. C'est un démembrement de même type que nous proposerons aujourd'hui en prenant pour base, non les effets de la pulsion de mort, mais ceux du narcissisme. Il nous a semblé qu'on pouvait distinguer, à partir de la clinique, plusieurs variétés, plusieurs substructures du narcissisme :

— *un narcissisme corporel*, qui concerne soit le sentiment (l'affect) du corps, soit les représentations du corps. Du corps comme objet du regard de l'Autre en tant qu'il lui est extrinsèque, de même que le narcissisme du sentiment du corps — du corps vécu — est narcissisme de la scrutation de l'Autre en tant qu'il lui est intrinsèque. Conscience du corps, perception du corps en sont les bases élémentaires [4] ;

— *un narcissisme intellectuel* — sur lequel nous n'avons pas besoin d'insister tant la littérature analytique abonde d'exemples. Le narcissisme intellectuel se manifeste par l'investissement de la maîtrise par l'intellect, avec une abusive confiance en elle, souvent démentie par les faits. Son insistance rappelle inlassablement que « ça n'empêche pas d'exister ». Cette forme, qui ne nous retiendra pas ici, nous rappelle l'illusion de la maîtrise intellectuelle. Elle est une forme secondarisée de la toute-puissance de la pensée. Elle est toute-puissance de la pensée assujettissant les processus secondaires à cette tâche ;

— *un narcissisme moral* enfin, qui est celui que nous décrirons maintenant et que nous ne quittons momentanément que pour le développer un peu plus loin [5].

Freud, depuis *Le Moi et le Ça,* confère aux différentes instances un matériau spécifique. Ce que la pulsion est au Ça, la perception le sera pour le Moi et la fonction de l'Idéal — fonction de renoncement à la satisfaction de la pulsion et ouverture à l'horizon indéfiniment repoussé de l'illusion — au Surmoi. Ainsi apparaît-il que le narcissisme moral, dans la mesure où les rapports de la morale et du Surmoi sont clairement établis, doit se comprendre dans une relation étroite Moi/Surmoi, ou, plus précisément, puisqu'il s'agit de la fonction de l'Idéal, Idéal du Moi/ Surmoi. Que le Ça ne soit aucunement étranger à cette situation, c'est ce que la suite de notre travail montrera. Si nous concevons que le Ça est dominé par l'antagonisme des *pulsions de vie* et des *pulsions de mort,* que le Moi vit un perpétuel échange d'investissements entre le *Moi* et l'*objet,* et que le Surmoi est partagé entre le *renoncement à la satisfaction* et les *mirages de l'illusion,* nous concevons que le Moi, dans son état de double dépendance à l'égard du Ça et du Sur-Moi, n'a pas à servir deux maîtres mais

---

4. Cf. plus chapitre II, « Le narcissisme primaire ».
5. Il va sans dire que nous n'envisageons pas de correspondance entre les trois formes du masochisme et les trois formes du narcissisme.

quatre, puisque chacun d'eux se dédouble. C'est ce qui se produit d'ordinaire pour tout un chacun et nul n'est dépourvu de narcissisme moral. Ainsi l'agrément de nos relations vient de l'économie générale de ces rapports, pourvu que la pulsion de vie l'emporte sur la pulsion de mort et les consolations de l'illusion sur l'orgueil du renoncement pulsionnel. Mais ce n'est pas le cas de tous. La structure pathologique du narcissisme que nous voulons décrire est caractérisée par une économie qui grève lourdement le Moi par la double conséquence de la victoire de la pulsion de mort, qui confère au principe du Nirvâna (celui de l'abaissement des tensions au niveau zéro) une prééminence relative sur le principe de plaisir, et de celle du renoncement pulsionnel sur les satisfactions de l'illusion.

Effet dominant de la pulsion de mort et du renoncement pulsionnel. Cela ne nous ramène-t-il pas encore à la sévérité du Surmoi masochique ? Approximativement, oui. Précisément, non.

FANTASMES MASOCHIQUES ET FANTASMES NARCISSIQUES.

« Dès qu'il y a un coup à recevoir, dit Freud, le masochiste tend sa joue. » Tel n'est pas le cas du narcissique moral. Paraphrasant Freud, nous dirons : « Dès qu'il faut renoncer à quelque satisfaction, le narcissique moral se porte volontaire. » Comparons, en effet, les fantasmes masochiques, si révélateurs, avec les fantasmes narcissiques. Dans le masochisme, il s'agit d'être battu, humilié, souillé, réduit à la passivité, mais une passivité qui exige la présence de l'Autre. Cette exigence de la participation d'autrui pour le masochiste, Lacan dit qu'elle suscite l'angoisse de l'Autre, en ce point jusqu'où le sadique ne peut soutenir son désir, faute de détruire l'objet de sa jouissance.

Pour le narcissique, rien de tel. Il s'agit d'être pur, donc d'être seul, de renoncer au monde, à ses plaisirs comme à ses déplaisirs, puisque nous savons que du déplaisir on peut encore tirer du plaisir. Subvertir le sujet par inversion du plaisir est à la portée de beaucoup. Plus difficile et plus tentant est de se situer au-delà du plaisir-déplaisir en faisant vœu d'endurance, sans recherche de la douleur, de pauvreté et de dénuement, de solitude, voire d'ermitage ; toutes conditions qui rapprochent de Dieu. Dieu a-t-il faim ou soif, Dieu est-il dépendant de l'amour, de la haine des hommes ? Il arrive qu'on le croie mais ceux qui le pensent ne savent pas ce qu'est le Dieu véritable : l'Innommable. Cet ascétisme profond, qu'Anna Freud décrit dans le développement normal de l'individu comme mécanisme de défense propre à l'adolescence et sur lequel Pierre Mâle est revenu bien des fois dans ses études sur l'adolescent, peut prendre des formes pathologiques. La souffrance, pourtant, ne sera pas recherchée mais elle ne sera pas évitée, quelque énergie que le sujet emploie pour en faire l'économie. Freud dit à propos du masochiste qu'il veut, en fait, être traité comme un petit enfant. Le projet du narcissique moral est inverse, il veut, comme un enfant qu'il est, ressembler aux parents qu'une part de lui imagine n'avoir aucun problème à dominer leurs pulsions : il veut être grand. Les conséquences seront différentes dans les deux cas. Le masochique masque par son masochisme une faute impunie, résultat d'une transgression vis-à-vis de laquelle il se sent coupable — le narcissique moral n'a pas commis d'autre faute que d'être resté fixé à sa mégalomanie infantile et est toujours en dette envers son Idéal du Moi. La conséquence est qu'il ne se sent pas coupable, mais qu'*il a honte de n'être que ce qu'il est ou de prétendre à être plus qu'il n'est*. Peut-être pourrait-on dire que le masochique se situe au niveau d'une relation qui concerne l'avoir, indûment saisi (« Bien mal acquis... »), tandis que le narcissique se situe au niveau d'une relation qui concerne l'être (« On est comme on est...[6] »). Dans le masochisme moral, le sujet est puni, non pas tant pour sa faute que pour son masochisme, rappelle Freud. La coexcitation libidinale n'utilise la voie du déplaisir que comme un des chemins les plus secrets pour parvenir à une jouissance ignorée du sujet, de même que l'Homme aux rats, exposant à Freud le supplice qui provoquait son horreur et sa réprobation, vivait « une jouissance ignorée de lui ». Dans le narcissisme moral, dont les buts échouent comme dans le masochisme, la punition — ici, la honte — s'accomplit par le redoublement insatiable de l'orgueil. L'honneur n'est jamais sauf. Tout est perdu, parce que rien ne peut laver la souillure d'un honneur taché, si ce n'est un *nouveau renoncement* qui appauvrira les relations d'objet pour la seule gloire du narcissisme.

---

6. L'exemple que nous avons tiré d'Ajax serait-il en contradiction avec ce que nous venons de développer ? Ajax se tue parce que les armes d'Achille vont à un autre. En son cas, il s'agirait donc bien d'une relation à un avoir dont il est privé. Ne nous y trompons pas. Ce dont souffre Ajax est d'une blessure de l'être. C'est de n'avoir pas été reconnu comme le plus redoutable des guerriers, ce dont la possession des armes d'Achille, forgées par Héphaëstos, est le témoignage. C'est d'un attribut phallique qu'il manque, mais en tant que celui-ci lui procurerait l'admiration des amis et des ennemis. C'est pourquoi sa réaction est celle de la honte, comme si leur attribution à un autre signait sa déchéance et sa non-valeur. Le distinguo entre le plus brave (ce qu'il est) et le plus redoutable (ce qu'est Ulysse pour sa ruse) est lettre morte pour lui. Au déshonneur, il ne peut faire face que par l'abandon de la vie et de tous les objets qui le retiennent à elle.

Ici se révèle le trait dominant de l'opposition : le masochiste conserve, à travers la négativation du plaisir et la recherche du déplaisir, un lien riche à l'objet, ce que le narcissique tente d'abandonner. On critiquera peut-être ce terme de « riche », parce que nous sommes habitués à le doter de qualités normatives. Nous dirons, si l'on préfère, un rapport substantiel aux objets, en tant que ceux-ci nourrissent en retour les objets fantasmatiques dont le sujet se repaîtra en fin de compte.

Le narcissique cherchera comme solution du conflit à appauvrir de plus en plus ses relations objectales pour amener le Moi à son minimum vital objectal et le conduire ainsi à son triomphe libérateur. Cette tentative est constamment mise en échec par les pulsions qui exigent que la satisfaction passe par un objet, qui n'est pas le sujet. La solution, la seule solution, sera l'investissement narcissique d'objet, dont nous savons, lorsque l'objet s'absente, est perdu ou encore déçoit, que la dépression est la conséquence [7].

Cette remarque nous permet de comprendre les particularités des cures de ces patients. Tandis que les patients masochiques posent les problèmes, envisagés par Freud, de la réaction thérapeutique négative perpétuellement sous-tendue par le besoin d'auto-punition, les narcissiques moraux, patients fidèles et irréprochables, nous exposent, par une raréfaction progressive de leurs investissements, à une conduite de *dépendance* où le besoin de l'amour et, plus précisément, de l'estime de l'analyste est l'oxygène sans lequel ils ne peuvent s'exposer à la lumière du jour. Encore s'agit-il d'un besoin d'amour particulier, puisqu'il vise la reconnaissance du sacrifice du plaisir.

Mais, comme le dit Freud, « l'autodestruction ne peut s'effectuer sans satisfaction libidinale ». Quelle est la satisfaction que trouve le narcissique moral dans son appauvrissement ? Le sentiment d'être meilleur par le renoncement, fondement de l'orgueil humain. Cela n'est pas sans rappeler la relation entre cette forme clinique narcissique et le narcissisme primaire de l'enfance dans son lien avec l'auto-érotisme.

Si Freud a pu dire que le masochisme resexualise la morale, nous avons envie d'ajouter à sa suite : *le narcissique fait de la morale une jouissance auto-érotique, où la jouissance même s'abolira.*

---

7. Pasche a décrit, dans son travail sur la dépression d'infériorité, des cas entrant dans le cadre que nous tentons de préciser. Cf. *A partir de Freud*, p. 181 sqq., Payot.

ASPECTS PARTIELS ET DÉRIVÉS DU NARCISSISME MORAL.

L'opposition entre fantasmes masochiques et fantasmes narcissiques nous a permis de centrer l'aspect principal de cette structure. Nous allons maintenant envisager brièvement certains de ses aspects dérivés ou partiels, avant d'en esquisser la métapsychologie.

Nous avons déjà mentionné l'*ascétisme*, quand il se prolonge au-delà de l'adolescence et qu'il devient un style de vie. Cet ascétisme est très différent de celui que sous-tend une conviction religieuse ou une règle — toujours au sens religieux du terme. Il est en fait inconscient. Il prend pour prétexte des limitations d'ordre matériel pour amener le Moi à consentir un rétrécissement progressif de ses investissements, de façon à conduire les liens du désir et du besoin à la réduction de l'ordre du premier à l'ordre du second. On ne boit, on ne mange que pour survivre, non par plaisir. On élimine la dépendance à l'égard de l'objet et du désir par un auto-érotisme pauvre, dénué de fantasmes, dont le but est la décharge comme vidange hygiénique ; ou encore on opère un déplacement massif sur le travail et on met en œuvre d'arrache-pied une pseudo-sublimation ayant davantage la valeur d'une formation réactionnelle que d'un destin de pulsion par inhibition, déplacement de but et désexualisation secondaire. Cette pseudo-sublimation aura un caractère — nous insistons sur ce point avec Ella Sharpe — délirant. Nous verrons pourquoi plus loin.

Ces dernières remarques nous conduisent à envisager un deuxième aspect de ce narcissisme moral. Nous le percevons sous les traits d'un syndrome peu évoqué et pourtant d'une grande fréquence. Celui de l'*arriération affective*. Celle-ci, que nous avons appris progressivement à reconnaître, n'est pas, loin de là, une forme bénigne d'aménagement des conflits. D'une part, elle mérite bien son nom d'arriération, dont les conséquences sont aussi graves pour les investissements affectifs du sujet que celles de l'arriération intellectuelle pour les investissements cognitifs. D'autre part, elle repose sur un substrat de dénégation du désir et de son soubassement pulsionnel qui justifie que d'anciens auteurs comme Laforgue l'aient rangée, sous le nom de *schizonoïa*, parmi les formes psychotiques. On est souvent frappé par la forme quasi paranoïaque du comportement. L'arriération affective n'est pas, loin de là, l'apanage des jeunes filles et se rencontre aussi chez les jeunes gens, avec un pronostic aussi grave, sinon plus. Nous en connaissons les aspects banaux : la sensiblerie et non la sensibilité, l'horreur des appétits humains oraux ou sexuels et non leur sublimation, qui implique leur acceptation, la peur du sexe, du pénis surtout, qui recèle une envie (présente dans les deux sexes) d'un caractère absolu et incommensurable et l'attachement à des rêveries d'un genre puéril, emphatique et volontiers messianique. On reconnaît ces êtres dans la vie à ce qu'ils se mettent souvent en position de tête de Turc ; cela ne les dérange pas, car ils sont convaincus de leur supériorité sur les gens du commun.

Ces notions cursives ne permettent peut-être pas de faire la distinction entre l'hystérie et l'arriération affective. La différence essentielle nous paraît résider dans la part exorbitante du tribut payé à l'Idéal du Moi dans l'arriération affective. Ici, il faut nous souvenir des remarques de Mélanie Klein sur l'idéalisation. Mélanie Klein voit dans l'idéalisation un mécanisme de défense des plus primitifs et des plus fondamentaux. Idéalisation portant sur l'objet ou sur le Moi. C'est cette distinction d'ordre économique qui permet de mieux fonder la séparation entre hystérie et arriération affective, comme si cette dernière était le produit d'une narcissisation à outrance, en face d'un désinvestissement objectal croissant.

Derrière tout ce comportement on tomberait aisément dans le piège de n'y déceler qu'une position de défense contre les investissements pulsionnels ; ce qui qualifie ces choix est surtout un orgueil immense, derrière les formes trompeuses d'une humilité intense, sans aucune commune mesure avec les performances ordinaires du narcissisme [8]. Peut-être est-il utile de donner quelques explications sur la contestation de la valeur défensive de cet appauvrissement des investissements. Il y a, il est vrai, une signification défensive à cette mise à l'abri des vicissitudes de la pulsion et de ses objets. On peut penser que cet aménagement préserve le sujet, et l'on a parfois l'impression que l'analysé éprouve une anxiété intense parce que l'investissement semble comporter un risque considérable de désorganisation du Moi. De la même façon que le pare-excitation, en s'opposant aux stimulations externes mettant en danger l'organisation fragile du Moi par leur intensité, protège celui-ci par le refus, au-delà d'une certaine quantité de stimulus, de même ici le refus de la pulsion vise une semblable protection. Il est exact que ces patients se sentent d'une fragilité extrême et ont le sentiment que l'admission à la conscience de la pulsion implique pour eux le danger d'un comportement pervers ou psychotique. Une patiente nous disait que, si elle ne se surveillait pas constamment et se laissait aller à la passivité, il ne se passerait pas longtemps avant qu'elle ne

---

8. Bien entendu, ce surinvestissement narcissique est la conséquence d'une blessure narcissique irréparable.

devienne clocharde. Mais chacun est un tant soit peu (le dimanche ou en vacances) clochard, et l'accepte plus ou moins bien. Le narcissique moral ne peut l'admettre. C'est pourquoi il paraît nécessaire d'insister sur l'investissement narcissique d'orgueil.

Nous avons parlé de messianisme, et il s'agit effectivement de cela assez souvent. Chez les femmes, cela s'accompagne de l'identification à la Vierge Marie, « qui conçut sans pécher ». Quelle phrase lourde de conséquences pour la sexualité féminine, bien plus dangereuse que celle de « pécher sans concevoir » à quoi aspirent également les femmes ! Chez l'homme, l'identification à l'Agneau pascal en est l'équivalent. Il ne s'agit pas seulement de se faire crucifier ou égorger, il s'agit, au moment de l'holocauste, d'être innocent comme l'agneau. Mais nous savons que les innocents sont souvent chargés par l'histoire des crimes qu'ils ont laissé perpétrer pour demeurer purs.

Ces conduites d'idéalisation, toujours mises en échec par la contestation du réel, entraînent, nous l'avons déjà dit, la honte plus que la culpabilité et la dépendance plus que l'indépendance. Elles comportent plusieurs particularités dans la cure analytique :

— l'accession difficile au *matériel analytique objectal* enfoui sous le manteau narcissique de ce que Winnicott appellerait ici un *faux Self* ;

— la *blessure narcissique* vécue comme une effraction, comme condition inévitable de la mise à jour du matériel objectal. La démystification ici ne s'adresse pas seulement au désir mais au narcissisme du sujet, au gardien de son unité narcissique, condition essentielle du désir de vie ;

— l'ancrage, lors de la cure, dans une *résistance activement passive*, pour satisfaire le désir de dépendance du sujet, dépendance qui a le pouvoir d'obtenir de rester avec l'analyste pour un temps éternel et de clouer celui-ci dans son fauteuil, comme un papillon qu'on aurait pris au filet de la situation analytique ;

— le désir d'*amour inconditionnel* comme seul désir de ces sujets. Celui-ci prend la forme d'une *estime* absolue, du besoin inépuisable de valorisation narcissique dont la condition expresse est l'enfouissement ou la mise entre parenthèses du conflit sexuel et de l'abord du plaisir lié à la fonction des zones érogènes ;

— la *projection*, comme corollaire de ce désir, mise en jeu dans un but tactique, celui de provoquer la dénégation rassurante de l'analyste. « Assurez-moi de ce que vous ne voyez pas en moi un ange déchu, dépravé, banni — qui a perdu tout droit à être *estimé.* »

187

MÉTAPSYCHOLOGIE DU NARCISSISME MORAL.

Ce que nous venons d'ébaucher en termes descriptifs doit maintenant recevoir son statut métapsychologique. Pour ce faire, il nous faut envisager la relation du narcissisme moral : avec les variétés du contre-investissement, avec les autres aspects du narcissisme, avec le développement de la libido (zones érogènes et relation avec l'objet), enfin, avec la bisexualité et la pulsion de mort [9].

Les variétés du contre-investissement.

Le concept de mécanisme de défense s'est considérablement étendu depuis Freud. Cependant, la multiplicité des formes défensives, dont la liste se trouve dans l'ouvrage d'Anna Freud *Le Moi et le mécanisme de défense*, ne permet pas de rendre compte des particularités structurales des formes majeures de la nosographie, dont on cherche à faire abstraction en vain. Il n'y a de secours à espérer que dans une réflexion sur le contre-investissement : le refoulement, en tant qu'il est une défense, *non la première* mais néanmoins la plus importante dans l'avenir psychique de l'individu [10]. Freud décrit en effet une série de formes qu'il faut maintenant récapituler et dont la fonction est d'ordonner toutes les autres défenses — de les encadrer. Ainsi nous aurions :

1° *Le rejet,* ou *Verwerfung,* que certains traduisent avec Lacan par *forclusion.* On peut discuter du mot, guère de la chose, qui implique le *refus* radical d'en connaître, qui expulse sous quelque forme que ce soit, directe ou déguisée, la pulsion ou ses représentants, dont le retour se fait par le réel ;

— 2° *Le déni, ou désavœu,* selon les traducteurs, ou *Verleugnung,* refoulement de la perception (voir le cas du fétichisme) ;

3° *Le refoulement* proprement dit, ou *Verdrängung,* qui porte sur l'affect spécifiquement et sur le représentant de la pulsion [11] ;

4° Enfin *la négation, ou dénégation,* dite *Verneinung,* qui porte sur le jugement. Elle est (nous simplifions) admission à la

---

9. Nous n'envisagerons donc pas la métapsychologie selon les trois points de vue dynamique, topique et économique pris isolément. Mais en chaque rubrique il sera aisé de rendre à chacun d'eux ce qui lui appartient.

10. On retrouve ici l'opposition entre le premier et le plus important, *Prima* et *Summa,* défendue par G. Dumézil.

11. Nous pensons pour notre part, contrairement à l'opinion admise ces dernières années, que l'affect est *refoulé* et pas seulement *réprimé.* Cf. le *Discours vivant,* P.U.F.

conscience sous une forme négative. « Ce n'est pas... » valant pour *c'est*.

Le narcissisme moral dans ses aspects les plus nets et les plus caractérisés nous paraît répondre à une situation intermédiaire entre rejet et désaveu, entre *Verwerfung* et *Verleugnung* : nous signalons donc ici la gravité de sa structure, qui la rapproche des psychoses.

Plusieurs arguments étayent cette opinion. D'abord, l'idée qu'il s'agit d'une forme de névrose « narcissique », ce que la clinique nous a habitués à considérer d'un œil inquiet. Ensuite, la dynamique même des conflits qui impliquent un refus des pulsions objectales, associé à un refus du réel. Refus de voir le monde tel qu'il est, c'est-à-dire comme le champ clos où les appétits humains se livrent à un combat sans fin. Et, enfin, la mégalomanie soustend le narcissisme moral, qui implique un refus des investissements d'objet par le Moi. Toutefois, il ne s'agit pas, comme dans la psychose, d'un refoulement de la réalité, mais plutôt d'un déni, d'un désaveu de l'ordre du monde et de la participation personnelle que le désir du sujet y prend. Freud décrit le désaveu à propos du fétiche lié à la constatation de la castration. C'est à une semblable fonction de comblement que se livre le narcissique moral en objet sacrificiel, qui bouche les trous par où se révèle l'absence de protection du monde par une image toute-puissante divine, pour tenter d'obstruer ce manque intolérable. « Si Dieu n'existe pas, alors tout est permis », dit le héros de Dostoïevski. « Si Dieu n'existe pas, alors il m'est permis de le remplacer et d'être l'exemple qui fera croire en Dieu. Je serai donc ainsi Dieu par procuration. » On conçoit que l'échec de l'entreprise entraîne, comme Pasche l'a bien vu, la dépression, selon le mode du tout ou rien, sans médiation.

Les autres aspects du narcissisme.

Les trois aspects du narcissisme que nous avons individualisés : narcissisme moral, narcissisme intellectuel, narcissisme corporel, se présentent comme des variantes de l'investissement qui, pour des raisons défensives ou d'identification, sont préférées selon chaque configuration conflictuelle individuelle. Mais, de la même façon que la relation narcissique est inséparable de la relation objectale, les divers aspects du narcissisme sont solidaires entre eux.

Le narcissisme moral est, en particulier, en étroite relation avec le narcissisme intellectuel. Par narcissisme intellectuel, nous rappelons que nous entendons cette forme d'auto-suffisance et de valorisation solitaire qui supplée à l'essentiel du désir humain par la maîtrise ou la séduction intellectuelles. Il n'est pas rare que le narcissisme moral s'allie au narcissisme intellectuel et trouve en ce mode de déplacement un appoint à la pseudo-sublimation. Une hypertrophie des investissements désexualisés, qui d'ordinaire sont une occasion de déplacement des pulsions partielles prégénitales, scopophilie-exhibitionnisme et sadisme-masochisme, soutient le narcissisme moral. Nous connaissons l'affinité de certains ordres religieux avec l'érudition intellectuelle. Telle recherche intellectuelle de caractère moral, philosophique, a pour but de trouver chez les philosophes les *raisons* des fondements d'une éthique, aussi cherchées auprès de Dieu, contre une vie pulsionnelle qu'il faut à tout prix, non dépasser ou refouler, mais *éteindre*. La honte d'être doté d'une vie pulsionnelle comme tout être humain donne le sentiment d'être hypocrite quant au but inavoué du travail. Cette honte se déplace dans l'activité intellectuelle. Celle-ci devient alors hautement culpabilisée. Ici, le terme manque ; il faudrait dire qu'elle devient *éhontée*, comme si le Surmoi vigilant devenait le persécuteur extralucide qui se souvient et devine, derrière la justification intellectuelle, le désir d'absolution pour les restes de vie pulsionnelle qui continuent de tourmenter le Moi. Est également punie la fantaisie de grandeur qu'une telle recherche comporte, destinée à fonder rationnellement et intellectuellement la supériorité morale du sujet.

Dans d'autres cas, l'activité intellectuelle — synonyme du phallus paternel — subit une évolution telle que les efforts faits lors de la scolarité et aboutissant à des résultats satisfaisants dans l'enfance sont l'objet d'un blocage à l'adolescence.

Il faudrait ici entrer plus profondément dans l'analyse de la sublimation et de la régression de l'acte à la pensée. Cela étendrait notre champ au-delà des limites que nous nous sommes assignées. Quelques remarques cependant :

— l'activité intellectuelle, qu'elle soit ou non accompagnée d'une activité fantasmatique, est très fortement érotisée et culpabilisée, mais surtout *ressentie comme honteuse*. Elle s'accompagne de céphalées, d'insomnies, de difficultés de concentration à la lecture, d'impossibilité à utiliser l'acquis, etc. Honteuse, elle l'est parce que le sujet, tout en se livrant à cette activité, la met en relation avec la sexualité souvent masturbatoire : « Je lis des ouvrages de haute valeur humaine ou morale, mais c'est pour tromper mon monde et me faire passer pour ce que je ne suis pas — puisque je ne suis pas un pur esprit et que j'ai des désirs sexuels. » Il n'est pas rare, en ce cas, que la mère ait accusé l'enfant de prétention ou de curiosité malsaine ;

— l'activité intellectuelle représente une issue de décharge aux *pulsions agressives* : lire, c'est incorporer une puissance d'un caractère destructeur. C'est se nourrir du cadavre des parents, que l'on tue en lisant, par la possession du savoir. Ella Sharpe lie sublimation et incorporation dans la représentation fantasmatique ;

— l'activité intellectuelle et l'exercice de la pensée sont sous-tendus, dans le cas du narcissisme moral, par une *reconstruction du monde* — l'établissement d'une règle morale —, véritable activité paranoïaque qui constamment refait, remodèle le réel selon un patron où tout ce qui est instinctuel sera omis ou résolu sans conflit. Ella Sharpe a bien établi les liens entre sublimation et délire.

En somme, le système perception-conscience, en tant qu'il est investi narcissiquement, se trouve être en état de « surveillance » fortement contrôlé et brimé par le Surmoi, comme dans le délire de surveillance, dans un équilibre économique cependant différent.

Mais c'est surtout avec le narcissisme corporel, on s'en doute, que le narcissisme moral a les plus étroits rapports. Le corps comme apparence, source de plaisir, de séduction et de conquête d'autrui est banni. Chez le narcissique moral, l'enfer, ce n'est pas les autres — le narcissisme s'en est débarrassé — mais le corps. Le corps, c'est l'Autre qui resurgit, malgré la tentative d'effacement de sa trace. Le corps est limitation, servitude, finitude. C'est pourquoi le malaise est primordialement un *malaise corporel* — qui se traduit par l'être-mal-dans-sa-peau de ces sujets. Et la séance d'analyse qui laisse parler le corps (bruits intestinaux, réactions vaso-motrices, sudation, sensations de froid ou de chaud) est pour eux un supplice à cet égard, car, s'ils peuvent taire ou contrôler leurs fantasmes, devant leur corps ils sont démunis. Le corps est leur Maître absolu — leur honte [12].

---

12. Cette intolérance corporelle pourrait faire penser à ce que Balint décrit dans son travail sur les trois niveaux de l'activité psychique, en particulier ce qu'il appelle le défaut de base (*basic fault*) (cf. *La psychanalyse*, n° 6, p. 183 et sqq.). Le Moi comme moi corporel, comme « projection de surface », est comme le système perception-conscience objet d'une surveillance particulière — en raison du retour du refoulé d'une érogénéité diffuse — de la tête aux pieds comme si les zones érogènes étaient désinvesties au prix d'un étalement, d'une diffusion sur tout le Moi de ce que le sujet cherche à abolir. Au bout de cinq ans d'analyse, une patiente nous dit après une interprétation qui portait justement sur l'investissement narcissique de sa parole : « Pour la première fois, ce que vous me dites n'a pas résonné dans mon corps tout entier, mais seulement dans ma tête. » Mention doit être faite de la voix. Le débit est incantatoire, psalmodique, la séance est un long chant plaintif, où l'on dirait que le sujet s'écoute. Erreur, il se berce et l'analyste avec lui. Dans la capture de sa parole psalmodiante, le narcissique a réussi encore une fois le piège de l'envoûtement de l'analyste, qu'il immobilise dans le monde de son narcissisme.

C'est pourquoi ces sujets, sur le divan, sont pétrifiés, immobiles. Ils se couchent de façon stéréotypée, ne se permettent ni changement de position ni mouvement d'aucune sorte. On comprend que, devant ce silence moteur de la vie de relation, la motricité viscérale se déchaîne. Mais, bien entendu, ce ne sont là que déplacements du corps sexuel, de celui qui n'ose pas dire son nom : en cours de séance, un accès vaso-moteur fera rougir le sujet, l'émotion lui arrachera des larmes qui disent l'humiliation du désir. Aussi, contre les appels du corps, l'apparence se fera rebutante, revêche, décourageante pour l'analyste le moins exigeant sur les critères de l'attirance.

Nous montrons ici des aspects qui semblent être défensifs. Ici encore, ne négligeons pas, derrière cette humilité, un plaisir caché, orgueilleux. « Je ne suis ni homme ni femme, je suis du genre neutre », me disait cette patiente. Il est néanmoins remarquable de noter que ce malaise, si pénible soit-il, est signe de vie. La souffrance, c'est encore la preuve que quelque chose existe à l'état vivant. Lorsque, ayant même réussi — et ce n'est pas si impossible qu'on le croit — à maîtriser l'angoisse sous toutes ses formes, y compris les formes viscérales, se fait le silence, l'analysant ressent l'impression d'un morne épouvantable. A la chappe de plomb de la souffrance psychique fait place le couvercle du cercueil. Car c'est alors un sentiment d'inexistence, de non-être, de vide intérieur bien plus intolérable que ce contre quoi il fallait se protéger. Avant, au moins, il se passait quelque chose, tandis que la maîtrise du corps est préfiguration d'un sommeil définitif, signe avant-coureur de la mort.

Le développement psychique :
les zones érogènes et la relation à l'objet.

Cette dépendance au corps que nous rencontrons chez le narcissique, et en particulier le narcissique moral, trouve ses racines dans la relation à la mère. Nous savons que la clé du développement humain est l'amour, le désir comme essence de l'homme, comme dit Lacan. Freud n'a cessé, durant la dernière partie de son œuvre, de mettre en balance l'exigence imprescriptible de la pulsion et l'exigence non moins imprescriptible de la civilisation demandant le renoncement à la pulsion. Tout le développement est marqué par cette antinomie. Dans *Moïse et le monothéisme*, Freud donne des précisions là-dessus : « Quand le Moi apporte au Surmoi le sacrifice d'un renoncement pulsionnel, il s'attend à être récompensé en recevant de lui plus d'amour. La conscience de mériter cet amour est ressentie comme de l'orgueil. Au temps où l'autorité n'était pas encore internalisée en tant que Surmoi, il pouvait y avoir la même relation entre la menace de perte d'amour et les exigences de la pulsion : il se produisait un semblant de sécurité quand on avait accompli un renoncement pulsionnel pour un de ses parents. Mais cet heureux sentiment ne pouvait acquérir le caractère particulier de l'orgueil que quand l'autorité était elle-même devenue une partie du Moi. » Ce passage montre qu'il faut concevoir la notion de développement sous deux angles au moins. D'une part, le développement incoercible de la libido objectale de l'oralité au stade phallique, puis génital ; de l'autre, celui de la libido narcissique de la dépendance absolue jusqu'à l'interdépendance génitale. Or la sécurité à gagner ne peut s'obtenir — pour ne pas pâtir de la perte de l'amour du parent — que par le renoncement pulsionnel qui a permis d'acquérir l'estime de soi. La souveraineté du principe de plaisir, tout comme la survie, ne sont possibles que si, au départ, la mère assure la satisfaction des besoins, afin que puisse s'ouvrir le champ du désir comme ordre du signifiant. Il en va de même pour la sphère du narcissisme, qui ne peut s'instaurer que dans la mesure où la sécurité du Moi est assurée par la mère. Mais, si cette sécurité et l'ordre du besoin pâtissent d'une conflictualisation précoce (interne au sujet ou provoquée par la mère), alors de la même façon que l'on assiste à l'écrasement du désir et à sa réduction au statut du besoin, parallèlement la blessure narcissique par *impossibilité de vivre l'omnipotence*, donc de la dépasser, entraîne une dépendance excessive à l'objet maternel qui assure la sécurité. La mère devient le support d'une omnipotence, accompagnée d'une idéalisation dont le caractère psychotisant est bien connu, d'autant qu'elle va de pair avec l'écrasement du désir libidinal. Cette omnipotence sera d'autant plus facile à assumer qu'elle répondra à un désir de la mère d'enfanter sans la contribution du pénis du père. En somme, comme si l'enfant, du fait qu'il a été conçu à l'aide de ce pénis, était un produit déchu, dégradé.

Un auteur s'est attaché à cette problématique de la dépendance, Winnicott. Il a montré comment la scission du restant de la psyché de ce qui est refusé aboutit à la construction de ce qu'il appelle un *faux Self*, que l'enfant se voit contraint d'adopter [13].

Que cette problématique narcissique soit contemporaine d'une oralité où la dépendance au sein est réelle accroît encore ce renforcement de la dépendance. A la phase anale, où l'on sait que les contraintes culturelles sont importantes — on dit le « dres-

---

13. Sur le *faux Self,* cf. *De la psychanalyse à la pédiatrie*, trad. par J. Kalmanovitch, Payot.

sage » sphinctérien, comme pour les bêtes —, les exigences de renoncement impératives et les formations réactionnelles prédominantes, on aboutira dans les meilleurs cas à un caractère obsessionnel rigide, et, dans les pires, à une forme caractérielle paranoïaque camouflée, encore porteuse de fantaisies d'incorporation d'un objet dangereux et restrictif, animé d'une toute-puissance antilibidinale. Tous ces reliquats prégénitaux marqueront fortement la phase phallique et conféreront à l'angoisse de castration chez le garçon un caractère foncièrement dévalorisant, et à l'envie du pénis chez la fille une avidité dont elle rougira en s'en cachant du mieux qu'elle peut.

Les instances.

Examinons le narcissisme dans ses rapports avec le Ça. Il ne peut s'agir ici que du narcissisme primaire. Dans le chapitre II, nous avons montré la nécessité de faire la part de ce qui relève du Ça, qu'on décrit ordinairement sous le nom d'élation ou d'expansion narcissiques, et de ce qui appartient en propre au narcissisme primaire, selon nous, qui est abaissement des tensions au niveau zéro. Nous venons de voir que le projet du narcissique moral est de s'appuyer sur la morale pour s'affranchir des vicissitudes du lien à l'objet et obtenir par ce moyen détourné la libération des servitudes liées au rapport objectal, pour donner au Ça et au Moi le moyen de se faire aimer d'un Surmoi exigeant et d'un Idéal du Moi tyrannique. Mais cet effort mystificateur échoue. D'abord parce qu'on ne trompe pas le Surmoi à si bon compte, ensuite parce que les exigences du Ça ne cessent pas de se faire entendre, malgré les manœuvres ascétiques du Moi.

Si ce que nous avons dit est vrai, à savoir que le narcissisme moral fait de la morale une jouissance auto-érotique, on comprendra mieux comment le Moi peut être intéressé à ces opérations en favorisant par tous les moyens mis à la disposition du narcissisme secondaire, voleur d'investissements destinés aux objets, le travestissement qui peut lui permettre de dire au Ça, selon la phrase de Freud : « Vois, tu peux m'aimer, je ressemble tellement à l'objet. » Il faudrait ajouter : « Et moi, au moins, je suis pur, pur de tout soupçon, pur de toute souillure. »

Mais c'est bien avec le Surmoi et l'Idéal du Moi que les rapports sont les plus étroits. Nous avons insisté sur ce que Freud a décrit en 1923, en y revenant sans cesse ensuite. Il précise l'ordre des phénomènes propres au Surmoi : la fonction de l'idéal, qui est au Surmoi ce que la pulsion est au Ça et la perception au Moi. Ainsi, pour récapituler brièvement les choses :

si, à l'origine, tout est Ça, tout est pulsion et, plus exactement, antagonisme de pulsions (Eros et pulsions de destruction) la différenciation vers le monde extérieur entraîne l'existence d'une « corticalisation » du Moi qui valorise la perception et corrélativement la représentation de la pulsion. La division en Moi et Surmoi, cette dernière instance prenant ses racines dans le Ça, entraîne le refoulement des satisfactions du Ça et, parallèlement, la nécessité de se représenter le monde non seulement tel qu'on le désire mais tel qu'il est : c'est-à-dire tel qu'un système de connotations permet d'avoir prise sur lui. Ceci a pour conséquence, compensatoirement ou secondairement — les deux sont plausibles —, la mise en œuvre de la fonction de l'idéal, revanche du désir sur le réel. C'est parce que la fonction de l'idéal — fonction de l'illusion — est à l'œuvre qu'existent les sphères du fantasme, de l'art, de la religion.

Or, pour le narcissique moral, la fonction de l'idéal, qui est susceptible d'une évolution, sans renoncer à rien de son exigence de départ, garde sa force originelle. Trouvant sa première application dans l'agrandissement des parents, c'est-à-dire l'idéalisation de leur image, elle conserve de la relation aux parents, à la mère notamment, toutes les caractéristiques. Chez ces sujets, l'amour de leur Idéal du Moi est indispensable, comme l'amour qu'ils attendaient de leur mère — et comme la nourriture donnée par leur mère dont l'amour était déjà la première illusion. « Je suis nourri, donc je suis aimé », dit le narcissique moral. « Nul être qui ne se dispose à me nourrir ne m'aime vraiment. » Le narcissique moral demandera, dans l'analyse, la même nourriture inconditionnelle — en s'efforçant de l'obtenir sans relâche par la privation et la réduction des investissements, but inverse de celui que poursuit la cure. Alors que sa demande le rend terriblement dépendant, il assure sa domination et la servitude de l'Autre. Nous retrouvons ici le lien amour-sécurité dont nous parlions plus haut. Etre à l'abri — à l'abri du monde fauteur d'excitations, comme dit Freud — avec l'amour de l'analyste comme garantie de la survie, de la sécurité, de l'amour, tel est le désir du narcissique moral.

Et le Surmoi ? Nous abordons ici un des traits les plus propres à caractériser le narcissisme moral. En effet, c'est dans une tension constante Idéal du Moi/Surmoi que vit le narcissique moral. Tout se passe comme si, du fait de la fonction idéalisante de l'Idéal du Moi — fonction de leurre et de satisfaction détournée, occultation d'une innocence trouble — le Surmoi décelait le piège de ce travestissement et, pour ainsi dire, ne s'en laissait pas conter. Ainsi l'Idéal du Moi cherche à berner le Surmoi par ses sacrifices et ses holocaustes, tandis que le Surmoi perce « le péché d'orgueil » de la mégalomanie et punit sévèrement le Moi de sa tromperie.

L'Idéal du Moi du narcissique moral s'édifie sur les vestiges du Moi idéal ; c'est-à-dire sur une puissance de satisfaction omnipotente idéalisante qui ne connaît rien des limitations de la castration, qui a donc moins affaire au complexe d'Œdipe de la phase œdipienne qu'à ce qui la dénie.

Tout Surmoi comporte un germe de religion, puisqu'il se crée par identification non avec les parents, mais avec le Surmoi des parents ; c'est-à-dire avec le père mort — l'ancêtre. Mais tout Surmoi ne mérite pas le qualificatif de religieux. La spécificité de toute religion, quelle qu'elle soit, est que le fondement de ce Surmoi est constitué en système — le dogme —, médiateur nécessaire de l'interdiction paternelle. C'est bien là ce que Freud affirme quand il dit que les religions sont les névroses obsessionnelles de l'humanité. En retour, puisqu'il y a réciprocité, il a également soutenu que la névrose obsessionnelle était le travestissement mi-tragique, mi-comique d'une religion privée. Les narcissiques moraux ont de nombreux liens avec les obsessionnels, surtout à travers l'intense désexualisation qu'ils tentent d'imprimer à leurs relations d'objet et l'agressivité profonde qu'ils camouflent. D'un autre côté, nous avons signalé les relations à la paranoïa. On peut dire, pour grouper ces observations, que plus les liens sont conservés avec l'objet, plus la relation sera obsessionnelle — plus ils seront détachés de lui, plsu elle sera paranoïaque. Tout échec dans un cas comme dans l'autre, toute déception infligée par l'objet à l'Idéal du Moi, entraîne la dépression — dans la forme que Pasche a décrite et sur laquelle nous ne revenons pas.

Disons encore un mot des rapports entre honte et culpabilité ; les réflexions de Dodds sur la Grèce trouvent un écho dans les structures pathologiques individuelles. La honte, avons-nous dit, est d'ordre narcissique, tandis que la culpabilité est d'ordre objectal. Ce n'est pas tout ; on peut aussi penser que ces sentiments qui, pour Freud, sont le support des premières formations réactionnelles — bien avant l'Œdipe — sont constitutifs des précurseurs du Surmoi, avant l'intériorisation qui caractérise l'héritier du complexe d'Œdipe. Rattacher ainsi la honte aux phases prégénitales du développement explique non seulement sa prévalence narcissique mais aussi son caractère intransigeant, cruel, sans réparation possible.

Bien entendu, il s'agit là d'oppositions schématiques. Les deux, honte et culpabilité, coexistent toujours. Mais, dans l'analyse, ils doivent être distingués. La culpabilité en rapport avec la masturbation s'appuie sur la crainte de castration, la honte a un **caractère** global, premier, absolu. Il ne s'agit pas de la crainte d'être châtré, mais de prohiber tout contact avec l'être châtré, pour autant qu'il est la preuve, porte la marque, d'une souillure indélébile qu'on peut contracter à son contact. Il faudrait dire que seule une désintrication du narcissisme avec le lien objectal permet de doter la honte d'une telle importance. Comme toute désintrication favorise la pulsion de mort, le suicide par honte se comprend mieux.

Mais retournons au Moi. Car un point, laissé en suspens, mérite que nous y revenions, celui de la sublimation. Nous avons parlé d'une pseudo-sublimation. Une sublimation que d'aucuns appelleraient une sublimation-défense. A notre avis, cette conception n'est pas véridique, car elle oppose une sublimation vraie, qui serait l'expression de ce qui existe de plus noble en l'homme, à une sublimation-défense qui n'en serait qu'un raté. Il existe indéniablement des sublimations issues de processus pathologiques, voies de dégagement d'un conflit, qui ne sont pas forcément des formations réactionnelles. Toute sublimation — dans la mesure où c'est la menace de castration qui la commande et qui obéit à la nécessité de mettre fin au complexe d'Œdipe, faute de courir les plus graves dangers pour l'économie libidinale — est un destin de pulsion, donc une défense. Celle-ci prend appui sur les pulsions à but inhibé auxquelles nous avons tenté de faire une place plus importante que celle qu'on leur accorde généralement dans la théorie. Ce qu'il en est à cet égard quant au narcissisme moral est instructif. On peut y observer non seulement ces dégagements sublimatoires dont plus tard le sujet paiera le prix fort, mais aussi un processus d'inhibition, voire d'arrêt de la sublimation par culpabilisation secondaire (c'est la honte qui est première, ne l'oublions pas) des pulsions partielles, et en particulier de la scopophilie. Lorsque la voie vers la pseudo-sublimation l'emporte, il est rare alors que celle-ci soit — comme elle l'est ordinairement — un plaisir. De « moindre valeur » aux yeux du Ça que le plaisir sexuel, mais de plus haut prix aux yeux du Surmoi. L'essentiel de cette destinée du Moi est l'aboutissement de la constitution du *faux Self* qui a fait siennes les conduites privatrices idéalisantes, le processus restant *totalement inconscient*.

Il importe de ne pas méconnaître la fonction économique de ce *faux Self*. Nous avons déjà fait état de ce qui, au sein du narcissisme moral, fait office de processus défensif, comme de ce qui tient lieu de satisfaction substitutive : l'orgueil. Mais on ne saurait négliger cette considération économique essentielle qui fait du narcissisme moral, et du *faux Self* qui le sous-tend, l'épine dorsale du Moi de ces sujets. Il y a donc risque à s'y attaquer, danger de voir sombrer tout l'édifice, ce que la vie, avec son potentiel de déceptions, se charge le plus souvent de faire — et c'est alors la dépression, voire le suicide.

La bisexualité et la pulsion de mort.

La fin dernière du narcissisme c'est, nous l'avons dit au chapitre II, l'effacement de la trace de l'Autre dans le Désir de l'Un. C'est donc l'abolition de la différence première, celle de l'Un et de l'Autre. Mais que signifie cette abolition dans le retour au giron maternel ? Ce que vise le narcissisme primaire par l'abolition des tensions au niveau zéro, c'est, ou la Mort, ou l'Immortalité, ce qui revient au même. D'où le sentiment que nous avons, face à ces malades, que leur vie est un suicide à feu lent, quand ils paraissent avoir renoncé à leur mise à mort violente. Mais cette forme suicidaire est révélatrice de ce que l'inanition objectale, la consomption, sont sacrifiées pour l'amour d'un Dieu terrible. Avec la suppression de la différence première, on opère du même coup l'abolition de toutes les autres différences et, cela va sans dire, de la *différence sexuelle*. Car c'est une même chose de dire qu'il faut amener le désir à son niveau zéro et de dire qu'il faut se passer de l'objet qui est *objet du manque* — objet signe de ce que l'on est à la fois fini, inachevé et incomplet. Ce n'est pas pour rien que Freud — dans *Au-delà du principe de plaisir,* justement — se réfère au mythe platonicien de l'androgyne. Pour le narcissique moral, ceci est lettre morte, car les inconvénients de la différenciation sexuelle doivent être supprimés par l'auto-suffisance. *La complétude narcissique n'est pas signe de santé mais mirage de mort. Nul n'est sans objet. Nul est ce qui est sans objet.*

Le narcissisme moral est un narcissisme à la fois positif et négatif. Positif par le rassemblement des énergies sur un Moi fragile et menacé. Négatif parce qu'il est valorisation, non de la satisfaction, non de la frustration (ce serait le cas du masochisme), mais de la *privation.* L'auto-privation devient le meilleur rempart contre la castration.

Ici se dessine le besoin d'une analyse différentielle selon la nature du manque, c'est-à-dire selon le sexe. On ne le répétera jamais assez : l'angoisse de castration concerne les deux sexes, l'envie du pénis concerne les deux sexes. Mais avec des données de départ différentes. L'homme a peur d'être châtré de ce qu'il a, la femme de ce qu'elle pourrait avoir, qui lui fait méconnaître ce qu'elle est. La femme a envie du pénis en tant qu'il lui est destiné, par le coït, par la procréation, etc. L'homme a envie du pénis en tant que le sien, semblable au clitoris féminin, à l'aune du sexe parental fantasmatique, n'est jamais assez valorisant. Souvenons-nous de l'indestructibilité de ces désirs.

Le narcissisme moral nous éclaire à cet égard. Chez l'homme, il aboutit, par la conduite privative, à la défense suivante : « On ne peut me châtrer, puisque je n'ai plus rien ; je me suis dépouillé de tout et ai mis mes biens à la disposition de qui veut s'en emparer. » Chez la femme, le raisonnement serait : « Je n'ai rien — mais je ne désire rien de plus que ce rien que j'ai. » Cette vocation monacale chez l'homme et chez la femme revient à nier son manque ou au contraire à l'aimer. « Je ne manque de rien — je n'ai donc rien à perdre et, quand bien même je manquerais de quelque chose, j'aimerai mon manque comme moi-même. » La castration va rester maîtresse du jeu, car ce manque sera déplacé vers la perfection morale à laquelle aspirera le narcissique, qui le laissera constamment en deçà des exigences qu'il se sera imposées. Et là, la honte découvrira son visage, qu'il faudra recouvrir d'un linceul.

On n'efface pas la trace de l'Autre, fût-ce dans le Désir de l'Un. Car l'Autre aura pris le visage de l'Un dans le double qui le précède et qui lui répétera sans cesse : « Tu ne dois aimer que moi. Rien ne vaut d'être aimé à part moi. » Mais qui se tient derrière le masque : le double, l'image dans le miroir ? Les doubles viennent habiter le cadre de l'*hallucination négative de la mère*.

Nous ne reviendrons pas sur ce concept que nous avons déjà développé. Mais nous prolongerons cette hypothèse ici en montrant que, si l'hallucination négative est le fond sur lequel repose le narcissisme moral dans sa relation avec le narcissisme primaire, le père y est intéressé. Car la négativation de la présence de l'encadrement maternel rejoint le père comme absence primordiale — comme absence du *principe de parenté*, dont les liens ultérieurs avec la Loi seront perçus. Dans le cas du narcissisme moral, il est indéniable que ce détour ne vise qu'à la possession d'un phallus paternel [14] comme principe de domination universelle. La négativation de ce désir sous la forme de la célébration du renoncement ne change rien à son but ultime. Et ce n'est pas par hasard qu'il s'agit dans les deux sexes d'une négation de la castration. Dieu est asexué, mais c'est un Dieu père. Son phallus, pour le narcissique moral, est désincarné, vide de sa substance, moule creux et abstrait [15].

---

14. Ou, mieux, parental. Car le pénis paternel n'est que la figuration et le dérivé d'un pénis parental principiel qui appartient aussi bien à l'image de la mère phallique.

15. Un phallus qui, en somme, se donne dans une double inscription : positive phallique et négative vaginale.

Avant d'en terminer avec les relations entre le narcissisme moral et la pulsion de mort, il nous faut revenir à l'idéalisation. C'est le grand mérite de Mélanie Klein d'avoir donné à l'idéalisation la place à laquelle elle a droit. Pour Mélanie Klein, l'idéalisation est le résultat du clivage primordial entre bon et mauvais objet, et, corollairement, entre le bon et le mauvais Moi. Cette dichotomie recouvre celle qui existe entre objet (ou Moi) idéalisé et objet (ou Moi) persécuteur, dans la phase schizoparanoïde. En conséquence, l'idéalisation excessive de l'objet ou du Moi apparaissent comme le résultat du clivage qui tient à maintenir exclue — dans le Moi comme dans l'objet — toute la partie persécutrice de ceux-ci. Ce point de vue est confirmé par la clinique. L'idéalisation du Moi est toujours corollaire d'un sentiment extrêmement menaçant pour l'objet comme pour le Moi — ce qui rejoint nos observations sur l'importance de l'agressivité destructrice chez les narcissiques moraux. L'idéalisation a partie liée avec l'omnipotence pour mettre en échec, neutraliser, anéantir, les pulsions de destruction qui menacent l'objet et le Moi, selon la loi du talion.

Ici se perçoivent mieux les relations avec le masochisme qui font question dans l'interprétation du narcissisme moral. Le masochisme représente, à notre avis, l'échec de la neutralisation des pulsions de destruction orientées vers le Moi — échec donc du narcissisme moral et de sa charge idéalisante. Le narcissisme moral doit donc être compris comme un succès de la défense et, par là même, un succès dans la recherche d'un plaisir (mégalomaniaque) *au-delà du masochisme,* la mégalomanie naissant de l'affranchissement des tensions conflictuelles. Il doit être entendu que le narcissisme moral n'est pas la seule issue contre le masochisme menaçant le Moi, mais l'un des procédés qui maintiennent cette menace à l'écart.

Faut-il en conclure que le narcissisme moral serait une couverture contre le masochisme ? Tel n'est pas notre avis, puisque c'est la dichotomie entre idéalisation et persécution qui est première. Le clivage donne les deux positions dans le même temps. L'idéalisation n'est pas moins mutilante que la persécution, car elle retire le sujet d'un circuit de relations objectales. Pour mieux nous faire comprendre, nous dirons que la persécution sous-tend le délire paranoïaque, tandis que l'idéalisation sous-tend la schizophrénie dans ses formes les plus hébéphréniques. Entre les deux s'étendent toutes les formes intermédiaires schizo-délirantes. Ceci pour nous reporter aux modèles extrêmes. Dans les formes moins graves, cette problématique est évidemment moins apparente. Mélanie Klein dirait que, dans ces cas, la phase dépressive a été atteinte. Ce qui aurait l'avantage d'expliquer que l'effondrement du narcissique moral prend le visage de la dépression et non celui du délire ou de la schizophrénie. Mais, dans tous les cas, on voit que c'est la désintrication des pulsions et destruction non maîtrisées par le clivage et l'accentuation de l'idéalisation qui sont responsables de la régression. En tout état de cause, répétons cependant que les deux positions : idéalisation et persécution, sont données ensemble. En deçà, c'est un état chaotique qui ne connaît pas la première division symbolisante : celle du bon et du mauvais.

IMPLICATIONS TECHNIQUES DE LA CURE DES NARCISSIQUES MORAUX.

La cure des narcissiques moraux, on l'aura compris, pose des problèmes délicats. Nous avons déjà signalé certains des obstacles les plus sérieux à son évolution, dont les principaux tiennent à la difficile accessibilité du matériel lié à la relation objectale par-delà la reconstitution de la dépendance narcissique à la mère, donc à l'analyste. Il semble, à la lumière de notre expérience, que la clé de ces cures réside, comme toujours, dans le désir de l'analyste, dans le contre-transfert. L'analyste, au bout d'un certain temps où il sait qu'il a à vivre une telle relation, finit par se sentir le prisonnier de son malade. Il devient l'autre pôle de la dépendance, comme en ce rapport où l'on ne sait plus très bien ce qui distingue le geôlier de celui qu'il doit garder dans sa prison. L'analyste est alors tenté de modifier cette situation analytique pour la faire avancer. La variante la moins culpabilisante pour lui est celle de la bonté. L'analyste offre donc son amour, sans se rendre compte qu'il verse le premier jet dans le tonneau des Danaïdes. Mais, outre que cet amour est toujours insatiable et qu'il faut s'attendre à voir s'épuiser les réserves d'amour — car elles sont, on ne le dit jamais, limitées —, l'analyste commet là, il me semble, une erreur technique, puisqu'il répond ainsi au désir du patient — ce qui, nous le savons, est toujours périlleux. Il devient alors, puisqu'il s'agit de narcissisme moral, un substitut du moraliste, voire du prêtre. Le résultat est que l'analyse y perd sa spécificité, c'est-à-dire le ressort de son efficacité. C'est exactement comme si nous choisissons de répondre à une symptomatologie délirante en nous situant sur le plan de l'expression manifeste de cette symptomatologie : c'est s'engager dans une impasse, si ce n'est commettre une faute.

La deuxième possibilité est celle de l'interprétation du transfert. Tant qu'il reste exprimé à travers les paroles de l'analyste en termes objectaux, il n'a que peu d'écho sur ce matériel recouvert par la carapace narcissique. Autant vouloir éveiller le désir sexuel d'un être qui serait vêtu d'une armure. Il reste la résignation. Elle est la moins nocive assurément de toutes ces attitudes. Laisser faire, laisser passer. L'analyste risque alors — les privations requises par la cure restant sans autre effet que de renforcer le narcissisme moral — de s'engager dans une analyse infinie, le besoin de dépendance du patient se trouvant alors largement satisfait.

Il semble donc qu'aucune solution n'apparaisse. Il en est pourtant une que nous n'oserions évoquer sans crainte si en certains cas elle ne nous avait permis de faire faire à certaines cures un bond appréciable. Il s'agit, l'entreprise est périlleuse, d'analyser le narcissisme. Analyser le narcissisme, c'est un projet qui pourrait paraître à plus d'un égard impossible. Il nous semble pourtant que si, au bout d'un délai suffisant — plusieurs années —, au moment où le transfert est bien établi et où les conduites de répétition ont été analysées, l'analyste se résout à prononcer les mots clés : honte, orgueil, honneur, déshonneur, micromanie et mégalomanie, il peut alors délivrer le sujet d'une partie du fardeau ; car, comme le soulignait Bouvet, la pire frustration qu'un patient peut ressentir au cours d'une analyse, c'est de n'être pas compris. Si dure soit l'interprétation, si cruelle la vérité à entendre, cette dernière l'est moins que le carcan dans lequel le sujet se sent prisonnier. L'analyste, souvent, ne se résout pas à cette conduite technique, parce qu'il peut avoir le sentiment de traumatiser son malade. Il lui fait, contraint et forcé, bon visage, alors qu'intérieurement il est mal à son aise. Si nous croyons à l'inconscient, nous devons penser que ces attitudes camouflées devant la civilité des relations analytiques sont perceptibles par l'analysant, à travers les indices les plus indirects.

L'analyste doit être l'artisan de la séparation d'avec le malade, à condition cependant que le malade ne ressente pas cette séparation comme une façon de se défaire de lui. Ajoutons, du reste, que souvent ceux qui ont à traiter ces patients, devant la prise de conscience de leur inaccessibilité, s'en débarrassent sous les formes les plus affables, tout au moins extérieurement. En somme, nous ne défendons rien d'autre ici qu'un discours de vérité au lieu d'une technique réparatrice.

Cette attitude interprétative pourra permettre d'avoir accès, quand cela sera possible, à la problématique idéalisation-persécution et, ainsi, de montrer ce qui se tapit, à travers l'idéalisation, dans la persécution implicite que celle-ci cache dans ses plis. Protection contre la persécution (de la part de l'objet et subie par le Moi, de la part du Moi et subie par l'objet) et en même temps issue de la persécution sous une forme camouflée. De cette manière, le lien objectal à l'égard de la mère peut se reconstituer. On montrera alors les reproches du Moi à l'égard de l'objet et les reproches de l'objet à l'égard du Moi. Car le recours à la suffisance narcissique s'explique, au moins en partie, par la carence de l'objet, que cette carence soit réelle ou qu'elle soit le résultat de l'incapacité à satisfaire les besoins inextinguibles de l'enfant.

LES FIGURES HÉROÏQUES DU NARCISSISME MORAL.

Tout ce que nous venons de développer à la suite de notre apologue a été tiré de l'observation de nos patients. La régression narcissique qu'ils indiquent fait d'eux des caricatures que tout un chacun peut évoquer parmi ses relations. Mais sans atteindre à ces formes, certaines figures héroïques, à part Ajax qui est lui aussi un cas extrême du genre, peuvent être contemplées dans la galerie de portraits qu'ils forment.

Que l'on songe à Brutus par exemple, tel que Shakespeare le montre dans *Jules César*. Brutus, assassine César non par désir ou ambition mais par patriotisme, parce qu'il est républicain et qu'il voit en son père adoptif une menace pour la vertu de Rome. Quand on assassine par vertu, on n'est jamais assez vertueux ensuite pour justifier cet assassinat. D'où ce refus de se lier par serment aux autres conjurés, chacun ne devant rendre de comptes qu'à sa conscience :

> *Pas de serment,*
> *Sinon faite, à l'honneur, par l'honneur même*
> *La promesse de triompher ou de périr.*

Toujours l'honneur ! Brutus nous aura déjà avertis :

> *J'aime l'honneur*
> *Plus que je ne redoute de mourir.*

D'où cet acte démentiel pour le moindre des novices en politique [16], qui permet au plus redouté de ses rivaux, Marc-Antoine [17], de venir faire l'éloge du mort. D'où, avant la bataille qu'il doit livrer, les vifs reproches qu'il fait au courageux Cassius, son allié, qu'il accuse d'être, comme on dirait aujourd'hui, un « profiteur de guerre ». D'où son suicide final pour offrir un témoi-

---

16. Cassius le sent bien, qui lui souffle à cet instant : « Vous ne savez pas ce que vous faites. »

17. Mais, aussi, semble-t-il, au plus aimé par son objet d'amour, César, qui, à ce moment, paraît préférer Marc-Antoine à Brutus.

gnage supplémentaire de son incorruptible vertu. Mais cette cause héroïque n'est pas forcément celle de la République, celle de l'Etat, celle du pouvoir.

L'amour a aussi ses héros du narcissisme moral. Le plus beau d'entre eux est notre saint patron, Don Quichotte, que Freud chérissait particulièrement. Songeons à cet épisode où le Quichotte se rend dans la sierra Morena et veut vivre en ermite. Il se dépouille de ses maigres biens et commence à déchirer ses vêtements, à se meurtrir le corps et faire mille cabrioles dont le bon Sancho ne revient pas. Et, quand celui-ci demande explication, l'hidalgo au sang pur explique à cet homme du commun qu'il ne fait là que se conformer aux règles du code de l'amour telles que les prescrivent les romans de chevalerie. Le Quichotte cherche la prouesse capable d'éterniser son nom, au nom de son amour, qui doit non seulement être un amour immaculé, sans aucune note de désir charnel, mais doit le déposséder totalement de ses biens. Il doit arriver à ce dénuement de lui-même et de sa propre individualité par l'imitation d'Amadis ou .de Roland jusqu'à la folie — ou, tout au moins, l'imitation de celle-ci. « A présent ne faut-il pas que je déchire mes vêtements, que je disperse les pièces de mon armure et que je fasse des culbutes la tête en bas sur ces rochers, ainsi que d'autres choses de même espèce qui vont exciter ton admiration ? », dit-il à Sancho Pança qui s'efforce de le raisonner, en vain. « Fou je suis et fou je dois être », dit le Quichotte, dont la folie ici est signe de vertu. Car, lorsqu'il a nommé Dulcinée à Sancho, celui-ci ne la reconnaît pas dans l'évocation de la « haute et souveraine dame » des pensées du chevalier mais s'écrie : « Tudieu, c'est une fille solide, faite et parfaite et de poil à l'estomac, propre à faire la barbe et le toupet. Fille de pute ! quelle voix elle a et quel creux de poitrine... Et, ce qu'elle a de mieux, c'est qu'elle n'est pas du tout bégueule. » Ce n'est certes pas ainsi que le Quichotte voit Dulcinée. On pourrait dire qu'ici il ne saurait être question de narcissisme, mais d'amour objectal, puisque c'est pour l'objet d'amour que le Quichotte s'inflige privations et sévices. Mais non, il ne s'agit là que la projection narcissique d'une image idéalisée, et ce n'est pas le moindre des traits de génie de Cervantès que de terminer son livre par le reniement de Don Quichotte : « Taisez-vous, dit le chevalier à ses interlocuteurs complaisants, au nom du ciel revenez à vous-même et laissez là ces billevesées. »

Sans doute le Quichotte et Sancho Pança n'existent-ils, comme le dit Marthe Robert, que « sur le papier ». Mais ils vivent en nous, sinon par eux-mêmes. De même Falstaff est-il le narcissique absolument et complètement amoral, lui dont le monologue sur l'honneur provoque notre réprobation pour sa crudité et notre admiration pour sa vérité [18]. Ainsi nous sommes partagés entre une indispensable illusion et une non moins indispensable vérité.

Toutes ces figures, un philosophe les a décrites. N'avez-vous pas reconnu, à maints endroits, Hegel et sa belle âme ? Inquiète pour l'ordre du monde, désireuse de le changer, mais soucieuse de sa vertu, elle voudrait pétrir le levain dont sont faits les hommes en gardant les mains pures. Prenons garde de faire comme Hegel qui, après avoir immortalisé sous sa férule cette belle âme, n'a pu conclure *La phénoménologie de l'esprit* que sur un triomphe, qui peut bien avoir été celui de la belle âme.

Cette belle âme de la conscience morale, ne sentons-nous pas combien elle peut être proche du délire de présomption, de cette Loi du cœur dont la paranoïa est la référence ? De toute façon, sa qualité narcissique n'a pas échappé à Hegel : « Se contempler soi-même est son être-là *objectif* et cet élément objectif consiste dans l'expression de son savoir comme d'un *universel* [19]. » Et même son lien avec le narcissisme le plus primaire : « Nous voyons donc ici la conscience de soi qui s'est retirée dans son intimité la plus profonde — toute extériorité comme telle disparaît pour elle —, elle est retournée dans l'intuition du Moi = Moi dans laquelle ce Moi est toute essentialité et être-là [20]. » La conséquence en est « l'absolue *non-vérité* qui s'écroule en soi-même ».

Aurions-nous l'air de nous livrer à la dénonciation de la vertu et à l'apologie du vice ? Ce serait céder à un effet de mode qui voit aujourd'hui en Sade notre sauveur. Contentons-nous seulement de rappeler cette vérité, montrée par Freud, qui lie indis-

---

18. LE PRINCE. — Bah ! Tu dois une mort à Dieu.
FALSTAFF. — Elle n'est pas encore échue ; je n'aimerais pas à payer avant le terme. Qu'ai-je besoin de courir au-devant de qui ne m'appelle pas ? Allons, ça m'est égal ; l'honneur m'éperonne, et en avant. Oui, mais si l'honneur m'éperonne si avant qu'il m'éperonne par terre, hein ? Est-ce que l'honneur peut remettre une jambe ? Non. Un bras ? Non. Enlever la douleur d'une blessure ? Non. L'honneur n'entend donc rien à la chirurgie ? Non. Qu'est-ce que l'honneur ? Un mot. Qu'y a-t-il dans ce mot : honneur ? Qu'est-il cet honneur ? Du vent. Voilà qui est net. Qui le possède, cet honneur ? Un tel qui est mort mercredi dernier. Le touche-t-il ? Non. L'entend-il ? Non. C'est donc chose imperceptible ? Oui, aux morts. Mais ne peut-il vivre avec les vivants ? Non. Pourquoi ? Le dénigrement ne le souffre pas. Donc je n'en veux pas. L'honneur est un écusson funèbre, rien de plus ; ainsi finit mon catéchisme. (*Henri IV*, I, acte V, sc. I.)
19. *Phénoménologie de l'esprit*, trad. Hippolyte, Aubier, II, p. 87.
20. *Id.*, p. 188.

solublement la sexualité et la morale. Les détournements de l'une entraînent automatiquement les détournements de l'autre. Georges Bataille, à qui il faudra bien que quelqu'un rende hommage parmi les psychanalystes, a profondément saisi cette consubstantialité de l'érotisme et du sacré. « Il me faut gagner votre amour », nous dit une patiente. Nous répondîmes : « Oui, mais de quel amour parlez-vous ? » Force lui fut de reconnaître, malgré ses tentatives vaines et désespérées, qu'Eros, cet ange noir, était pour elle passé au blanc.

ADDENDUM.

La relecture de ce travail plusieurs mois après nous amène à préciser certains points laissés en suspens. Tout d'abord, il nous semble nécessaire de préciser que la structure du narcissisme moral est loin d'être figée. Elle caractérise certains patients par le relief qu'elle prend chez eux. Nul n'en est totalement exempt. On peut aussi relever cette particularité structurale comme phase de l'analyse de certains patients. En outre, ceux des cas que nous avons décrits, s'ils portent bien les traits de cette structure, n'y sont pas définitivement voués. Ils sont susceptibles d'évoluer, l'expérience nous l'apprend, et d'atteindre d'autres positions. C'est avec satisfaction que nous avons pu observer des évolutions favorables dans des cas où nous n'espérions plus la voir se produire.

Nous aimerions aussi revenir sur les liens entre narcissisme moral et masochisme moral. Nous croyons profondément à l'utilité d'une distinction entre eux. L'un ne camoufle-t-il pas l'autre ? Plutôt que de considérer leurs relations en termes de recouvrement de l'un par l'autre, nous pensons que, si leurs relations sont dialectiques, il s'agit néanmoins de séries différentes. Si toutefois il fallait admettre leur unicité, nous dirions que, le vrai masochisme, c'est le narcissisme moral, dans la mesure où existe en ce dernier une tentative pour ramener les tensions au niveau zéro, but dernier du masochisme en tant que son destin est lié à la pulsion de mort, au principe du Nirvâna. Répétons-le : le rapport de souffrance implique la relation à l'objet — le narcissisme réduit le sujet à soi, vers le zéro qu'est le sujet.

La désexualisation vise les pulsions libidinales et agressives, vers l'objet vers le Moi — le champ libre laissé à la pulsion de mort vise l'anéantissement du sujet comme fantasme dernier. Mort et immortalité se rejoignent ici.

En vérité, les solutions extrêmes ne sont jamais rencontrées, et tout ce que l'on constate en clinique, et surtout dans la sélectivité de la clinique psychanalytique face à la clinique psychiatrique plus étendue, ce sont des orientations de courbes allant vers leurs limites asymptotiques. A cet égard, les relations entre honte et culpabilité sont beaucoup plus complexes que ce que nous en avons dit. Mais le caractère destructeur de la honte est majeur : *la culpabilité peut se partager, la honte ne se partage pas.* Entre honte et culpabilité, cependant, des nœuds se forment : on peut avoir honte de sa culpabilité, on peut se sentir coupable de sa honte. Mais l'analyste distingue bien des plans de clivage lorsque devant ses patients il sent combien la culpabilité peut être liée à ses sources inconscientes et dépassée partiellement lorsque celle-ci est analysée, tandis que la honte prend souvent un caractère irréparable. La transformation du plaisir en déplaisir est une solution pour la culpabilité ; pour la honte, seule est ouverte la voie du narcissisme négatif. Une neutralisation des affects est à l'œuvre, entreprise mortifère où s'opère un travail de Sisyphe. Je n'aime personne. Je n'aime que moi. Je m'aime. Je n'aime. Je n'. Je. O. Même suite pour la haine. Je ne hais personne. Je ne hais que moi. Je me hais. Je ne hais. Je ne. Je. O. Cette suite de propositions illustre l'évolution vers l'affirmation du Je mégalomaniaque comme ultime étape avant sa disparition.

Si, pour le psychanalyste, la *différence* est sexuelle, la question de la bisexualité renvoie nécessairement à la théorie psychanalytique tout entière. Qu'en est-il de l'abolition — ou du fantasme de l'abolition — de cette différence ? Et comment situer ce point particulier si ne sont pas définis les repères qui permettent de le localiser ? Donc, deux temps pour ce travail : fixer le cadre théorique qui cerne notre projet, puis, à l'intérieur de celui-ci, éclairer cet objet de notre réflexion que nous appelons le *genre neutre*.

POINTS DE REPÈRE POUR LA BISEXUALITÉ PSYCHIQUE.

Point de départ : La sexualité entre la biologie et la psychanalyse.

Nulle question plus que la sexualité ne serait aussi propre à montrer les rapports entre l'enracinement biologique de la pulsion et la vie *psycho*-sexuelle. Ce domaine privilégié pourrait mettre à l'épreuve les hypothèses de Freud devant les faits scientifiques de la biologie, comparer la clinique médicale et la clinique psychanalytique pour indiquer leurs ressemblances et leurs différences. Or, aujourd'hui, cette confrontation révèle de profondes discordances, qui confirment souvent et infirment parfois les postulats métapsychologiques de Freud. Les contributions des auteurs post-freudiens ne sont pas à l'abri de ce nouvel examen.

Point 1. La sexualité biologique et la psychosexualité.

La bisexualité biologique comporte une suite de relais échelonnés dans le temps qui jouent chacun leur rôle dans la détermination du sexe (sexes chromosomique, gonadique, hormonal, génital interne, génital externe, caractères sexuels secondaires). Le fait majeur est que la masculinité est le résultat d'un processus actif (par l'intervention d'un testicule virilisant), la féminité étant l'aboutissement d'un processus passif (obtenu soit par défaut pathologique, soit par absence normale du testicule virilisant). On peut donc parler d'un développement de la sexualité biologique, de la conception à la puberté, qui s'effectue selon un processus discontinu et différencié. Cependant, dans l'espèce humaine, apparaît un nouveau relais mutatif (Organisateur I) qui se superpose au développement biologique. Ce relais est à l'origine d'un développement psychologique autonome, différent du développement biologique et responsable de la psychosexualité. Le relais humain sera le déterminant fondamental de la sexualité de l'individu (cf. Money, Hampson).

Point 2. Le désir parental et la sexualité infantile.

Ce relais mutatif est constitué par l'attribution d'un sexe à l'enfant, qui peut être plus ou moins conforme à la sexualité morphologique de l'individu (cf. la clinique des états intersexuels avec ambiguïté génitale : pseudo-hermaphrodisme [1]). Cette attribution dépend étroitement du désir parental. Son mode d'action s'exprime dans la relation mère-enfant à partir de la naissance jusqu'à environ deux ans et demi. A ce moment, l'individu se vit et se perçoit comme nettement monosexué (Money et Hampson).

Point 3. Freud.

La théorie freudienne de la bisexualité a eu le mérite de distinguer la bisexualité psychique de la bisexualité biologique. Cependant, lorsqu'il bute sur des questions difficiles, en maints endroits de son œuvre, Freud soutient que la solution du mystère est à trouver dans la biologie, ce que la science d'aujourd'hui ne paraît pas confirmer. En outre, la théorie freudienne du développement de la libido peut aujourd'hui apparaître comme trop

---

1. L. Kreisler, « Les intersexuels avec ambiguïté génitale », *La psychiatrie de l'enfant,* XIII, 1970, p. 5-127. On consultera l'importante bibliographie.

exclusivement fondée sur une évolution individuelle sous-estimant la relation parent-enfant, ou non articulée avec celle-ci.

Point 4. Mélanie Klein et Winnicott.

La théorie de Mélanie Klein, en dévalorisant le problème de la castration et de la différence des sexes, néglige la bisexualité et, d'une façon générale, la problématique sexuelle au profit de la problématique agressive. Par contre, la théorie de Winnicott met l'accent sur la relation parent-enfant et tient compte des interrelations entre la maturation et le milieu environnant maternel, mais sous-estime peut-être le rôle du père et de la sexualité parentale. Le rôle des soins maternels peut s'interpréter d'une façon plus métapsychologique que ne le fait Winnicott. Il ne s'agit certes pas d'une influence externe. On pourrait plutôt le concevoir comme le nécessaire branchement de deux appareils pulsionnels reliés l'un à l'autre par la différence de potentiel due à leur inégal développement (couverture du Ça-Moi de l'enfant par le Moi-Ça de la mère). Cette première articulation se brancherait à son tour sur l'appareil pulsionnel du père, en position métaphorique (Lacan). Chacun de ces trois appareils pouvant, dans un premier temps, servir de médiation entre les deux autres. Ce premier temps sera suivi, après l'établissement de la monosexualité, de remaniements.

Point 5. L' « empreinte » du désir : le fantasme parental.

Il semble qu'il faille considérer que l'attribution d'un sexe à l'enfant par le parent agit sur le mode d'une *empreinte* psychique qui ne peut pourtant pas être assimilée au mécanisme tel qu'il est décrit chez l'animal. Cette *empreinte* se constitue à la suite de la perception du corps de l'enfant comme forme sexuée, à confirmer ou à infirmer dans cette forme par le parent. Il faut donc attribuer au fantasme parental, maternel en particulier, un rôle de puissant inducteur dans l'établissement de la monosexualité individuelle. Toutes les éventualités sont possibles : la méconnaissance d'une ambiguïté sexuelle (hermaphrodisme ou pseudohermaphrodisme), le rejet d'un sexe biologique sans ambiguïté (garçon élevé en fille, et vice versa), la valorisation inconsciente du sexe que l'enfant n'a pas, l'intolérance plus ou moins totale à la bisexualité psychique de l'individu par répression et culpabilisation des attitudes et des tendances qui n'appartiennent pas au sexe biologique de l'enfant, etc. Il faut retenir que cette imprégnation psychique est solidaire d'autres facteurs : la perpétuation d'une relation fusionnelle à l'enfant au-delà de la période où celle-ci devrait disparaître, l'attitude vis-à-vis de l'agressivité, le blocage du passage de l'investissement de la mère au père, etc. Le fait à souligner est que cette imprégnation est soumise à l'influence d'un parent, lui-même pris dans un conflit relatif à la bisexualité psychique.

Point 6. Bisexualité psychique et fantasme personnel.

On peut donc supposer que la psychosexualité d'un individu est dominée par le fantasme de la mère. Ce fantasme de la mère se constitue selon divers paramètres : désir infantile d'avoir un enfant du père ou de la mère ; sexe de cet enfant imaginaire ; acceptation par la mère de son propre sexe ; place occupée par le désir du mari, père de l'enfant, dans son désir ; désir de ce désir, etc. En revanche, la bisexualité psychique de l'individu se constituerait par la médiation du fantasme personnel (plus ou moins en relation avec le fantasme parental). C'est par la constitution du fantasme de l'autre sexe — celui qu'on n'a pas, mais qu'on pourrait avoir imaginairement, dans le triangle œdipien — que la bisexualité psychique s'organise, comme Freud l'avait déjà reconnu.

Point 7. Le conflit psychique et le fantasme de la scène primitive.

Le conflit psychique se déroule sur plusieurs plans articulés entre eux. Le sexe de l'individu dépend donc de la façon dont il est vécu et perçu par sa mère et son père, de leurs désirs convergents ou divergents à son égard, de la façon dont lui-même se vit et se perçoit dans ses désirs convergents ou divergents à leur égard. Ce conflit a partie liée aussi bien avec le narcissisme de l'individu qu'avec ses pulsions de destruction. Il culmine dans le fantasme de la scène primitive (Organisateur 2), qui met en jeu des désirs et des identifications contradictoires.

Point 8. Le genre neutre.

Ce conflit, s'il contribue à organiser ordinairement la bisexualité psychique, peut aussi trouver une issue dans une position d'anéantissement du désir sexuel et partant de l'identification sexuée. Le pendant et le complément de la bisexualité psychique, réalisée ou latente, paraît être alors le fantasme du *genre neutre*, ni masculin ni féminin, dominé par le narcissisme primaire absolu. Cet écrasement pulsionnel conduit les inclinations idéalisantes et mégalomaniaques du sujet, non vers l'accomplissement du désir sexuel, mais vers l'aspiration à un état de néantisation psychique

où le n'*être rien* apparaît comme la condition idéale d'auto-suffisance. Cette tendance vers le zéro n'atteint, bien entendu,
jamais son but et s'exprimera dans un comportement autores-
trictif de signification suicidaire.

Point 9. Complexe d'Œdipe et complexe de castration.

Un autre relais mutatif va réorganiser toutes les données antérieures lors du complexe d'Œdipe (Organisateur 3) où la bisexualité est mise à l'épreuve. Le complexe d'Œdipe, toujours double
— positif et négatif — aboutit à la double identification masculine et féminine. Ces deux identifications ne sont pas cependant
de forme égale ; elles sont complémentaires et contradictoires,
l'une d'elles dominant l'autre et la camouflant plus ou moins. Le
complexe de castration tel que Freud le décrit possède une valeur
heuristique conceptuelle incontestable. C'est là le moment où les
remaniements s'opèrent. Jusque-là, l'échange des places et des
rôles dans le fantasme n'impliquait aucune vectorisation du désir.
Désormais, les identifications maternelles et paternelles, gouvernées par le complexe de castration, obéissent à une loi de circulation des échanges. La bisexualité est la rétroaction de cette
vectorisation. Le complexe de castration n'est opératoire — au
sens strict et spécifique que le terme de castration désigne — que
lorsque est acquis le sens du sexe auquel l'individu appartient. Il
n'est pas contemporain de la découverte de la différence des
sexes, mais du moment où celle-ci prend une signification organisatrice. Son dépassement dépend des stades antérieurs, qui sont
réinterprétés *après coup* comme des précurseurs de la castration
(perte du sein et sevrage, don des fèces et dressage sphinctérien).
En revanche, il est nécessaire que les stades pré-œdipiens n'aient
pas été trop conflictualisés, bloquant le développement, pour que
le complexe de castration soit élaboré. Le *diphasisme* de l'évolution libidinale est d'importance capitale, la période de latence,
marquée par le refoulement, créant une discontinuité majeure
entre sexualité infantile et sexualité adulte.

Point 10. Réalité sexuelle et réalité psychique.

Au moment du complexe d'Œdipe, le conflit prend la forme de
l'opposition entre *la réalité sexuelle* de l'individu et la réalité
psychique. La réalité sexuelle est celle du sexe déterminé et fixé
avant la troisième année, la réalité psychique est celle des fantasmes convergents ou divergents avec la réalité sexuelle. Ce
conflit dépend pour beaucoup de la position adoptée par le Moi,
qui peut selon les cas dénier complètement la réalité (psychose

transsexualiste) ou admettre la réalité sexuelle en la clivant de la réalité psychique, en s'attachant à satisfaire les fantasmes de celle-ci, en y adhérant et en les agissant (perversion), ou enfin refuser la part de la réalité psychique qui contredit la réalité sexuelle (névrose).

Les options du moi sont tributaires de la période pré-œdipienne et des marques plus ou moins mobilisables qu'il a subies. Les avatars du développement biologique et psychique nous mettent en présence d'une gamme de structures (hermaphrodisme vrai, pseudo-hermaphrodisme, transvestisme, homosexualité, fétichisme) qui réclament chacune une pathogénie distincte et des réponses différentes sur le plan thérapeutique, en fonction de la demande de l'individu (cf. Stoller).

Point 11. Féminité originaire et refus de la féminité.

Le rôle déterminant des facteurs relevant de l'environnement maternel permet de supposer, avec Winnicott, que l'élément féminin d'origine maternelle, par son intrication avec la dépendance bjiologique et psychologique du nouveau-né, par la prématuration du petit d'homme, doit être *accepté et intégré dans les deux sexes* [2]. Cette *passivation originaire* est peut-être l'objet d'un refoulement primordial qui rendrait compte de l'opinion de Freud selon laquelle c'est la féminité qui est le plus difficilement acceptable dans les deux sexes. Il va sans dire que, chez le garçon, l'acceptation de la féminité ne doit pas pour autant obérer l'acceptation de la masculinité comme sexe réel de l'individu. Inversement, chez la fille, cette féminité originaire et réelle est différente de la féminité secondaire, qui ne se constitue qu'après la phase phallique et qui cède la place à l'identification maternelle secondaire.

Point 12. Différence des développements sexuels du garçon et de la fille.

On ne saurait assez insister sur le fait que les destins sexuels du garçon et de la fille diffèrent considérablement. Car, si l'un comme l'autre s'attachent à l'objet primordial maternel féminin, le garçon pourra retrouver au terme de son développement psychosexuel, par un déplacement unique, un objet de même sexe que l'objet primordial, tandis que la fille aura à trouver un objet d'un sexe différent de celui de la mère. Son évolution la voue au

---

2. *Jeu et réalité*, chap. 5 et 6, trad. C. Monod et J.-B. Pontalis, Gallimard, 1975.

changement d'objet (premier déplacement-renversement par substitution allant de la mère au père), suivi du choix d'objet définitif (deuxième déplacement du père au substitut du père). Cette spécificité du développement féminin rendrait compte des difficultés propres à la sexualité féminine.

Point 13. Limites de l'intervention psychanalytique.

Les codes culturels, l'idéologie, influencent inévitablement le destin sexuel par la valorisation ou la dévalorisation, par les parents, de la bisexualité de l'enfant, où jouent leur rôle les conceptions collectives attachées au masculin et au féminin. Il reste que ces variations sont intégrées dans des conflits individuels au niveau parental et que l'induction essentielle se fait dans les échanges matriciels du parent, la mère surtout, à l'enfant. La situation analytique ne constitue certes pas une simple répétition de cette situation, mais crée, par le transfert, un modèle analogique. Toutefois, le caractère profondément inscrit de certaines marques limite la portée des changements susceptibles d'intervenir par le moyen de la psychanalyse.

BISEXUALITÉ ET NARCISSISME PRIMAIRE : LE GENRE NEUTRE.

L'analyste a le plus souvent affaire à la bisexualité psychique sous la forme d'un conflit latent révélé par l'analyse. C'est bien là une difficulté de la psychanalyse, qui se manifeste chez l'analyste par sa capacité limitée à tolérer, à laisser se développer, à interpréter avec exactitude le transfert relatif à l'imago du sexe qui n'est pas le sien. Ainsi, le problème que rencontre la théorie analytique aujourd'hui tient au fait que ses deux figures dominantes ont chacune à sa manière buté sur cet écueil. Freud a sans aucun doute été gêné, il l'a confessé, dans ses analyses sur la sexualité féminine, par son embarras à se sentir l'objet d'un transfert maternel. Mélanie Klein à son tour ne paraît pas — pour avoir été plus « profond » que Freud — avoir tiré beaucoup d'enseignements de l'analyse du transfert paternel de ses patients. Cependant, si problème il y a, c'est parce que le conflit est ici inconscient.

Dans d'autres cas, l'analyste peut avoir l'occasion de rencontrer des structures où la bisexualité est affichée, voire réalisée. (On observe alors une double activité, hétérosexuelle et homosexuelle. Il est néanmoins exceptionnel que les deux types de relation soient également investis. La nature névrotique de ces cas est plus que discutable. La structure perverse est loin d'être suffisante à rendre compte de la psychopathologie des patients qui se présentent ainsi. A l'extrême, la bisexualité se réalise à la faveur de l'imprégnation hormonale par injection d'œstrogènes dans certains cas de transvestisme.) Nous ne pouvons reprendre dans le détail l'observation d'un patient que nous avons vu en 1959 au Centre de consultations et de traitements psychanalytiques de Paris. Nous nous contenterons des grandes lignes qui serviront à illustrer notre conception.

Il s'agissait d'une consultante à l'aspect corpulent, massif, voire athlétique. Sitôt assise, elle [3] exhibe la photocopie d'un certificat du ministère du Travail attestant qu'elle présente des attributs féminins et masculins avec une dominance féminine et m'informe qu'elle a entrepris des démarches pour faire rectifier son identité.

L'histoire du cas vaut sans doute d'être contée, non seulement à cause du caractère parfois rocambolesque des péripéties de ce destin particulier — si rocambolesque qu'il nous est arrivé de penser qu'une mythomanie faisait partie du tableau clinique — mais aussi parce qu'à travers ce récit se laissait cerner une image maternelle dont le sujet était profondément captif. « *J'ai été haï(e) par ma mère avant ma naissance ; elle me l'a dit...* » sera une des premières phrases qui inaugurèrent deux entretiens avec le patient. L'induction féminine par la mère est rapportée par cette allusion faite à l'enfant venu faire part de son succès au certificat d'études : « Avec quel professeur as-tu couché pour réussir à cet examen ? » Comme il est d'usage dans ces cas, l'enfant a été élevé et habillé en fille jusqu'à l'école. Les pratiques transvestistes en public débutèrent vers l'âge de seize et dix-sept ans (déguisement en fille pour fréquenter les bals des villages voisins). Comme il est classique aussi, l'homosexualité est profondément répudiée. Ce n'est pas le moindre paradoxe du cas — et ceci a été vérifié — que la consultante vit en concubinage « homosexuel » avec une femme plus âgée, avec laquelle elle entretient des pratiques sado-masochiques mineures d'un caractère tout à fait puéril et infantilisant. Ainsi, le dimanche, elle a parfois envie de sortir « pour aller s'amuser », mais se le voit interdire par son amie, qui l'enchaîne à un poêle pour l'obliger à finir d'abord son lavage et son repassage ! La consultante consent à ce traitement : elle a sur elle la clé du cadenas mais renonce à s'en servir. L'analité imprègne ce tableau : l'aspect de malpropreté est

---

3. L'emploi alterné du masculin et du féminin pour désigner le sujet est inévitable, tant l'illusion et la réalité s'imposent tour à tour chez l'analyste qui est le témoin abusé de cette hybridation.

saisissant. Des renseignements confirment que l'intérieur de l'appartement est d'une saleté repoussante. La domination subie se transforme en domination imposée dans son métier où elle fait, paraît-il, merveille : la rééducation des handicapés physiques.

La recherche de satisfactions contradictoires est clairement perçue : refus de toute autorité dans son attitude à l'extérieur, vis-à-vis des pouvoirs publics par exemple, et aspiration à la position passive par besoin de se sentir tenue, brimée, dominée ; la quête d'un personnage maternel puissant est patente. Par contre, la pauvreté des satisfactions sexuelles est remarquable. Seul l'attouchement des seins — seins qui se seraient développés à la suite d'injections d'œstrogènes pratiquées par les Allemands pendant la dernière guerre — procure du plaisir : « *C'est comme si mon corps était partagé en deux et qu'au-dessous de la ceinture je n'existais pas, ou que j'étais une autre personne...* »

Lors du second entretien, la consultante nous parle des règles qu'elle a tous les vingt-huit jours « *par porosité rectale* », et exhibe à nouveau des certificats. « *Quelques jours avant mes règles, je suis absolument impossible, irritable, nerveuse*, etc. *Je n'ai jamais accepté d'être une femme complète.* » Je lui dis alors : « En fait, vous ne voulez être ni homme ni femme », et, sans que j'aie le temps d'ajouter quoi que ce soit, elle enchaîne comme si elle venait de comprendre quelque chose d'important : « *Je crois que vous êtes le premier à toucher le point juste ; je ne veux renoncer à aucun avantage des deux sexes.* »

Dans la suite de cet entretien, nous avons abordé le problème de l'intervention chirurgicale, car il était difficile de faire la part du transsexualisme, qui implique la revendication impérieuse de changement de sexte, et du transvestisme, où la pratique perverse semble suffire à procurer la satisfaction. La réponse de la patiente vaut d'être citée. « *Vous me diriez, docteur, qu'en sortant de cette pièce, j'aurais le choix entre deux solutions :*

« *A droite, une salle d'opération avec tout un matériel pour me constituer un vagin, un utérus, etc. Mais une fois opéré, je serais un individu émasculé qui perdrait toutes ses formes, grossirait, s'empâterait, se verrait dépouillé de toute volonté, de toute énergie, ne pourrait plus gagner sa vie, serait juste bon à faire le trottoir et se faire enfiler ; alors là, je refuserais et je suis convaincu que vous ne pouvez pas me certifier que ce n'est pas cela qui arriverait si on m'opérait.*

« *A gauche, un laboratoire bien équipé qui pourrait par des injections hormonales me rendre ma virilité, faire disparaître ma poitrine. Là encore, je ne vous croirais pas. Je crois qu'il restera toujours en moi quelque chose de féminin : je ne veux pas vivre en homme.* »

Ce développement m'amène alors à faire observer que l'image qu'elle s'efforce de donner n'est pas celle d'une femme, mais d'une *femme masculine*. La consultante confirme que c'est là, en effet, l'impression qu'elle produit. Ici commence une nouvelle tranche de récit — fantasme ou réalité ? — où la consultante fait part d'une circonstance où il se serait senti « pleinement femme ». Ce récit est celui des péripéties où elle servait de partenaire à un pervers cambrioleur qui pénétrait par effraction dans les appartements et y introduisait ensuite notre patient en ces termes : « Je suis ici chez moi. Tout ce qui est ici m'appartient. Etends-toi sur le lit. » Le partenaire se précipitait alors sur le patient, éprouvait une jouissance quasi immédiate et ordonnait enfin à « sa » partenaire de quitter ses vêtements (féminins) pour se servir dans la garde-robe de l'appartement cambriolé, qu'on quittait dès que les vêtements volés étaient revêtus.

Fait notable : jamais le vol ne prenait des proportions autres que symboliques. Le rituel pouvait s'enrichir. Ainsi, le voleur pouvait exiger du patient qu'il se déshabille et reste nu dans tous les appartements cambriolés. En fin de compte, cette complicité prit fin, car les pratiques perverses prirent un tour sadique qui effraya le patient : il redouta, semble-t-il, une menace de castration véritable. Toutefois, au cours de ce concubinage, ce fut la seule fois que l'identification féminine fut complète : « *J'étais devenu sa proie et je faisais ce qu'il me disait.* »

L'observation parle d'elle-même : l'image de la mère phallique émerge en relief de cette fresque tragi-comique ; l'effacement du père s'y lit en creux. Le patient appelle de ses vœux l'imago fantasmatique d'un père *réellement castrateur* de la femme au pénis. Le fantasme de la scène primitive domine la structure du cas. Aussi ne sera-t-il pas surprenant de signaler que les premiers rapports sexuels du sujet auront lieu avec une jeune fille, chez lui, dans le lit de ses parents — expérience sans lendemain d'un double dépucelage qui se terminera par une séparation définitive.

Nous quitterons ce patient sur le rappel d'un « dict » familial, auquel nous serions tentés d'attribuer une grande importance : « *Ma grand-mère avait l'habitude de me raconter une anecdote à laquelle je prenais un plaisir extrême et que je lui demandais de me raconter à nouveau, bien que je la connusse parfaitemnt : au cours d'une partie de campagne où mes parents s'étaient joints à un groupe d'amis, tandis que les femmes devisaient sur l'herbe, les hommes pêchaient la truite dans la rivière. Mon père perdit pied, tomba dans le cours d'eau et fut entièrement trempé. Il quitta ses vêtements mouillés et il fallut alors l'habiller avec des moyens de fortune. Par jeu, sans doute plus que par nécessité, chacune des femmes se dépouilla d'une partie de ses vêtements*

*pour couvrir mon père qui, en fin de compte, se trouva entière-
ment habillé en femme. »*

Telle fut l'histoire de celui qui fut nommé par ses parents de
trois prénoms : Pierre (comme son père), Marie (comme sa mère)
et André. Sa demande de changement d'état civil comporte une
rature : celle de son prénom paternel — et un ajout : un *e* muet
pour féminiser son prénom personnel, symbole de masculinité.
Ainsi se fait-il appeler « Marie-Andrée ». Lorsque je lui fis
observer l'exclusion ainsi opérée par lui du « nom du père », lui
qui confessait si volontiers ses désirs pervers nia farouchement
qu'il pût y avoir là un autre effet que celui du hasard.

A la fin du quatrière chapitre de *Malaise dans la civilisation*,
Freud développe dans une longue note une réflexion sur la
bisexualité : « [...] Si nous admettons le fait que, dans sa vie
sexuelle, l'individu veuille satisfaire des désirs masculins et
féminins, nous sommes prêts à accepter aussi l'éventualité qu'ils
ne soient pas tous satisfaits par le même objet et qu'en outre ils
se contrecarrent mutuellement dans le cas où l'on n'aurait pas
réussi à les disjoindre ni à diriger chacun d'eux dans la voie qui
lui est propre [4]. » Voilà une remarque qui confirme que la sexualité humaine est bien, selon le mot de R. Lewinter, « sexion ».
Au reste, l'étymologie l'atteste. Sexe viendrait de *secare* : couper,
séparer. La métaphore biologique soutient ici le fantasme, puisque
chacun des deux sexes se sépare pour pouvoir s'unir à la moitié
manquante que lui fournit l'autre sexe. La bisexualité psychique
se venge de cette sexion-cession et récupère par le fantasme la
jouissance concédée au sexe que l'on n'a pas. La bisexualité est
donc bien solidaire de la différence des sexes. Là où il y a bisexualité il y a différence. Là où il y a différence il y a coupure, césure,
castration des potentialités de jouissance du sexe complémentaire :
inverse et symétrique. *La revendication de la bisexualité réelle
est refus de la différence sexuelle en tant que celle-ci implique le
manque de l'autre sexe.* Si, en droit, chaque sexe manque de
l'autre, mettant pour ainsi dire les sexes à la même enseigne, la
castration, le fantasme de castration, c'est-à-dire l'absence ou la
perte du membre viril, *symbolise et subsume* ce manque, de
quelque *sexe qu'on soit.* Possibilité pour le garçon de perdre
ce sexe qu'il a ou, pour la fille, matérialisation de ce manque de
sexe qu'elle n'a pas. Certes, la fille a *autre chose* : un vagin, un
ventre fécondable, des appâts nombreux et variés. Il reste qu'elle
n'a pas de pénis. Certes, le garçon manque lui aussi de ce qu'a la

---

4. *Malaise dans la civilisation*, P. U. F., 1971, p. 58.

femme et qu'il n'a pas. Mais cet avoir n'est pas visible au niveau du sexe. La *capture imaginaire* est telle que, ce qui est représentable, c'est bien ce trait en plus ou en moins qu'est le pénis. Trait imaginaire à symboliser. Et l'on a raison de penser que l'envie du pénis n'est pas envie de ce morceau de chair mais de ce qui est fantasmé des pouvoirs qu'il confère et qui lui sont conférés par le désir parental.

Rester sur le terrain de cette problématique, c'est supposer certains problèmes résolus, c'est attester que le dilemme homme-femme accepte implicitement leur différence ou, tout au moins, admet que le sujet soit un être sexué.

Le sujet dont nous avons rapporté l'observation venait nous consulter pour des angoisses — angoisses, disait-il, qui le saisissaient chaque matin, au réveil, où il se demandait si ce jour n'allait pas être celui de sa mort. L'entretien révéla que cet état anxieux rappelait le temps où il était prisonnier des Allemands, qui se seraient livrés sur lui à des expériences féminisantes. Il se posait à chaque réveil la question de sa survie. Ici communiquent angoisse de mort et angoisse de castration.

Le problème n'est pas si simple.

François Jacob écrit dans *La logique du vivant* : « Mais les deux inventions les plus importantes [de l'évolution], ce sont le sexe et la mort[5]. » Fruit du hasard, peut-être, mais unis en tout cas par la nécessité. F. Jacob parle de la mort « imposée du dedans comme une nécessité prescrite ». Nous ne nous laisserons pas tenter par les sirènes de la « métabiologie » et resterons sur le terrain de la clinique, celle-ci rejoignant le mythe.

Dans certaines structures psychopathologiques où c'est la sexualité entière qui est rejetée en bloc, sans nuances et sans distinction, le sujet construit et alimente sans cesse le fantasme d'une *a-sexualité*. Le sujet ne se veut ni masculin ni féminin, mais *neutre*. Ni l'un ni l'autre, *ne uter*. Aussi efface-t-il de son comportement comme de son désir toute aspiration hétéro- ou homosexuelle. Ces cas sont rares, mais ils existent. Bien sûr, il s'agit d'une position défensive, dont l'analyse pourra venir à bout. Ce fantasme de neutralité, construit à l'aide de toutes les ressources d'un narcissisme intempérant, porte les marques du despotisme absolu d'un idéal du moi tyrannique et mégalomaniaque. Car, en matière de désir, tout est réglé sur le mode du tout ou rien : « Puisque je ne puis tout avoir et tout être, je n'aurai, je ne serai *rien*. »

---

5. Gallimard, 1971, p. 330.

Ce fantasme pourrait bien être élaboré sur la perception du fantasme maternel qui désire que son enfant ne soit pas — ni sexué, ni vivant. Mais la quête de l'amour maternel va de pair avec une soif d'amour inextinguible et une sensibilité exacerbée à toute manifestation de rejet de la part de l'objet aimé, que celui-ci soit un substitut maternel ou paternel. Dès lors, le salut n'apparaît plus que dans le fantasme du genre neutre, dans ces états d'indifférenciation sexuelle, manifestation d'obéissance au désir de la mère et vengeance à son égard, dans un rejet violent de celle-ci.

Il est remarquable alors que l'aspiration au Rien s'inscrive dans un comportement ascétique de réduction des besoins, comme le narcissisme primaire s'efforce à la réduction des tensions au niveau zéro. Nous donnons au narcissisme primaire absolu son sens fort. C'est-à-dire que nous ne parlons pas du narcissisme primaire qu'on invoque pour qualifier l'unification du sujet en une entité singulière, mais au contraire du narcissisme négatif qui souhaite ardemment le retour à l'état quiescent. Ce dernier s'exprime dans des conduites suicidaires plus ou moins camouflées ou plus ou moins agies. Nous avons montré aux chapitres II et IV qu'il ne fallait pas confondre le narcissisme primaire avec le masochisme primaire, dans la mesure même où la jouissance dérobée à travers les manœuvres masochiques est ici absente, le but final étant l'*extinction de toute excitation, de tout désir*, quel qu'il soit, agréable ou désagréable. Cette fascination de la mort sous-tend un fantasme d'immortalité. Car n'être plus rien n'est qu'une façon d'abolir la possibilité de ne plus être, de manquer un jour de quoi que ce soit, ne serait-ce que du souffle de la vie.

Le fantasme du genre neutre rejoint le mythe étudié par Marie Delcourt [6]. A l'être complet : union de l'esprit Père et de la Nature maternelle, se joint le symbole du Phénix, androgyne, autogénérateur, immortel. Il y faut quand même le baptême du feu qui réduit tout en cendres. L'idée gnostique parachèvera ce lien entre androgynie et délivrance de la chair.

La totalité est sauvée, le manque nié ; ce n'est pas dans la positivité d'une complémentarité réalisée que s'abolit la différence sexuelle où Hermès et Aphrodite ne font plus qu'un, mais dans le mouvement encore plus radical d'une négativité où le rien s'incarne et où le désir s'accomplit comme mort du désir et triomphe sur la mort du désir. L'Un s'avère être un concept impossible à penser. Formé de deux moitiés différentes qu'on ne peut appeler unes puisqu'il leur manque quelque chose pour être complètes,

---

6. *Hermaphrodite*, P.U.F., 1958.

pris entre le double et la moitié, seul le Zéro paraît sûr. Mais, pour que le zéro soit, il faut le nommer, l'écrire ; alors resurgit sous lui le Un inéliminable.

De même, désigner l'hallucination négative ou la castration, c'est forcément les positiver. Ainsi Freud attribuait au Ça le genre neutre. Mais le Ça comprend tout le bruit de la vie de l'Eros, et aussi le silence des pulsions de destruction — ce silence qu'on n'entend jamais. Il lui faut, pour être entendu, être dit à l'aide de sons ou de signes, inévitables, trop bruyants, trop voyants pour le représenter.

chapitre 6
la mère morte
(1980)

A Catherine Parat

Si l'on ne devait choisir qu'un seul trait pour marquer la différence entre les analyses d'aujourd'hui et ce que nous imaginons de ce qu'elles pouvaient être autrefois, il est probable qu'on s'entendrait à le situer autour des problèmes du deuil. C'est ce que suggère le titre de cet essai : la mère morte. Toutefois, afin d'éviter tout malentendu, je préciserai que ce travail ne traite pas des conséquences psychiques de la mort réelle de la mère, mais plutôt d'une imago qui s'est constituée dans la psyché de l'enfant, à la suite d'une dépression maternelle, transformant brutalement l'objet vivant, source de la vitalité de l'enfant, en figure lointaine, atone, quasi inanimée, imprégnant très profondément les investissements de certains sujets que nous avons en analyse et pesant sur le destin de leur avenir libidinal objectal et narcissique. La mère morte est donc, contrairement à ce que l'on pourrait croire, une mère qui demeure en vie, mais qui est pour ainsi dire morte psychiquement aux yeux du jeune enfant dont elle prend soin.

Les conséquences de la mort réelle de la mère — surtout lorsque celle-ci est le fait d'un suicide — sont lourdement dommageables pour l'enfant qu'elle laisse derrière elle. La symptomatologie à laquelle elle donne lieu est immédiatement rattachable à cet événement, même si l'analyse devait montrer ultérieurement que la catastrophe n'a été irréparable qu'en raison de la relation mère-enfant qui a précédé la mort. Il se pourrait en effet que l'on soit à même de décrire en ce cas des modes relationnels qui s'apparentent à ce que je m'apprête à aborder. Mais

222

la réalité de la perte, son caractère définitif et irréversible auront modifié de manière mutative la relation d'objet antérieure. Aussi n'aborderai-je pas les conflits relatifs à cette situation. Pas plus que je ne traiterai des analyses de patients qui ont cherché une aide auprès d'un analyste pour une symptomatologie dépressive avérée.

En effet, les raisons qui poussent les analysants dont je vais parler à entreprendre une analyse ne mettent guère en avant les traits caractéristiques de la dépression, au cours des entretiens préliminaires. En revanche est perçue d'emblée par l'analyste la nature narcissique des conflits invoqués ayant trait à la névrose de caractère et de ses conséquences sur la vie amoureuse et l'activité professionnelle.

Cette mise au point inaugurale délimite par exclusion le cadre clinique de ce que je me propose de traiter. Il me faut brièvement mentionner quelques références qui ont été la deuxième source — mes patients ayant été la première — de ma réflexion. Les développements qui vont suivre doivent certes beaucoup aux auteurs qui ont jeté les bases de tout savoir sur les problèmes du deuil : Freud, Karl Abraham et Mélanie Klein. Mais ce sont surtout les études plus récentes de Winnicott[1], Kohut[2], N. Abraham et Torok[3], ainsi que Rosolato[4] qui m'ont mis sur la voie.

Voici donc l'énoncé autour duquel ma réflexion va tourner :

La théorie psychanalytique la plus généralement partagée admet deux idées : la première est celle de la *perte de l'objet* comme moment fondamental de la structuration du psychisme humain au cours duquel s'instaure un rapport nouveau à la réalité. Le psychisme serait désormais gouverné par le principe de réalité, lequel prend le pas sur le principe de plaisir, qu'il sauvegarde par ailleurs. Cette première idée est un concept théorique, non un fait d'observation, car celle-ci nous montrerait moins un saut mutatif qu'une évolution graduelle. La deuxième idée communément partagée par la plupart des auteurs est celle d'une *position dépressive* différemment interprétée par les uns et les autres. Cette deuxième idée joint un fait d'observation et un concept théorique chez Mélanie Klein et Winnicott. Ces deux idées, il

---

1. D. W. Winnicott, *Jeu et réalité*, trad. C. Monod et J.-B. Pontalis, Gallimard, 1975.
2. H. Kohut, *Le Soi*, trad. Monique et André Lussier, P.U.F., 1974.
3. N. Abraham, « Le crime de l'introjection », et M. Torok : « Maladie du deuil et fantasme du cadavre exquis », in N. Abraham : *L'écorce et le noyau*, Aubier.
4. G. Rosolato, « L'axe narcissique des dépressions », in *Nouvelle revue de psychanalyse*, 1975, XI, p. 5-34.

convient d'y insister, se rattachent à une situation générale se référant à un événement inéluctable du développement. Si des perturbations antérieures de la relation mère-enfant rendent sa traversée et son dépassement plus difficile, l'absence de telles perturbations et la bonne qualité des soins maternels ne peuvent éviter à l'enfant cette période qui joue un rôle structurant pour son organisation psychique.

Par ailleurs, il est des patients, quelle que soit la structure qu'ils présentent, qui paraissent souffrir de la persistance, plus ou moins intermittente et plus ou moins invalidante, de traits dépressifs qui paraissent dépasser la réaction dépressive normale, celle qui atteint périodiquement tout un chacun. Car nous savons qu'un sujet qui ignore la dépression est probablement plus perturbé que celui qui l'est occasionnellement.

La question que je me pose est donc celle-ci : « Quels sont les rapports qu'on peut établir entre la perte de l'objet et la position dépressive comme données générales et la singularité des traits de cette configuration dépressive, centrale, mais souvent noyée au milieu d'autres symptômes qui la camouflent plus ou moins ? Quels sont les processus qui se développent autour de ce centre ? De quoi ce centre est-il constitué dans la réalité psychique ?

Le père mort et la mère morte.

La théorie psychanalytique qui se fonde sur l'interprétation de la pensée freudienne a accordé un rôle majeur au concept du père mort, dont *Totem et tabou* souligne la fonction fondamentale dans la genèse du Surmoi. Lorsqu'on considère le complexe d'Œdipe comme une structure et pas seulement comme un stade du développement de la libido, cette prise de position est cohérente. En dérivent tout un ensemble de concepts : le Surmoi dans la théorie classique, la Loi et le Symbolique dans la pensée lacanienne. Cet ensemble est relié par la référence à la castration et à la sublimation comme destin des pulsions.

En revanche, on n'entend jamais parler de la mère morte d'un point de vue structural. On peut y faire allusion en certains cas particuliers, comme dans le cas de l'analyse d'Edgar Poe par Marie Bonaparte, mais il s'agit d'un événement singulier : la perte de la mère en bas âge. Il y a là une limitation imposée par un point de vue étroitement réaliste. On ne saurait expliquer cette exclusion en invoquant l'Œdipe, puisqu'on pourrait en parler soit à propos de l'Œdipe de la fille, soit encore à propos de l'Œdipe inversé du garçon. En fait, la réponse est ailleurs. La matricide n'implique pas la mère morte, au contraire, et le concept qui sous-tend le père mort, c'est-à-dire la référence à l'ancêtre, à la filiation, à la généalogie, renvoie au crime primitif et à la culpabilité qui en est la conséquence.

Or il est étonnant que le modèle du deuil qui est sous-jacent à ce concept ne fasse aucune mention ni du deuil de la mère, ni de la perte du sein. Je n'y fais pas allusion parce que ceux-ci seraient antérieurs à celui-là, mais il faut bien constater qu'il n'existe pas d'articulation entre ces concepts.

Freud, dans *Inhibition, symptôme, angoisse*, a relativé l'angoisse de castration en l'incluant dans une série qui comporte également l'angoisse de la perte d'amour de l'objet, l'angoisse devant la menace de la perte d'objet, l'angoisse devant le Surmoi et l'angoisse devant la perte de la protection du Surmoi. Nous savons en outre qu'il a eu à cœur de faire la distinction entre angoisse, douleur et deuil.

Mon intention n'est pas de discuter en détail la pensée de Freud sur ce point, ce qui m'entraînerait dans un commentaire qui m'éloignerait de mon sujet, mais je souhaite faire une remarque. Il en est de l'angoisse de castration comme du refoulement. D'une part, Freud sait bien qu'à côté de l'une comme de l'autre existent aussi bien d'autres formes d'angoisse que d'autres variétés de refoulement, ou même d'autres mécanismes de défense. Dans les deux cas, il envisage l'existence de formes antérieures dans la chronologie, dont l'une et l'autre dérivent. Pourtant, il fixe un centre dans les deux cas, soit précisément l'angoisse de castration et le refoulement, par rapport auxquels il situe les autres types d'angoisse et les différentes variétés de refoulement, qu'elles surviennent avant ou après, ce qui est la preuve du caractère structural autant que génétique de la pensée freudienne. Ce qui s'exprimera manifestement lorsqu'il fera de l'Œdipe un fantasme originaire, relativement indépendant des vicissitudes de la conjoncture qui lui donne sa spécificité chez un patient donné. Ainsi, même dans les cas où il constate la présence d'un Œdipe inversé, comme chez l'Homme aux loups, il affirmera que le père, objet des désirs érotiques passifs du patient, n'en reste pas moins le castrateur.

Cette fonction structurale implique une conception constitutive de l'ordre psychique programmé par les fantasmes originaires. Cette voie n'a pas été toujours suivie par les successeurs de Freud. Mais il semble que, globalement, la pensée psychanalytique française, en dépit de ses divergences, a suivi Freud sur ce point. D'une part, la référence à la castration comme modèle a obligé les auteurs à « castratiser », si j'ose ainsi m'exprimer, toutes les autres formes d'angoisse ; on parlera alors de castration anale ou narcissique, par exemple. D'autre part, en donnant une interprétation anthropologique de la théorie freudienne, on rapportera toutes les variétés d'angoisse au concept de manque dans la théorie lacanienne. Or je pense que, dans les deux cas, on fait violence aussi bien à l'expérience qu'à la théorie pour sauver l'unité et la généralisation d'un concept.

Il serait surprenant que, sur ce point, je paraisse me désolidariser d'un point de vue structural que j'ai toujours défendu. Aussi, ce que je proposerai, au lieu de me ranger à l'avis de ceux qui fractionnent l'angoisse en différents genres selon son âge d'apparition dans la vie du sujet, sera plutôt une conception structurale qui s'organiserait, non pas autour d'un centre ou d'un paradigme, mais au moins de deux, selon un caractère distinctif différent de ceux que l'on a proposés jusque-là.

L'angoisse de castration peut être légitimement fondée comme subsumant l'ensemble des angoisses liées à la « petite chose détachée du corps », qu'il s'agisse du pénis, des fèces, de l'enfant. Ce qui donne à cette classe son unité, c'est que toujours la castration y est évoquée dans le contexte d'une blessure corporelle associée à un acte sanglant. J'accorde plus d'importance à cette notion d'angoisse « rouge » qu'à sa relation avec un objet partiel.

Par contre, qu'il s'agisse du concept de la perte du sein, ou de la perte de l'objet, et même des menaces relatives à la perte ou à la protection du Surmoi et, d'une manière générale, de toutes les menaces d'abandon, le contexte n'est jamais sanguinaire. Certes, toutes les formes d'angoisse s'accompagnent de destructivité, la castration aussi, puisque la blessure est bien le produit d'une destruction. Mais cette destructivité n'a rien à voir avec une mutilation sanglante. Elle a les couleurs du deuil : noir ou blanc. Noir comme dans la dépression grave, blanc comme dans les états de vide auxquels on prête maintenant une attention justifiée.

Je soutiendrai l'hypothèse que le noir sinistre de la dépression que nous pouvons légitimement rapporter à la haine qui se constate dans la psychanalyse des déprimés n'est qu'un produit secondaire, une conséquence plutôt qu'une cause, d'une angoisse « blanche » traduisant la perte subie au niveau du narcissisme.

Ayant déjà décrit l'hallucination négative et la psychose blanche, je ne reviendrai pas sur ce que je suppose connu, et je rattacherai l'angoisse blanche ou le deuil blanc à cette série.

La série « blanche » : hallucination négative, psychose blanche et deuil blanc, tous relatifs à ce qu'on pourrait appeler la clinique du vide, ou la clinique du négatif, sont le résultat d'une des composantes du refoulement primaire : un désinvestissement massif, radical et temporaire, qui laisse des traces dans l'inconscient sous la forme de « trous psychiques » qui seront comblés par des réinvestissements, expressions de la destructivité ainsi libérée par cet affaiblissement de l'investissement libidinal érotique. Les manifestations de la haine et les processus de réparation qui lui font suite, sont des manifestations secondaires à ce désinvestissement central de l'objet primaire, maternel. On comprend que cette vue modifie jusqu'à la technique analytique, puisque se borner à interpréter la haine dans les structures qui prennent des traits dépressifs reviendrait à ne jamais aborder le noyau primaire de cette constellation.

L'Œdipe doit être maintenu comme matrice symbolique essentielle à laquelle il est important de toujours se référer, même dans les cas où la régression est dite pré-génitale ou pré-œdipienne, ce qui implique la référence à une triangulation axiomatique. Si poussée que soit l'analyse du désinvestissement de l'objet primaire, le destin de la psyché humaine est toujours d'avoir *deux* objets et jamais un seul, si loin que l'on recule pour essayer de cerner la structure psychique dite la plus primitive. Cela ne veut pas dire qu'il faille adhérer à la conception d'un Œdipe primitif — phylogénétique — où le père en tant que tel, serait présent, fût-ce sous la forme de son pénis (je pense à la conception archaïque de Mélanie Klein du pénis du père dans le ventre de la mère). Le père est là, à la fois chez la mère et chez l'enfant, dès l'origine. Plus exactement, *entre* la mère et l'enfant. Du côté de la mère, ceci s'exprime par son désir pour le père, dont l'enfant est la réalisation. Du côté de l'enfant, tout ce qui vient anticiper de l'existence d'un tiers, chaque fois que la mère n'est pas totalement présente, et que l'investissement qu'elle fait de l'enfant n'est ni total ni absolu, tout au moins dans l'illusion que celui-ci entretient à son égard, avant ce qu'il est convenu d'appeler la perte d'objet, sera, après coup, rattachable au père.

C'est ainsi qu'il faut rendre compte de la solidarité qui noue la perte métaphorique du sein, la mutation symbolique des rapports entre plaisir et réalité — érigés après coup en principes —, la prohibition de l'inceste et la double figuration des images de la mère et du père, potentiellement réunis, dans le fantasme d'une scène primitive hypothétique et conçue en dehors du sujet, et où le sujet *s'absente* et se constitue dans l'absence de la représentation affective qui donne naissance au fantasme, production de la « folie » du sujet.

Pourquoi métaphorique ? Le recours à la métaphore, qui est valable pour tout élément essentiel de la théorie psychanalytique, est ici particulièrement nécessaire. Dans un travail antérieur [5],

---

5. A. Green, « The borderline concept », in *Borderline Personality Disorders,* ed. by Peter Hartocollis, International University Press, 1977.

j'ai fait remarquer qu'il existait deux versions freudiennes de la perte du sein. La première, théorique et conceptuelle, est celle dont il est fait état dans l'article de Freud sur « La négation » (1925). Freud en parle comme s'il s'agissait d'un événement fondateur unique, instantané — décisif, c'est le cas de le dire puisque son retentissement sur la fonction du jugement est fondamental. En revanche, dans l'*Abrégé de psychanalyse* (1938) tout particulièrement, il adopte une position moins théorique que descriptive, comme s'il faisait de l'observation de bébé, aujourd'hui tellement en vogue. Ici, il rend compte du phénomène, non d'une manière théorique, mais d'une manière « narrative », si je puis dire, où l'on comprend que cette perte est un processus d'évolution progressive qui s'effectue pas à pas. Or, à mon avis, approche descriptive et approche théorique s'excluent, un peu comme la perception et la mémoire s'excluent dans la théorie. Le recours à cette comparaison n'est pas seulement analogique. Dans la « théorie » que le sujet élabore à son propre endroit, l'interprétation mutative est toujours rétrospective. C'est après coup que se forme cette théorie de l'objet perdu, qui prend ainsi son caractère fondateur unique, instantané, décisif, tranchant, si j'ose dire.

Le recours à la métaphore n'est pas seulement justifié d'un point de vue diachronique, mais aussi du point de vue synchronique. Les plus farouches partisans de la référence au sein dans la théorie psychanalytique contemporaine, les kleiniens, admettent maintenant, mettant humblement de l'eau dans leur vin, que le sein n'est qu'un mot pour désigner la mère, à la satisfaction des théoriciens non-kleiniens qui souvent psychologisent la psychanalyse. Il faut garder la métaphore du sein, car le sein, comme le pénis, ne peut être que symbolique. Si intense que soit le plaisir de succion lié au mamelon, ou à la tétine, le plaisir érogène a le pouvoir de ramener à lui tout ce qui de la mère n'est pas le sein : son odeur, sa peau, son regard et les autres mille composantes qui « font » la mère. L'objet métonymique est devenu métaphore de l'objet.

On peut remarquer en passant que nous n'avons aucune difficulté à raisonner de même lorsque nous parlons du rapport sexuel amoureux, en ramenant l'ensemble d'une relation autrement complexe à la copule pénis-vagin et en rapportant ses avatars à l'angoisse de castration.

On comprend dès lors que, en allant plus profondément dans les problèmes relatifs à la mère morte, je m'y réfère comme à une métaphore, indépendante du deuil d'un objet réel.

Le complexe de la mère morte.

Le complexe de la mère morte est une révélation du transfert. Lorsque le sujet se présente pour la première fois devant l'analyste, les symptômes dont il se plaint ne sont pas essentiellement de type dépressif. La plupart du temps, ces symptômes reflètent l'échec d'une vie affective amoureuse ou professionnelle, sous-tendant des conflits plus ou moins aigus avec les objets proches. Il n'est pas rare que le patient raconte spontanément une histoire personnelle où l'analyste pense par-devers lui que là, à tel moment, aurait dû, ou aurait pu se situer une dépression de l'enfance dont le sujet ne fait pas état. Cette dépression, qui s'est parfois traduite cliniquement sporadiquement, n'éclatera au grand jour que dans le transfert. Quant aux symptômes névrotiques classiques, ils sont présents, mais de valeur secondaire ou, même s'ils sont importants, l'analyste a le sentiment que l'analyse de leur genèse n'apportera pas la clé du conflit. Par contre, la problématique narcissique est au premier plan où les exigences de l'Idéal du Moi sont considérables, en synergie ou en opposition avec le Surmoi. Le sentiment d'impuissance est clair. Impuissance à sortir d'une situation conflictuelle, impuissance à aimer, à tirer parti de ses dons, à accroître ses acquis, ou quand cela a eu lieu, insatisfaction profonde devant le résultat.

Lorsque s'engage l'analyse, le transfert va révéler, parfois assez rapidement mais le plus souvent après de longues années d'analyse, une dépression singulière. L'analyste a le sentiment d'une discordance entre la *dépression de transfert* — expression que je forge à cette occasion pour l'opposer à la névrose de transfert — et un comportement à l'extérieur où la dépression ne s'épanouit pas, car rien ne vient indiquer que l'entourage la perçoive clairement, ce qui par ailleurs n'empêche pas que les proches souffrent des relations d'objet que l'analysant noue avec eux.

Ce qu'indique cette dépression de transfert est la répétition d'une dépression infantile dont je crois utile de préciser les caractères.

Il ne s'agit pas d'une dépression par perte réelle d'un objet, je veux dire que le problème d'une séparation réelle d'avec l'objet qui aurait abandonné le sujet n'est pas ici en cause. Le fait peut exister, mais ce n'est pas lui qui constitue le complexe de la mère morte.

Le trait essentiel de cette dépression est qu'elle a lieu en présence de l'objet, lui-même absorbé par un deuil. La mère, pour une raison ou pour une autre, s'est déprimée. La variété des facteurs déclenchants est ici très grande. Bien entendu, parmi

229

les principales causes d'une telle dépression maternelle, on retrouve la perte d'un être cher : enfant, parent, ami proche, ou tout autre objet fortement investi par la mère. Mais il peut s'agir aussi d'une dépression déclenchée par une déception qui inflige une blessure narcissique : revers de fortune dans la famille nucléaire ou la famille d'origine, liaison amoureuse du père qui délaisse la mère, humiliation, etc. Dans tous les cas, la tristesse de la mère et la diminution de l'intérêt pour l'enfant sont au premier plan.

Je crois qu'il est important de souligner que le cas le plus grave est celui de la mort d'un enfant en bas âge, comme tous les auteurs l'ont compris. J'insisterai tout particulièrement sur la cause dont l'occultation est totale parce que les signes manquent à l'enfant pour la reconnaître, et dont la connaissance rétrospective n'est jamais possible parce qu'elle repose sur un secret : la fausse couche de la mère, qui doit être reconstruite par l'analyse sur des indices minimes. Construction hypothétique, bien entendu, qui rend cohérentes les expressions du matériel rattachable à des périodes ultérieures de l'histoire du sujet.

Ce qui se produit alors est un changement brutal, véritablement mutatif de l'imago maternelle. Jusque-là, ainsi qu'en témoigne la présence chez le sujet d'une authentique vitalité qui a connu un brusque arrêt, un grippage où elle demeure désormais bloquée, une relation riche et heureuse s'était nouée avec la mère. L'enfant s'est senti aimé, avec tous les aléas que suppose même la plus idéale des relations. Les photos du jeune bébé le montrent dans l'album de la famille, gai, éveillé, intéressé, gros de potentialités, tandis que des clichés plus tardifs témoignent de la perte de ce premier bonheur. Tout se sera terminé comme pour les civilisations disparues, dont les historiens cherchent en vain la cause de la mort en faisant l'hypothèse d'une secousse sismique qui aurait détruit le palais, le temple, les édifices et les habitations, dont il ne reste plus que les ruines. Ici, le désastre se limite à un *noyau froid,* qui sera ultérieurement dépassé mais qui laisse une marque indélébile sur les investissements érotiques des sujets en question.

La transformation dans la vie psychique, au moment du deuil soudain de la mère qui désinvestit brutalement son enfant, est vécu par lui comme une catastrophe. D'une part, parce que sans aucun signe avant-coureur l'amour a été perdu d'un coup. Le traumatisme narcissique que représente ce changement n'a pas besoin d'être longuement développé. Il faut cependant souligner qu'il constitue une désillusion anticipée et qu'il entraîne, outre la perte d'amour, une perte de *sens,* car le bébé ne dispose d'aucune explication pour rendre compte de ce qui s'est produit.

Bien entendu, se vivant comme le centre de l'univers maternel, il est clair qu'il interprète cette déception comme la conséquence de ses pulsions envers l'objet. Cela sera surtout grave si le complexe de la mère morte survient au moment où l'enfant a découvert l'existence du tiers, le père, et que le nouvel investissement sera interprété par lui comme la cause du désinvestissement maternel. De toute manière, il y a dans ces cas triangulation précoce et boiteuse. Car, ou bien, comme je viens de le dire, c'est à l'investissement du père par la mère qu'est attribué le retrait de l'amour maternel, ou bien ce retrait va provoquer un investissement particulièrement intense et prématuré du père comme sauveur du conflit qui se joue entre l'enfant et la mère. Or, dans la réalité, le plus souvent le père ne répond pas à la détresse de l'enfant. Voilà le sujet pris entre une mère morte et un père inaccessible, soit que celui-ci soit surtout préoccupé par l'état de la mère sans porter secours à l'enfant, soit qu'il laisse le couple mère-enfant sortir seul de cette situation.

Après que l'enfant a tenté une vaine réparation de la mère absorbée par son deuil, qui lui a fait sentir la mesure de son impuissance, après qu'il a vécu et la perte de l'amour de la mère et la menace de la perte de la mère elle-même et qu'il a lutté contre l'angoisse par divers moyens actifs dont l'agitation, l'insomnie ou les terreurs nocturnes seront le signe, le Moi va mettre en œuvre une série de défenses d'une autre nature.

— La première et la plus importante sera un mouvement unique à deux versants : le *désinvestissement de l'objet maternel et l'identification inconsciente à la mère morte*. Le désinvestissement, surtout affectif, mais aussi représentatif, constitue un meurtre psychique de l'objet, accompli sans haine. On comprend que l'affliction maternelle interdise toute émergence d'un contingent de haine susceptible d'endommager encore plus son image.

Aucune destructivité pulsionnelle n'est à inférer de cette opération de désinvestissement de l'image maternelle, son résultat est la constitution d'un trou dans la trame des relations d'objet avec la mère ; ce qui n'empêche pas que les investissements périphériques seront maintenus, tout comme le deuil de la mère modifie son attitude fondamentale à l'égard de l'enfant qu'elle se sent impuissante à aimer, mais qu'elle continue d'aimer, tout comme elle continue à s'occuper de lui. Toutefois, comme on dit, « le cœur n'y est pas ».

L'autre face du désinvestissement est l'identification sur un mode primaire à l'objet. Cette identification en miroir est quasi obligatoire, après que des réactions de complémentarité (gaieté artificielle, agitation, etc.), ont échoué. Cette symétrie réactionnelle est le seul moyen de rétablir une réunion avec la mère — peut-être sur le mode de la sympathie. En fait, il n'y a pas de réparation véritable, mais mimétisme, dans le but, ne pouvant plus avoir l'objet de continuer à le posséder en devenant non pas comme lui, mais lui-même. Cette identification, condition du renoncement à l'objet et en même temps de sa conservation sur un mode cannibalique, est inconsciente d'emblée. Il y a là une différence avec le désinvestissement, qui deviendra inconscient ultérieurement, parce que dans ce deuxième cas le retrait est rétorsif ; il est supposé se débarrasser de l'objet, tandis que l'identification se produit à l'insu du Moi du sujet et contre son vouloir. D'où son caractère aliénant.

Dans les relations d'objet ultérieures, le sujet, en proie à la compulsion de répétition, mettra activement en œuvre le désinvestissement d'un objet en passe de décevoir, répétant la défense ancienne, mais, ce dont il sera totalement inconscient, c'est de l'identification à la mère morte, qu'il rejoint désormais dans le réinvestissement des traces du trauma.

— Le deuxième fait est, comme je l'ai souligné, *la perte du sens*. La « construction » du sein dont le plaisir est la cause, le but et le garant, s'est effondrée d'un coup, sans raison. Même en imaginant le retournement de la situation par le sujet qui s'attribue, dans une mégalomanie négative, la responsabilité de la mutation, il y a écart incomblable entre la faute que le sujet se reprocherait d'avoir commise et l'intensité de la réaction maternelle. Tout au plus pourrait-il penser que cette faute est liée à sa manière d'être plutôt qu'à quelque désir interdit ; en fait, il lui devient interdit d'être.

Cette position qui pousserait l'enfant à se laisser mourir, par impossibilité de dériver l'agressivité destructrice au dehors du fait de la vulnérabilité de l'image maternelle, l'oblige à trouver un responsable à l'humeur noire de la mère, fût-il bouc émissaire. C'est le père qui est désigné à cet effet. Il y a de toute manière, je le répète, triangulation précoce, puisque se trouvent en présence l'enfant, la mère et l'objet inconnu du deuil de la mère. L'objet inconnu du deuil et le père se condensent alors pour l'enfant, créant un Œdipe précoce.

Toute cette situation créée par la perte du sens entraîne un deuxième front de défense :

— *Le déclenchement d'une haine secondaire,* qui n'est ni première ni fondamentale, mettant en jeu des désirs d'incorporation régressive, mais aussi des positions anales teintées d'un sadisme maniaque où il s'agit de dominer l'objet, de le souiller, de tirer vengeance de lui, etc.

— *L'excitation auto-érotique* s'installe par la recherche d'un plaisir sensuel pur, plaisir d'organe à la limite, sans tendresse, sans pitié, qui n'est pas nécessairement accompagné de fantasmes sadiques mais demeure marqué d'une réticence à aimer l'objet. Ceci est le fondement des identifications hystériques à venir. Il y a dissociation précoce entre le corps et la psyché comme entre sensualité et tendresse, et blocage de l'amour. L'objet est recherché par sa capacité à déclencher la jouissance isolée d'une zone érogène ou de plusieurs, sans confluence dans une jouissance partagée par deux objets plus ou moins totalisés.

— Enfin et surtout, *la quête d'un sens perdu structure le développement précoce des capacités fantasmatiques* et *intellectuelles du Moi*. Le développement d'une activité de jeu frénétique ne se fait pas dans la liberté de jouer, mais dans la *contrainte d'imaginer*, comme le développement intellectuel s'inscrit dans la *contrainte de penser*. Performance et auto-réparation se donnent la main pour concourir au même but : la préservation d'une capacité à surmonter le désarroi de la perte du sein par la création d'un sein *rapporté*, morceau d'étoffe cognitive destiné à masquer le trou du désinvestissement, tandis que la haine secondaire et l'excitation érotique fourmillent au bord du gouffre vide.

Cette activité intellectuelle surinvestie comporte nécessairement une part considérable de projection. Contrairement à l'opinion communément répandue, la projection n'est pas toujours un raisonnement faux. Cela peut être le cas, mais pas nécessairement. Ce qui définit la projection, ce n'est pas le caractère vrai ou faux de ce qui est projeté, mais l'opération qui consiste à porter sur la scène du dehors — soit celle de l'objet — l'investigation, et même la divination, de ce qui doit être rejeté et aboli au-dedans. L'enfant a fait la cruelle expérience de sa dépendance aux variations d'humeur de la mère. Il consacre désormais ses efforts à deviner ou à anticiper.

L'unité compromise du Moi désormais troué se réalise soit sur le plan du fantasme donnant ouvertement lieu à la création artistique, soit sur le plan de la connaissance à l'origine d'une intellectualisation fort riche. Il est clair que l'on assiste à une tentative de maîtrise de la situation traumatique. Mais cette maîtrise est vouée à l'échec. Non qu'elle échoue là où elle a déplacé le théâtre d'opérations. Ces sublimations idéalisées précoces sont issues de formations psychiques prématurées, et sans doute précipitées, mais je ne vois aucune raison, sauf à verser dans une idéologie normative, à leur contester l'authenticité. Leur échec est ailleurs. Les sublimations révéleront leur incapacité à jouer un rôle équilibrant dans l'économie psychique, car le sujet restera vulnérable sur un point particulier, celui de sa vie amoureuse. Dans ce domaine, la blessure réveillera une douleur psychique et on assistera à une résurrection de la mère morte qui dissoudra, durant toute la crise où elle revient sur le devant de la scène, tous les acquis sublimatoires du sujet qui ne sont pas perdus, mais momentanément bloqués. Tantôt c'est l'amour qui relance le développement des acquisitions sublimées, tantôt ce sont ces dernières qui tentent de débloquer l'amour. Les deux peuvent un temps conjuguer leurs efforts, mais bientôt la destruction dépasse les possibilités du sujet, qui ne dispose pas des investissements nécessaires à l'établissement d'une relation objectale durable et à l'engagement progressif dans une implication personnelle profonde qui exige le souci de l'autre. C'est donc nécessairement soit la déception de l'objet, soit celle du Moi qui mettent fin à l'expérience, avec résurgence du sentiment d'échec, d'incapacité. Le patient a le sentiment qu'une malédiction pèse sur lui, celle de la mère morte qui n'en finit pas de mourir et qui le retient prisonnier. La douleur, sentiment narcissique, refait surface. Elle est souffrance installée au bord de la blessure, colorant tous les investissements, colmatant les effets de la haine, de l'excitation érotique, de la perte du sein. Dans la douleur psychique, il est impossible de haïr comme d'aimer, impossible de jouir même masochiquement, impossible de penser. Seul existe le sentiment d'une captivité qui dépossède le Moi de lui-même et l'aliène à une figure irreprésentable.

Le parcours du sujet évoque la chasse en quête d'un objet inintrojectable, sans possibilité d'y renoncer ou de le perdre et sans guère plus de possibilité d'accepter son introjection dans le Moi investi par la mère morte. En somme, les objets du sujet restent toujours à la limite du Moi, ni complètement dedans, ni tout à fait dehors. Et pour cause, puisque la place est prise, au centre, par la mère morte.

Longtemps, l'analyse de ces sujets se sera poursuivie par l'examen des conflits classiques : l'Œdipe, les fixations prégénitales, anales et orales. Le refoulement portant sur la sexualité infantile, sur l'agressivité, ont été interprétés sans relâche. Sans doute des progrès se sont-ils manifestés. Ils ne convainquent guère l'analyste, même si l'analysant cherche, lui, à se conforter en soulignant les points sur lesquels il y aurait lieu d'être satisfait.

En fait, tout ce travail psychanalytique reste sujet à des effondrements spectaculaires où tout paraît encore comme au premier jour, jusqu'à ce que l'analysant constate qu'il ne peut continuer à se leurrer et se trouve acculé au constat de carence de l'objet transférentiel : l'analyste, en dépit des manœuvres relationnelles avec des objets supports des transferts latéraux qui l'ont aidé à éviter d'aborder le noyau central du conflit.

Dans ces cures, j'ai fini par comprendre que je demeurais sourd à un certain discours que mes analysants me laissaient deviner. Derrière les éternelles complaintes sur la méchanceté de la mère, sur son incompréhension ou sur sa rigidité, je devinais bien la valeur défensive de ces propos contre une homosexualité intense. Homosexualité féminine dans les deux sexes, car chez le garçon c'est la partie féminine de la personnalité psychique qui s'exprime ainsi, souvent à la recherche d'une compensation paternelle. Mais je continuais à me demander pourquoi la situation se prolongeait. *Ma surdité portait sur le fait que, derrière les complaintes en rapport avec les agissements de la mère, ses actions, se profilait l'ombre de son absence.* En fait, la plainte contre X portait sur une mère absorbée, soit par elle-même, soit par autre chose, et indisponible sans écho, mais toujours triste. Une mère muette, fût-elle loquace. Quand elle était présente, elle demeurait indifférente, même lorsqu'elle accablait l'enfant de ses reproches. Je me représentai alors la situation tout autrement.

La mère morte avait emporté, dans le désinvestissement dont elle avait été l'objet, l'essentiel de l'amour dont elle avait été investie avant son deuil : son regard, le ton de sa voix, son odeur, le souvenir de sa caresse. La perte du contact psychique avait entraîné le refoulement de la trace mnésique de son toucher. Elle avait été enterrée vive, mais son tombeau lui-même avait disparu. Le trou qui gisait à sa place faisait redouter la solitude, comme si le sujet risquait d'y sombrer corps et biens. A cet égard, je pense maintenant que le *holding* dont parle Winnicott, n'est pas ce qui explique le sentiment de chute vertigineuse qu'éprouvent certains de nos patients. Celui-ci me paraît beaucoup plus en rapport avec une expérience de défaillance psychique, qui serait à la psyché ce qu'est l'évanouissement pour le corps physique. Il y a eu enkystement de l'objet et effacement de sa trace par désinvestissement, il y a eu identification primaire à la mère morte et transformation de l'identification positive en identification négative, c'est-à-dire identification au trou laissé par le désinvestissement et non à l'objet. Et à ce vide qui, périodiquement, dès qu'un nouvel objet est élu pour l'occuper, se remplit et soudain se manifeste par l'hallucination affective de la mère morte.

Tout ce qui s'observe autour de ce noyau s'organise dans un triple but :

— maintenir le Moi en vie : par la haine de l'objet, par la recherche d'un plaisir excitant, par la quête du sens ;

— ranimer la mère morte, l'intéresser, la distraire, lui rendre goût à la vie, la faire rire et sourire ;

— rivaliser avec l'objet du deuil dans la triangulation précoce.

Ce type de patients pose de sérieux problèmes techniques que je n'aborderai pas ici. Je renvoie sur ce point à mon travail sur le silence de l'analyste [6]. Je crains fort que la règle du silence dans ces cas ne fasse que perpétuer le transfert du deuil blanc de la mère. J'ajoute que je ne crois pas que la technique kleinienne d'interprétation systématique de la destructivité soit ici d'un grand secours. Par contre, la position de Winnicott, telle qu'elle est exprimée dans son article sur « L'utilisation de l'objet [7] », me paraît adéquate. Mais je crains que Winnicott n'ait beaucoup sous-estimé l'importance des fantasmes sexuels, de scène primitive en particulier, que j'aborderai plus loin.

> *L'amour gelé et ses vicissitudes :*
> *le sein, l'Œdipe, la scène primitive.*

L'ambivalence est un trait fondamental des investissements des dépressifs. Qu'en est-il dans le complexe de la mère morte ? Quand j'ai décrit plus haut le désinvestissement affectif et représentatif dont la haine est une conséquence, cette description était incomplète. Ce qu'il importe de bien comprendre est que l'incapacité d'aimer dans la structure que j'ai exposée ne relève de l'ambivalence, et donc de la surcharge haineuse, que dans la mesure où ce qui est premier est *l'amour gelé* par le désinvestissement. L'objet est en quelque sorte en hibernation, conservé au froid. Cette opération s'est produite à l'insu du sujet, et voici comment. Le désinvestissement est un retrait d'investissement accompli (pré)consciemment. La haine refoulée est le résultat d'une désintrication pulsionnelle, toute déliaison affaiblissant l'investissement libidinal érotique ayant pour conséquence de libérer les investissements destructifs. En retirant ses investissements, le sujet qui croit avoir ramené les investissements sur son Moi, faute de pouvoir les déplacer sur un autre objet, un objet substitut, ne sait pas qu'il y a laissé, qu'il y a aliéné son amour pour l'objet tombé dans les oubliettes du refoulement primitif. Consciemment, il pense que sa réserve d'amour est intacte, disponible pour un autre amour quand l'occasion s'en présentera. Il se déclare prêt à investir un nouvel objet si celui-ci se montre aimable et s'il peut s'en sentir aimé. L'objet primaire est supposé ne plus compter pour lui. En fait, il va rencontrer l'incapacité d'aimer, non seulement du fait de l'ambivalence, mais du fait que son amour est toujours aussi hypothéqué par la mère morte.

---

6. « Le silence du psychanalyste », *Topique*, n° 23.
7. Dans *Jeu et réalité, op. cit.*

Le sujet est riche, mais il ne peut rien donner malgré sa générosité, parce qu'il ne dispose pas de sa richesse. Personne ne lui a pris sa propriété affective, mais il n'en a pas la jouissance.

Au cours du transfert, la sexualisation défensive qui avait cours jusque-là, comportant toujours des satisfactions prégénitales intenses et des performances sexuelles remarquables, s'arrête brusquement et l'analysant voit sa vie sexuelle s'amenuiser ou s'évanouir jusqu'à être pratiquement nulle. Selon lui, il ne s'agit ni d'inhibition ni de perte d'appétit sexuel : simplement, voilà, plus personne n'est désirable et, si quelqu'un l'est d'aventure, il ou elle ne vous désire pas. Une vie sexuelle profuse, dispersée, multiple, fugace, n'apporte plus aucune satisfaction.

Arrêtés dans leur capacité d'aimer, les sujets qui sont sous l'emprise d'une mère morte ne peuvent plus aspirer qu'à l'autonomie. Le partage leur demeure interdit. Alors, la solitude, qui était une situation angoissante et à éviter, change de signe. De négative, elle devient positive. Elle était fuie, elle devient recherchée. Le sujet se nide. Il devient sa propre mère, mais demeure prisonnier de son économie de survie. Il pense avoir congédié sa mère morte. En fait, celle-ci ne le laisse en paix que dans la mesure où elle-même est laissée en paix. Tant qu'il n'y a pas de candidat à la succession, elle peut bien laisser son enfant survivre, certaine d'être la seule à détenir l'amour inaccessible.

Ce noyau froid brûle comme la glace et anesthésie comme elle, mais, tant qu'il est ressenti comme froid, l'amour reste indisponible. Ce sont à peine des métaphores. Ces analysants se plaignent d'avoir froid en pleine chaleur. Ils ont froid sous la peau, dans les os, ils se sentent transis par un frisson funèbre, enveloppés dans leur linceul. Tout se passe comme si le noyau gelé de l'amour par la mère morte n'empêchait pas l'évolution ultérieure vers le complexe d'Œdipe, de la même manière que la fixation sera dépassée ultérieurement dans la vie de l'individu. Ces sujets ont en effet une vie professionnelle plus ou moins satisfaisante, se marient, on des enfants. Pour un temps, tout paraît en ordre. Mais, bientôt, la répétition des conflits fait que les deux secteurs essentiels de la vie, aimer et travailler, se révèlent être des échecs : la vie professionnelle, même lorsqu'elle est profondément investie, devient décevante et les relations conjugales conduisent à des perturbations profondes de l'amour, de la sexualité, de la communication affective. C'est en tout cas cette dernière qui manque le plus. Quant à la sexualité, elle dépend de l'apparition plus ou moins tardive du complexe de la mère morte. Celle-ci peut être relativement préservée, mais seulement jusqu'à un certain point. L'amour enfin est toujours incomplètement satisfait. Soit, à l'extrême, tout à fait impossible, soit, au mieux, toujours plus ou moins mutilé ou inhibé. Il ne faut pas qu'il y en ait trop : trop d'amour, trop de plaisir, trop de jouissance, alors qu'à l'opposé la fonction parentale est surinvestie. Cependant, cette fonction est le plus souvent infiltrée par le narcissisme. Les enfants sont aimés à condition de remplir les objectifs narcissiques que les parents n'ont pas réussi à accomplir eux-mêmes.

On comprend donc que si l'Œdipe est abordé et même franchi, le complexe de la mère morte va rendre celui-ci particulièrement dramatique. La fixation maternelle empêchera la fille de pouvoir jamais investir l'imago du père sans redouter la perte de l'amour maternel ou, si l'amour pour le père est profondément refoulé, sans pouvoir éviter de transférer sur l'imago du père une importante partie des caractéristiques projetées sur la mère. Non pas la mère morte, mais son contraire, la mère phallique dont j'ai tenté de décrire la structure [8]. C'est une imago semblable que le garçon projette sur sa mère, tandis que le père est l'objet d'une homosexualité peu structurante qui fait de lui un personnage inaccessible et, selon la terminologie d'usage, falot ou fatigué, déprimé, vaincu par cette mère phallique. Dans tous les cas il y a régression vers l'analité. Par l'analité, le sujet ne régresse pas seulement de l'Œdipe vers l'arrière à tous les sens du terme, il se protège également par la butée anale vers une régression orale à laquelle la mère morte renvoie toujours, puisque complexe de la mère morte et perte métaphorique du sein se réverbèrent. On retrouve également toujours une défense par la réalité, comme si le sujet éprouvait le besoin de s'accrocher à la présence du perçu comme réel indemne de toute projection parce qu'il était loin d'être sûr de la distinction entre fantasme et réalité qu'il s'évertue à tenir scindés. Le fantasme doit n'être que du fantasme, c'est-à-dire qu'on assiste à la limite à la négation de la réalité psychique. Lorsque fantasme et réalité se télescopent, une énorme angoisse apparaît. Subjectif et objectif sont confondus qui donnent au sujet l'impression d'une menace psychotique. L'ordre doit être maintenu à tout prix par une référence anale structurante qui permet de continuer à faire fonctionner le clivage et surtout de mettre le sujet à l'écart de ce qu'il a appris de son inconscient. C'est-à-dire que sa psychanalyse lui permet davantage de comprendre les autres que de voir clair en lui-même. D'où l'inévitable déception des effets attendus de l'analyse, pourtant très investie, narcissiquement le plus souvent.

---

8. A. Green, « Sur la mère phallique », *Revue française de psychanalyse*, 1968, t. XXXII, p. 1-38.

La mère morte se refuse à mourir de sa deuxième mort. Bien des fois l'analyste se dit : « Cette fois ça y est, elle est bien morte, la vieille, il (ou elle) va pouvoir vivre enfin et moi respirer un peu. » Un trauma minime apparaît dans le transfert ou dans la vie qui redonne à l'imago maternelle une vitalité nouvelle, si je puis m'exprimer ainsi. C'est qu'elle est une hydre à mille têtes dont on croit à chaque fois avoir tranché le cou. On n'avait atteint qu'une de ses têtes. Où donc se trouve le cou de la bête ?

Un préjugé habituel veut qu'on aille au plus profond : au sein primordial. C'est une erreur ; là n'est pas le fantasme fondamental. Car, de la même manière que c'est la relation avec le deuxième objet dans l'Œdipe qui révèle rétroactivement le complexe qui affecte l'objet primaire, la mère, de la même manière ce n'est pas en attaquant frontalement la relation orale qu'on extirpe le noyau du complexe. La solution est à trouver dans le prototype de l'Œdipe, dans la matrice symbolique qui permet à celui-ci de se construire. Le complexe de la mère morte livre alors son secret : j'ai nommé le fantasme de la scène primitive.

La psychanalyse contemporaine, bien des indices l'attestent, a compris — tardivement, il est vrai — que si l'Œdipe restait la référence structurale indispensable, les conditions déterminantes de l'Œdipe n'étaient pas à rechercher dans ses précurseurs génétiques oral, anal, ou phallique, vus sous l'angle de références réalistes — car oralité, analité et phallicité dépendent de relations d'objet en partie réelles — ni non plus dans une fantasmatique généralisée de leur structure, à la Klein, mais dans le fantasme isomorphe de l'Œdipe : celui de la scène primitive. J'insiste sur ce fantasme de la scène primitive pour bien me démarquer de la position freudienne, telle qu'elle est exposée dans « L'homme aux loups », où Freud recherche, dans un but polémique contre Jung, les preuves de sa réalité. Or, ce qui compte dans la scène primitive, ce n'est pas qu'on en ait été le témoin, mais précisément le contraire, à savoir qu'elle se soit déroulée en l'absence du sujet.

Dans le cas particulier qui nous occupe, le fantasme de la scène primitive est d'une importance capitale. Car c'est à l'occasion de la rencontre d'une conjoncture et d'une structure qui met en jeu *deux* objets, que le sujet va être confronté avec les traces mnésiques en rapport avec le complexe de la mère morte. Ces traces mnésiques ont été puissamment refoulées par le désinvestissement. Elles restent, pour ainsi dire, en souffrance dans le sujet, qui n'a gardé de la période relative au complexe qu'un souvenir très partiel. Parfois, un souvenir écran, d'allure anodine, est tout ce qui en est resté. Le fantasme de scène primitive va non seulement réinvestir ces vestiges mais leur conférer, par un nouvel investissement, des effets nouveaux qui constituent un véritable *embrasement,* une mise à feu de la structure qui rend le complexe de la mère morte significatif après coup.

Toute résurgence de ce fantasme constitue une *actualisation projective*, la projection ayant pour but de pallier la blessure narcissique. Par actualisation projective, je désigne un processus par lequel la projection non seulement débarrasse le sujet de ses tensions internes en les projetant sur l'objet mais constitue une *reviviscence*, et non une *réminiscence*, une répétition traumatique et dramatique *actuelles*. Qu'en est-il du fantasme de la scène primitive dans le cas qui nous occupe ? D'une part, le sujet prend la mesure de la distance infranchissable qui le sépare de la mère. Cette distance lui fait ressentir la rage impuissante d'établir le contact, au sens le plus strict, avec l'objet. D'autre part, le sujet se sent, lui, incapable de réveiller cette mère morte, de l'animer, de la rendre vivante. Mais, cette fois, au lieu que son rival soit l'objet qui accaparait la mère morte dans le deuil qu'elle vivait, il devient au contraire l'objet tiers qui se montre, contrairement à toute attente, apte à lui rendre la vie et à lui procurer le plaisir de la jouissance.

C'est là que gît la situation révoltante qui réactive la perte de l'omnipotence narcissique et éveille le sentiment d'une infirmité libidinale incommensurable. Bien entendu, on comprendra que la réaction à cette situation va entraîner une série de conséquences, qui peuvent apparaître isolément ou groupées :

1. La persécution par ce fantasme et la haine des deux objets qui se forment au détriment du sujet.

2. L'interprétation, classique, de la scène primitive comme scène sadique, mais où le fait essentiel est que la mère ou ne jouit pas mais souffre, ou encore jouit malgré elle, contrainte par la violence paternelle.

3. Une variante de cette dernière situation, où la mère jouissant devient de ce fait cruelle, hypocrite, comédienne, sorte de monstre lubrique qui fait d'elle le Sphinx du mythe œdipien beaucoup plus que la mère d'Œdipe.

4. L'identification alternante aux deux imagos : à la mère morte, soit qu'elle demeure dans sa position inaltérable, soit qu'elle se livre à une excitation érotique de type sado-masochique ; au père, agresseur de la mère morte (fantasme nécrophilique), ou réparateur par le rapport sexuel. Le plus souvent, le sujet passe, selon les moments, à l'une ou l'autre de ces deux identifications.

5. La délibidinalisation érotique et agressive de la scène au profit d'une intense activité intellectuelle, narcissiquement restauratrice devant cette situation confusionnante, où la quête d'un

sens à nouveau perdu aboutit à la formation d'une théorie sexuelle et stimule une activité « intellectuelle » extensive qui rétablit la toute-puissance narcissique blessée, en faisant le sacrifice des satisfactions libidinales. Autre solution : la création artistique support d'un fantasme d'auto-suffisance.

6. La négation, en bloc, de tout le fantasme, avec l'investissement majeur de l'ignorance de tout ce qui touche aux relations sexuelles, qui fait coïncider chez le sujet le vide de la mère morte et l'effacement de la scène. Le fantasme de la scène primitive devient le pivot central de la vie du sujet qui couvre de son ombre le complexe de la mère morte. Il se développe dans deux directions : en avant et en arrière.

En avant, il est l'anticipation de l'Œdipe, qui sera alors vécu selon le schéma des défenses contre l'angoisse du fantasme de la scène primitive. Les trois facteurs anti-érotiques, c'est-à-dire la haine, l'homosexualité et le narcissisme vont conjuguer leurs effets pour que l'Œdipe se structure mal.

En arrière, la relation au sein est l'objet d'une réinterprétation radicale. C'est après coup que celle-ci devient significative. Le deuil blanc de la mère morte renvoie au sein qui, superficiellement, est chargé de projections destructrices. En fait, il s'agit moins d'un mauvais sein qui ne se donne pas que d'un sein qui, même lorsqu'il se donne, est un sein absent (et non perdu), absorbé par la nostalgie d'une relation regrettée. Un sein qui ne peut être ni comblé ni comblant. Cela a pour conséquence que le réinvestissement de la relation heureuse au sein, antérieur à la survenue du complexe de la mère morte, est cette fois affecté du signe de l'éphémère, de la menace catastrophique, et même, si j'ose ainsi m'exprimer, qu'il est un *faux sein*, porté par un *faux Self*, nourrissant un *faux bébé*. Ce bonheur était un leurre. « Jamais je n'ai été aimé » devient une nouvelle devise à laquelle le sujet va s'accrocher et qu'il va s'efforcer de vérifier dans sa vie amoureuse ultérieure. On comprend que l'on ait affaire à un deuil impossible et que la perte métaphorique du sein devient de ce fait inélaborable. Il convient d'ajouter une précision sur les fantasmes oraux cannibaliques. Contrairement à ce qui se passe dans la mélancolie, il n'y a pas ici de régression à cette phase. Ce à quoi l'on assiste surtout, c'est à une identification à la mère morte au niveau de la relation orale, et aux défenses qu'elle a suscitées, le sujet redoutant au maximum soit la perte plus complète de l'objet, soit l'envahissement par le vide.

L'analyse du transfert à travers ces trois positions fera retrouver le bonheur primitif antérieur à l'apparition du complexe de la mère morte. Ceci prend beaucoup de temps et il faut s'y reprendre à plus d'une fois avant d'emporter la décision, c'est-à-dire avant que le deuil blanc et ses résonances avec l'angoisse de castration permettent de déboucher sur la répétition transférentielle d'une relation heureuse avec une mère enfin vivante et désirante du père. Ce résultat passe par l'analyse de la blessure narcissique qui consumait l'enfant dans le deuil maternel.

Particularités du transfert.

Je ne puis m'étendre sur les implications techniques que posent les cas où l'on peut identifier dans le transfert le complexe de la mère morte. Ce transfert offre des singularités remarquables. L'analyse est fortement investie par le patient. Peut-être doit-on dire l'analyse plus que l'analyste. Non que celui-ci ne le soit pas. Mais l'investissement de l'objet transférentiel, tout en paraissant offrir toute la gamme du spectre libidinal, s'enracine profondément dans une tonalité de nature narcissique. Cela se traduit au-delà des expressions avouées porteuses d'affects, souvent très drama- tisées, par une désaffection secrète. Celle-ci est justifiée par une rationalisation du type « Je sais que le transfert est un leurre et que tout est en fait impossible avec vous au nom de la réalité ; alors, à quoi bon ? » Cette position s'accompagne d'une idéalisation de l'image de l'analyste, qu'il s'agit à la fois de main- tenir telle quelle et de séduire, pour provoquer son intérêt et son admiration.

La séduction a lieu par la quête intellectuelle, la quête du sens perdu qui rassure le narcissisme intellectuel et qui constitue autant d'offrandes précieuses à l'analyste. D'autant plus que cette acti- vité s'accompagne d'une grande richesse de représentations et d'un don d'auto-interprétation assez remarquable, qui contraste avec son peu d'effet sur la vie du patient, laquelle ne se modifie que peu, surtout sur le plan affectif.

Le langage de l'analysant adopte souvent ici une rhétorique que j'ai décrite au chapitre I à propos du narcissisme : le style narratif. Son rôle est d'émouvoir l'analyste, de l'impliquer, de le prendre à témoin dans le récit des conflits rencontrés à l'extérieur. Comme un enfant qui raconterait à sa mère sa journée à l'école et les mille petits drames qu'il a vécus, pour l'intéresser et la faire participer à ce qu'il a connu en son absence.

On devine que le style narratif est peu associatif. Lorsque les associations se produisent, elles sont contemporaines de ce mou- vement de retrait discret qui fait dire que tout se passe comme s'il s'agissait de l'analyse d'un autre qui n'est pas présent dans la séance. Le sujet décroche, se détache, pour ne pas être envahi par l'affect de la reviviscence plus que par la réminiscence. Lorsqu'il y cède, c'est alors le désespoir qui se montre à nu.

En fait, on constate dans le transfert deux traits remarquables : le premier est la non-domestication des pulsions : le sujet ne peut pas renoncer à l'inceste, ni par conséquent consentir au deuil maternel. Le deuxième trait, sans doute le plus remarquable, est que l'analyse induit le vide. C'est-à-dire que, lorsque l'analyste a réussi à toucher à un élément important du complexe nucléaire de la mère morte, le sujet se sent, un bref instant, vidé, blanc, comme s'il se trouvait dépouillé d'un objet bouche-trou et garde-fou. En fait, derrière le complexe de la mère morte, derrière le deuil blanc de la mère, se devine la folle passion dont elle est et demeure l'objet qui fait de son deuil une expérience impossible. Toute la structure du sujet vise à un fantasme fondamental : nourrir la mère morte, pour la maintenir dans un perpétuel embaumement. C'est ce que l'analysant fait avec l'analyste, il le nourrit de l'analyse, non pour s'aider à vivre en dehors de l'analyse, mais pour prolonger celle-ci en un processus interminable. Car le sujet se veut l'étoile polaire de la mère, l'enfant idéal, qui prend la place d'un mort idéalisé, rival nécessairement invincible, parce que non vivant, c'est-à-dire imparfait, limité, fini.

Le transfert est le lieu géométrique des condensations et des déplacements réverbérants entre fantasme de scène primitive, complexe d'Œdipe et relation orale qui sont constitués d'une double inscription : périphérique, leurrante et centrale, véridique autour du deuil blanc de la mère morte. Ce qui est essentiellement perdu ici est le contact avec la mère, qui est secrètement entretenu dans les profondeurs de la psyché et dont toutes les tentations de remplacement par des objets substituts sont destinés à échouer.

Le complexe de la mère morte donne à l'analyste le choix entre deux attitudes techniques. La première est la solution classique. Elle comporte le danger de répéter la relation à la mère morte par le silence. Mais je crains que, si le complexe n'est pas aperçu, l'analyse risque de sombrer dans l'ennui funèbre, ou l'illusion d'une vie libidinale enfin retrouvée. De toute manière, le temps du désespoir ne saurait manquer et la désillusion sera dure. La deuxième, celle à laquelle je donne ma préférence, est celle qui, utilisant le cadre comme espace transitionnel, fait de l'analyste un objet toujours vivant, intéressé, éveillé par son analysant et témoignant de sa vitalité par les liens associatifs qu'il communique à l'analysant, sans jamais sortir de la neutralité. Car la capacité à supporter la désillusion dépendra de la façon dont l'analysant se sentira narcissiquement investi par l'analyste. Il est donc indispensable que celui-ci demeure toujours en éveil aux propos du patient, sans verser dans l'interprétation intrusive. Etablir les liens fournis par le pré-conscient support des processus tertiaires, sans le court-circuiter en allant directement au fantasme inconscient, n'est jamais intrusif. Et, si le patient met en avant ce sentiment, il est tout à fait possible de montrer, sans traumatisation excessive, le rôle défensif de ce sentiment contre un plaisir vécu comme angoissant.

Car on aura compris que c'est la passivité qui est ici conflictualisée : la passivité ou la passivation comme féminité primaire, féminité commune à la mère et à l'enfant. Le deuil blanc de la mère morte serait le corps commun de leurs amours défuntes.

Lorsque l'analyse aura rendu vie, partiellement tout au moins, à cette partie de l'enfant identifié avec la mère morte, il va se produire un étrange renversement. La vitalité revenue reste la proie d'une identification captive. Ce qui arrive alors n'est pas facilement interprétable. La dépendance ancienne de l'enfant à la mère, où le petit a encore besoin de l'adulte, s'est inversée. Désormais, le lien entre l'enfant et la mère morte est retourné en doigt de gant. L'enfant guéri doit sa santé à la réparation incomplète de la mère toujours malade. Ce qui se traduit par le fait que c'est alors la mère qui dépend de l'enfant. Ce mouvement me paraît différent de ce qui est décrit d'ordinaire sous le nom de réparation. Il ne s'agit pas en fait d'actes positifs témoignant d'un remords, mais simplement d'un sacrifice de cette vitalité sur l'autel de la mère, en renonçant à utiliser les potentialités nouvelles du Moi pour l'obtention de plaisirs possibles. Ce que doit alors interpréter l'analyste à l'analysant, c'est que tout se passe comme si l'activité du sujet ne visait plus qu'à fournir à l'analyse l'occasion d'interpréter moins pour lui-même que pour l'analyste, comme si c'était l'analyste qui aurait besoin de l'analysant, contrairement à ce qui se passait auparavant.

Comment expliquer cette modification ? Il y a derrière la situation manifeste, un fantasme vampirique inversé. Le patient passe sa vie à nourrir son mort, comme s'il était le seul à en avoir la charge. Gardien du tombeau, unique possesseur de la clé du caveau, il remplit sa fonction de parent nourricier en secret. Il tient la mère morte prisonnière, qui demeure son bien propre. La mère est devenue l'enfant de l'enfant. C'est à lui de réparer la blessure narcissique.

Un paradoxe se présente ici : si la mère est en deuil, morte, elle est perdue pour le sujet, mais au moins, toute affligée qu'elle soit, elle est là. Présente morte, mais présente tout de même. Le sujet peut en prendre soin, tenter de l'éveiller, de l'animer, de la guérir. Mais si, en revanche, guérie, elle s'éveille, s'anime et vit, le sujet la perd encore, car elle l'abandonne pour vaquer à ses occupations et investir d'autres objets. Si bien qu'on a affaire à un sujet pris entre deux pertes : la mort dans la présence ou l'absence dans la vie. D'où l'ambivalence extrême quant au désir de rendre la vie à la mère.

Hypothèses métapsychologiques :
l'effacement de l'objet primaire
et la structure encadrante.

La clinique psychanalytique contemporaine s'est attachée à mieux définir les caractéristiques de l'imago maternelle la plus primitive. L'œuvre de Mélanie Klein a accompli à cet égard une mutation dans la théorie, bien qu'elle se soit davantage souciée de l'objet interne, tel qu'elle a pu se le représenter, tant à travers l'analyse d'enfants que l'analyse d'adultes de structure psychotique et sans prendre en compte la part prise par la mère dans la constitution de son imago. De cette négligence est née l'œuvre de Winnicott. Mais les disciples de Klein, sans partager les vues de Winnicott, ont reconnu la nécessité de procéder à une rectification de ses idées à ce sujet, à commencer par Bion. En somme, Mélanie Klein a été jusqu'au bout de ce qui serait à attribuer à un ensemble de dispositions innées quant à la force respective des instincts de mort et de vie chez le bébé, la variable maternelle n'entrant pour ainsi dire pas en jeu. En cela, elle est dans la filiation de Freud.

Ce sont surtout les projections relatives au mauvais objet sur lesquelles les contributions kleiniennes se sont apesanties. Dans une certaine mesure, cela se justifiait par le déni de Freud quant à leur authenticité. On a maintes fois souligné son occultation de la « mauvaise mère » et sa foi inébranlable dans le caractère quasi paradisiaque des liens qui unissent la mère à son bébé. Il revenait donc à Mélanie Klein de retoucher ce tableau partiel et partial de la relation mère-enfant, et cela d'autant plus aisément que les cas qu'elle analysa — enfants ou adultes —, la plupart de structure maniaco-dépressive ou psychotique, révélaient à l'évidence de telles projections. C'est ainsi qu'une abondante littérature dépeignit à l'envi ce sein omniprésent interne qui menace l'enfant d'annihilation, de morcellement et de sévices infernaux de toutes sortes qu'une relation en miroir unit au bébé qui se défend comme il peut par la projection. Lorsque la phase schizo-paranoïde commence à céder du terrain à la phase dépressive, celle-ci, contemporaine de l'unification conjointe de l'objet et du Moi, a pour trait fondamental la cessation progressive de l'activité projective et l'accession de l'enfant à la prise en charge de ses pulsions agressives — sa « responsabilisation » à leur égard, en quelque sorte —, qui le conduit à ménager l'objet maternel, à craindre pour lui, à redouter sa perte en réfléchissant sa destructivité sur lui-même par l'effet d'une culpabilité archaïque et dans un but de réparation. C'est pourquoi moins que jamais il n'est question ici d'incriminer la mère.

Dans la configuration que j'ai décrite et où peuvent persister des vestiges du mauvais objet source de haine, je suppose que les traits d'hostilité sont secondaires à une imago primaire de la mère, où celle-ci s'est trouvée dévitalisée par une réaction en miroir de l'enfant affecté par le deuil de l'objet maternel. Cela nous conduit à développer une hypothèse que nous avons déjà proposée. Lorsque les conditions sont favorables à l'inévitable séparation entre la mère et l'enfant, il se produit au sein du Moi une mutation décisive. L'objet maternel s'efface en tant qu'objet primaire de la fusion, pour laisser la place aux investissements propres au Moi fondateurs de son narcissisme personnel, Moi désormais capable d'investir ses propres objets distincts de l'objet primitif. Mais cet effacement de la mère ne le fait pas disparaître vraiment. L'objet primaire devient structure encadrante du Moi abritant l'hallucination négative de la mère. Certes, les représentations de la mère continuent d'exister et viennent se projeter à l'intérieur de cette structure encadrante sur la toile de fond de l'hallucination négative de l'objet primaire. Mais ce ne sont plus des *représentations-cadre*, ou pour me faire mieux comprendre, des représentations qui fusionnent l'apport de la mère et celui de l'enfant. Autant dire que ce ne sont plus des représentations dont les affects correspondants expriment un caractère vital, indispensable à l'existence du bébé. Ces représentations primitives méritent à peine le nom de représentations. Ce sont des mixtes de représentations à peine ébauchées, sans doute de caractère plus hallucinatoire que représentatif et d'affects chargés que l'on pourrait presque appeler des hallucinations affectives. Ceci aussi bien dans l'attente de la satisfaction espérée que dans les états de manque. Ceux-ci, lorsqu'ils se prolongent entraînent les émotions de colère, de rage, puis de désespoir catastrophique. Or l'effacement de l'objet maternel transformé en structure encadrante est acquis lorsque l'amour de l'objet est suffisamment sûr pour jouer ce rôle de contenant de l'espace représentatif. Ce dernier n'est plus menacé de craquer ; il peut faire face à l'attente et même à la dépression temporaire, l'enfant se sentant maintenu par l'objet maternel même lorsqu'il n'est plus là. Le cadre offre somme toute la garantie de la présence maternelle dans son absence et peut être rempli de fantasmes de toutes sortes, jusques et y compris de fantasmes agressifs violents qui ne mettront pas en péril ce contenant. L'espace ainsi encadré, constituant le réceptacle du Moi, cerne pour ainsi dire un champ vide à occuper par les investissements érotiques et agressifs sous la forme de représentations d'objet. Ce vide n'est jamais perçu par le sujet, car la libido a investi l'espace psychique. Il joue alors le rôle d'une matrice primordiale des investissements à venir.

Cependant, si un traumatisme tel que le deuil blanc survient avant que l'enfant n'ait pu constituer ce cadre de façon suffisamment solide, ce n'est pas un lieu psychique disponible qui s'est constitué dans le Moi. Ce dernier est limité par la structure encadrante, mais celle-ci cerne alors un espace conflictuel qui s'efforce de retenir captive l'image de la mère, luttant contre sa disparition, voyant se raviver alternativement les traces mnésiques de l'amour perdu avec nostalgie et celles de l'expérience de la perte, qui se traduit par l'impression d'une douloureuse vacuité. Ces alternances reproduisent le conflit très ancien d'un refoulement primaire raté dans la mesure où l'effacement de l'objet primordial n'aura pas été une expérience acceptable ou acceptée d'un commun accord par les deux parties de l'ancienne symbiose mère-enfant.

Les discussions qui ont eu pour thème l'antagonisme entre narcissisme primaire et amour primaire d'objet sont peut-être... sans objet. Tout dépend du point de vue adopté. Que l'amour primaire d'objet soit constatable d'emblée par un tiers observant laisse peu de place à la contestation. En revanche, que cet amour soit narcissique du point de vue de l'enfant, on voit mal comment il pourrait en être autrement. Sans doute le débat est-il obscurci par les acceptions diverses attribuées au narcissisme primaire. Si par une telle expression on veut désigner une forme primitive de relation où tous les investissements partent de l'enfant — ce qui est peut-être distinct de l'auto-érotisme qui a déjà élu certaines zones érogènes sur le corps du bébé —, alors il y a bien une structure narcissique primaire caractéristique de formes inaugurales d'investissement. Mais, si l'on réserve la dénomination de narcissisme primaire à l'accomplissement du sentiment d'unité qui s'installe après une phase où le morcellement domine, alors il faut concevoir narcissisme primaire et amour d'objet comme deux modes d'investissement centrés autour de polarités opposées et distinctes. Pour ma part, je vois là deux moments successifs de notre construction mythique de l'appareil psychique. J'incline à penser que le narcissisme primaire le plus ancien englobe de manière confuse *tous* les investissements, y compris l'amour primaire d'objet, et même ce qu'on pourrait appeler symétriquement la haine primaire d'objet, parce que c'est l'indistinction primitive sujet-objet qui caractérise le type et la qualité des investissements. C'est donc lorsque la séparation est accomplie qu'on peut à bon droit opposer le narcissisme primaire plus tardif comme désignant les seuls investissements du Moi, opposés aux investissements d'objet.

Pour compléter cette description, j'ajoute que j'ai proposé de distinguer un narcissisme primaire positif (rattachable à Eros), tendant à l'unité et l'identité, et un narcissisme primaire négatif (rattachable aux pulsions de destruction), qui ne se manifeste pas par la haine à l'égard de l'objet — celle-ci est parfaitement compatible avec le repli du narcissisme primaire positif — mais par la tendance du Moi à défaire son unité pour tendre vers Zéro. Ce qui se manifeste cliniquement par le sentiment du vide.

Ce que nous avons décrit sous le nom de complexe de la mère morte nous permet de comprendre les ratés de l'évolution favorable. Nous assistons à l'échec de l'expérience de séparation individuante (Mahler) où le jeune Moi, au lieu de constituer le réceptacle des investissements postérieurs à la séparation, s'acharne à retenir l'objet primaire et revit répétitivement sa perte, ce qui entraîne, au niveau du Moi primaire confondu avec l'objet, le sentiment d'une déplétion narcissique se traduisant phénoménologiquement par le sentiment de vide, si caractéristique de la dépression, qui est toujours le résultat d'une blessure narcissique avec déperdition libidinale. A ce moment, comme nous l'avons postulé, toute la libido est empreinte de narcissisme, et ce sera donc toujours une perte narcissique qui sera vécue au niveau du Moi.

L'objet est « mort » (au sens de non vivant, même si aucune mort réelle n'est survenue) ; il entraîne de ce fait le Moi vers un univers déserté, mortifère. Le deuil blanc de la mère induit le deuil blanc de l'enfant, enterrant une partie de son Moi dans la nécropole maternelle. Nourrir la mère morte revient alors à maintenir sous le sceau du secret l'amour le plus ancien pour l'objet primordial, enseveli par le refoulement primaire de la séparation mal accomplie entre les deux partenaires de la fusion primitive [9].

---

9. Ce que je viens de décrire ne peut manquer d'évoquer les idées si intéressantes de N. Abraham et de M. Torok. Cependant, même si, en de nombreux points, nos conceptions se recoupent, elles diffèrent par ailleurs sur un thème auquel j'attribue une grande importance à savoir la signification clinique et métapsychologique des états de vide. La manière dont j'essaye d'en rendre compte s'inscrit dans une réflexion continue où, après avoir tenté de préciser la valeur heuristique du concept d'hallucination négative et proposé le concept de « psychose blanche » avec J.-L. Donnet, je me suis attaché dans ce travail à élucider ce que j'appelle le deuil blanc. On pourrait résumer ces différences en soutenant que le narcissisme constitue l'axe de ma réflexion théorique, alors que N. Abraham et M. Torok se soucient essentiellement des rapports entre incorporation et introjection, avec les effets de crypte auxquels ils donnent naissance.

Il me semble que les psychanalystes n'auront guère de peine à reconnaître dans la description du complexe de la mère morte une configuration clinique familière, qui pourra différer cependant par tel ou tel trait de mon propre compte rendu. La théorie psychanalytique s'élaborant sur un nombre limité d'observations, il se peut bien que ce que j'ai décrit comporte à la fois des traits suffisamment généraux pour recouper l'expérience des autres et des traits singuliers qui seraient propres aux patients dont j'ai mené l'analyse.

En outre, il est fort possible que ce complexe de la mère morte, dont j'ai peut-être schématisé la structure, puisse se retrouver sous des formes plus rudimentaires. Il faut alors penser que l'expérience traumatique à laquelle j'ai fait allusion a été plus discrète, ou plus tardive, survenant à un moment où l'enfant était plus apte à en supporter les conséquences et n'a dû recourir qu'à une dépression plus partielle, plus modérée et aisément dépassable.

On aura pu s'étonner que j'attribue un tel rôle au traumatisme maternel, à une période de la psychanalyse où l'on insiste beaucoup plus sur les vicissitudes de l'organisation intra-psychique et où l'on est plus prudent sur le rôle joué par la conjoncture. Comme je l'ai indiqué au début de ce travail, la position dépressive est maintenant un fait admis par tous les auteurs, quelles que soient les explications qu'on en donne. En revanche, on a décrit depuis longtemps les effets déprimants des séparations précoces entre la mère et l'enfant, sans toutefois qu'il y ait une correspondance univoque entre l'importance du trauma et les manifestations dépressives constatées. La situation, dans le complexe de la mère morte, ne peut être ramenée au niveau de la position dépressive commune, ni assimilée aux traumatismes graves de la sépartaion réelle. Il n'y a pas eu dans les cas que je décris rupture effective de la continuité des relations mère-enfant. En revanche, il y a eu indépendamment de l'évolution spontanée vers la position dépressive, une contribution maternelle importante qui vient perturber la liquidation de la phase dépressive en venant compliquer le conflit par la réalité d'un désinvestissement maternel suffisamment perceptible par l'enfant pour blesser son narcissisme. Cette configuration me paraît conforme aux vues de Freud sur l'éthiologie des névroses — au sens large —, où la constitution psychique de l'enfant se forme par la combinaison de ses dispositions personnelles héritées et des événements de la première enfance.

Freud et la mère morte.

Le point de départ de ce travail est l'expérience clinique contemporaine issue de l'œuvre de Freud. Au lieu de procéder selon l'usage, c'est-à-dire de chercher d'abord ce qui dans cette œuvre cautionne un point de vue nouveau, j'ai préféré faire l'inverse et laisser pour la fin ce chapitre. A vrai dire, c'est presque au terme de mon parcours que le refoulement s'est levé en moi et que je me suis rappelé, après coup, ce qui chez Freud se rapporte à mon propos. Ce n'est pas dans « Deuil et mélancolie » que j'ai trouvé mon étayage freudien, mais dans *L'interprétation des rêves.*

Au dernier chapitre de la *Traumdeutung*, dès la première édition, Freud raconte un dernier rêve personnel à propos du réveil par le rêve [10]. C'est le rêve dit de la « mère chérie » et le seul rêve d'enfance raconté par lui, aussi bien dans cet ouvrage que dans sa correspondance publiée. A ce titre, la surdité psychique de Fliess a fait de lui une des mères mortes de Freud après avoir été son frère aîné. Didier Anzieu, aidé des interprétations antérieures d'Eva Rosenfeld et d'Alexandre Grinstein, en fait une analyse remarquable. Je ne puis entrer ici dans tous les détails de ce rêve et des commentaires fort riches auxquels il donne lieu. Je me bornerai à rappeler que son contenu manifeste montrait « la mère chérie avec une expression tranquille et endormie, portée dans la chambre et étendue sur le lit, par deux (ou trois) personnages à becs d'oiseau ». Le rêveur se réveille pleurant et criant, éveillant à leur tour les parents. Il s'agit d'un rêve d'angoisse interrompu par le réveil. L'analyse de ce rêve par les commentateurs, à commencer par Freud lui-même, ne souligne pas assez qu'il s'agit d'un rêve qui n'a pas pu se rêver, d'un rêve qui aurait pu être un rêve dont la fin n'a pu avoir lieu et qu'il faudrait presque construire. Lequel, des deux ou des trois — hésitation essentielle —, rejoindra la mère dans son sommeil ? Le rêveur, dans l'incertitude, n'en peut supporter davantage, il interrompt, faisant d'une pierre deux coups, à la fois le rêve et le sommeil des parents. L'analyse détaillée du rêve, aussi bien par Freud que par ses commentateurs, aboutit à la conjonction de deux thèmes : celui de la mort de la mère et celui du commerce sexuel. Autrement dit, nous trouvons là confirmée mon hypothèse concernant la relation entre la mère morte, le fantasme de la scène primitive et le complexe d'Œdipe, mettant en jeu ici, outre l'objet du désir, deux (ou trois) personnages à becs d'oiseau.

---

10. S. Freud, *L'interprétation des rêves.*

Les associations mettent en lumière l'origine de ces personnages empruntés à la Bible de Philippson. L'enquête de Grinstein [11] permet de rattacher cette représentation à la figure 15 de cette Bible offerte par le père, illustration qui devient l'objet d'une condensation. En effet, dans cette illustration, il ne s'agit pas, première association de Freud, de dieux à têtes d'épervier, mais de personnages pharaoniques de la Basse-Egypte — je souligne *Basse* —, tandis que les oiseaux surmontent les colonnes du lit. Je crois que cette condensation est importante, car elle déplace les oiseaux du lit de la mère à la tête des personnages, qui sont ici deux et non pas trois. Donc la mère est peut-être pourvue d'un oiseau-pénis. Le texte en regard illustre le verset « le roi David suit la litière (d'Abner) » qui, comme le note Anzieu, est rempli de thèmes incestueux, parricides, *fratricides*. Je souligne encore ce dernier trait.

Anzieu [12] interprète, à bon droit il me semble, les deux personnages comme des représentations de Jacob Freud, image grand-paternelle, et Philippe, le dernier frère de Freud, comme image paternelle. Cela puisque, comme tout le monde le sait, Philippe, né en 1836, est lui-même d'un an plus jeune que la mère de Freud, et que Freud a pour compagnon de jeux les enfants d'Emmanuel, aîné de Philippe. La mère morte, dans le rêve, a l'expression du grand-père maternel sur son lit de mort, le 3 octobre 1865, alors que Sigmund a neuf ans et demi. Il y a donc un deuil de la mère qui a dû retentir sur la relation entre Amalia Freud et son fils. Les commentateurs se sont étonnés de la fausse datation, non rectifiée par Freud, de son rêve. Il l'aurait fait vers sept ou huit ans, soit un an et demi ou deux ans avant la mort du grand-père maternel, ce qui est impossible. On se borne ici à rectifier l'erreur, sans s'interroger davantage. Je serais de mon côté tenté de considérer ce lapsus comme révélateur, ce qui m'amène à conclure que ce n'est pas du deuil du grand-père maternel qu'il s'agit, mais d'un deuil antérieur. L'écart significatif de l'erreur — un an et demi à deux ans — me renverrait alors à un autre deuil de la mère : celui du frère plus jeune, Julius Freud, né alors que Sigmund a dix-sept mois (presque un an et demi), mort alors qu'il a vingt-trois mois (presque deux ans). D'où la double explication : *deux (ou trois)* personnages, soit Jacob, Philippe ou Jacob, Philippe et *Philippson* : le fils de Philippe, Julius, puisque en 1859, lorsque Freud a trois ans, il redoute que sa mère soit de nouveau enceinte comme la Nania, et que Phi-

11. A. Grinstein, « Un rêve de Freud : Les trois Parques », *Nouvelle revue de psychanalyse*, 1972, n° 5, p. 57-82.
12. D. Anzieu, *L'auto-analyse de Freud*, P.U.F., t. I, p. 342.

lippe ne l'ait enfermée dans un coffre, « coffrée » ou, vulgairement, « tringlée ».

Je ferai alors remarquer en passant pourquoi le jeune initiateur, le fils de la concierge, révélateur du commerce sexuel, s'appelle Philippe. C'est Philippe qui coïte avec Amalia et c'est Philippson (Julius) qui permet à Sigmund de comprendre la relation entre coïter, enfanter et mourir... Julius sera l'objet d'un oubli de nom, celui du peintre Julius Mosen, dont Freud fait état dans les lettres à Fliess le 26 août 1898. Mosen-Moses-Moïse, nous savons la suite et aussi l'insistance de Freud à faire de Moïse un Egyptien, c'est-à-dire, pour parler clair, non le fils d'Amalia et de Jacob, mais de la concierge ou, à la rigueur, d'Amalia et de Philippe. Cela jette aussi une lumière sur la conquête de Rome par Freud, si l'on se souvient qu'il cite Tite-Live à propos des rêves d'inceste de Jules César.

Je comprends mieux l'importance de cet âge, dix-huit mois, dans l'œuvre de Freud. C'est l'âge de son petit-fils jouant à la bobine (mère morte — mère ressuscitée), lequel mourra vers deux ans, et sera l'occasion d'un deuil intense bien que minimisé. C'est encore l'âge où l'Homme aux loups aurait assisté à la scène primitive.

Anzieu fait deux observations qui rencontrent mes propres déductions. Il montre, à propos de l'élaboration préconsciente de Freud, le rapprochement entre Freud et Bion, qui a individualisé, à côté de l'amour et de la haine, la compréhension comme référence primordiale de l'appareil psychique : la quête du sens. Enfin, il conclut qu'il faut tenir pour suspecte l'insistance de Freud à réduire l'angoisse spécifique du rêve, angoisse de la mort de la mère, à autre chose.

Il ne nous reste plus qu'une hypothèse en souffrance, celle de la relation orale. Un autre rêve en rapport avec celui de « la mère chérie » nous y renvoie, où la mère apparaît vivante : le rêve des Trois Parques. Dans ce rêve, la mère de Freud prépare des « knödel » et, tandis que le petit Sigmund veut les manger, elle lui intime d'attendre jusqu'à ce qu'elle soit prête (« indistinct comme discours », ajoute Freud). Les associations dans ce passage concernent, on le sait, la mort. Mais plus loin, à distance de l'analyse du rêve, Freud y revient pour écrire : « Mon rêve des Trois Parques est un rêve de faim, très net, mais il ramène le besoin de nourriture à la nostalgie de l'enfant pour le sein maternel et il utilise un penchant innocent pour en couvrir un plus grand que lui, qui, lui, ne peut s'extérioriser franchement [13]. »

---

13. S. Freud, *L'interprétation des rêves*, p. 204-205.

Sans doute, et comment nier que le contexte y invite, mais, ici encore, il faut faire preuve de suspicion. Ce qu'il faut surtout interroger, c'est la triple image de la femme chez Freud, reprise dans « Le thème des trois coffrets » : la mère, l'épouse (ou l'amante), la mort. On a beaucoup parlé de la censure de l'amante, ces dernières années, à mon tour de relever la censure qui pèse sur la mère morte. De la mère au silence de plomb.

Notre triologie est maintenant complète. Nous voilà encore renvoyés à la perte métaphorique du sein, mise en relation avec l'Œdipe, ou le fantasme de la scène primitive et à celui de la mère morte. La leçon de la mère morte est qu'elle aussi doit mourir un jour pour qu'une autre soit aimée. Mais cette mort doit être lente et douce pour que le souvenir de son amour ne périsse pas et nourrisse l'amour que généreusement elle offrira à celle qui prend sa place.

Ainsi, voilà notre parcours bouclé. Il est une fois de plus significatif de l'après-coup. Je connaissais ces rêves de longues date, ainsi que les commentaires qu'ils ont suscités. Les uns et les autres s'étaient inscrits en moi comme traces mnésiques significatives de quelque chose qui me paraissait obscurément important sans que je sache bien ni comment ni pourquoi. Ces traces ont été réinvesties par le discours de certains analysants qu'à un moment donné, mais pas avant, je pus entendre. Est-ce ce discours qui m'a permis de redécouvrir la lettre de Freud, est-ce la cryptomnésie de ces lectures qui m'a rendu perméable aux mots de mes analysants ? Dans une conception rectiligne du temps, cette hypothèse est la bonne. A la lumière de l'après-coup, c'est l'autre qui est vraie. Quoi qu'il en soit, dans le concept de l'après-coup, rien n'est plus mystérieux que ce statut préalable d'un sens enregistré qui demeure dans la psyché en attente de sa révélation. Car il s'agit bien d'un « sens », sans quoi il n'aurait pu être inscrit dans la psyché. Mais ce sens en souffrance n'est véritablement significatif que lorsqu'il est réveillé par un réinvestissement qui a lieu dans un contexte fort différent. Quel sens est-ce donc là ? Un sens perdu et retrouvé. Ce serait trop prêter à cette structure présignificative et sa retrouvaille est beaucoup plus de l'ordre de la trouvaille. Peut-être un sens potentiel auquel ne manque que l'expérience analytique — ou poétique ? — pour devenir un sens véridique.

Postface
le moi, mortel-immortel
(1982)

A Brigitte Pontalis

On s'en étonne à peine, et nul doute, pas assez : dans nos sociétés, au moins, la mort est devenue scandaleuse. Lorsqu'un être cher nous quitte, même à un âge avancé, nous exprimons le regret et parfois même le reproche envers ceux que nous tenons pour responsables de sa vie de ne pas l'avoir sauvé, comme si nous nous étions habitués à considérer la durée de la vie comme illimitée et le terme de celle-ci comme indéfiniment différé. Cette attitude à l'égard de la mort est relativement récente. S'il est difficile de préciser le moment où elle est apparue sous l'influence d'un concours de circonstances — allongement de la période de paix après deux guerres mondiales particulièrement meurtrières, amélioration des moyens destinés à répondre aux catastrophes naturelles, progrès de la médecine et abaissement de la mortalité infantile —, il est clair que cette ère nouvelle n'est pas plus haute que la taille d'un doigt au sommet d'une montagne, tant les siècles qui nous ont précédés ont été marqués par la présence de la 'mort dans toutes les sociétés et à tous les moments de l'histoire. On peut d'ailleurs aussi bien s'étonner que cette tendance à ne pas se résigner à mourir, ou à repousser cette issue aussi loin que possible, s'accompagne d'une inconscience relative à l'égard de l'accumulation des moyens de destruction. Si l'on ne peut parler à cet égard d'indifférence, on peut remarquer que le désir de parer à cette menace n'a pas suscité une mobilisation générale contre le danger de guerre.

Cette situation paradoxale est la nôtre aujourd'hui. Il est possible que nous ne soyons plus à même de prendre la mesure

255

de l'état d'esprit qui régnait il y a moins d'un siècle, à un moment où la mort était une ombre inquiétante mais familière au foyer des vivants, quand la religion offrait encore la suprême consolation.

Aussi ne sommes-nous pas tout à fait conscients de la portée des idées de Freud en la matière. Elles furent d'une audace qui a perdu son éclat, parce que les changements intervenus par ailleurs les ont banalisées. Pas de représentation de la mort dans l'inconscient, voilà ce qu'il avance avec la sûreté de quelqu'un qui aurait été le constater sur place. L'homme ne peut savoir ce qu'est la mort, ni consciemment ni inconsciemment. Dans l'inconscient, rien que des représentations de désir et des affects. Une pure positivité, dont la fonction est justement de répondre aux frustrations que la réalité impose à la réalisation de nos souhaits, nous faisant vivre quotidiennement l'expérience de ces manques, petits ou grands, dont la mort n'est, somme toute, que l'actualisation maximale. Au fond, l'au-delà de la religion, celui qui attend les justes, les vertueux ou les repentis, Freud le découvre dans l'inconscient, avec toutes les limites et les réserves que peut susciter la comparaison.

Toutefois, même si nous ne pouvons savoir ce qu'est la mort et nous la représenter et même si l'inconscient l'ignore — au sens où il ne lui fait aucune place —, cela ne supprime pas pour autant la conscience qu'a l'homme de se savoir mortel. Il ne suffisait pas à Freud de lutter contre l'illusion religieuse et de détrôner la conscience des philosophes en ruinant la confiance excessive qu'ils mettaient en elle, il fallait encore qu'il contestât la teneur véritable des réflexions qu'inspirait cette conscience de la mort. Alors que toute la philosophie occidentale, à laquelle sa culture se rattachait, avait au fil des temps incessamment tissé le discours sur la mort, le reprenant indéfiniment sous l'éclairage des conceptions changeantes et le considérant comme un des plus nobles accomplissements de la pensée humaine, voilà que Freud jetait à la face de ces penseurs un jugement abrupt : l'angoisse de mort qui sous-tend la méditation philosophique de celui qu'on dit l'être-pour-la-mort [1] est un leurre, un masque derrière lequel l'homme s'abrite pour nier qu'il ne s'agit de rien d'autre que de l'angoisse de castration. Tel était son constat téméraire, qui frisait l'arrogance. Freud voulait montrer qu'il y avait moins de courage à alléguer que l'homme était le seul être du règne animal à tenir un discours sur la mort, conscient de se savoir mortel, qu'à reconnaître les limitations de sa conscience, à déjouer son illusoire vanité et, surtout, à accepter l'idée que le véritable moteur de l'action comme de la pensée des hommes était ce

---

1. Nous étendons la formule heideggerienne à la tradition philosophique.

qui échappait au contrôle de leur volonté et de leur être conscient : l'inconscient, ce maître invisible qui tire les ficelles de la marionnette « conscience ».

Etait-ce une provocation ? En fait, il ne pouvait en être autrement pour Freud, qui ne faisait que pousser à leurs extrêmes conséquences ses idées sur le *système* inconscient. Le radicalisme de ses vues sur l'inexistence de la mort dans l'inconscient, faute d'une représentation de celle-ci, est justifié par le type de rationalité qui est propre au processus primaire : celui-ci ne connaît ni doute ni degré dans la certitude, il ignore la négation et demeure insensible au passage du temps, donc à toute idée de temps. Il ne saurait, de ce fait même, concevoir, sous une forme ou sous une autre, cette fin d'une existence animée par la seule exigence de la réalisation du désir. Celle-ci trouve en ce domaine, faute d'y parvenir dans celui de la réalité, le moyen de se satisfaire en supprimant les obstacles qui s'y opposent grâce aux moyens permettant de contourner la censure. La suprématie du principe de plaisir s'y trouve ainsi affirmée.

La conscience née des contraintes de la réalité extérieure, pour assurer la survie de l'être précaire qu'est le Moi du très jeune enfant, sera régie par un principe de réalité, beaucoup plus vulnérable que le principe de plaisir. En fin de compte, la fonction dernière du premier sera la sauvegarde du second, qui ne règne sans partage que dans l'inconscient. L'une de ses manifestations les plus significatives est la négation du déplaisir lié à la menace de castration. Celle-ci suscite l'horreur la plus extrême ; elle constitue la menace suprême de la disparition du plaisir sexuel, fondement et prototype de tous les autres. Le déplaisir lié à l'idée de la mort s'expliquerait par le fait que celle-ci, comme la précédente, a les mêmes implications. Elle est porteuse des mêmes dangers. En mettant fin au plaisir de vivre, elle touche, au fond, à la perte du plaisir de jouir. Lacan le dit plus éloquemment : « La jouissance, dont le défaut rendrait vain l'Univers... »

Ainsi la blessure narcissique — Freud dixit — infligée à l'homme par la contestation de la souveraineté de la conscience ne le privait pas seulement de l'orgueil qu'il tirait à pouvoir tenir un discours sur la mort, elle devenait purulente à devoir savoir que ce discours faisait écran contre sa seule et unique cause d'angoisse : la castration.

Nous pensions nous consoler du joug de la mort parce que nous savions que nous étions mortels et de le savoir nous donnait le sentiment que nous pouvions nous préparer à y faire face : « Philosopher, c'est apprendre à mourir. » Ce n'était pas la résignation, ni la soumission à une puissance aveugle à laquelle on se plie dans l'impuissance ; le consentement à notre finitude nous entretenait dans l'idée que la mort pouvait trouver en nous un adversaire estimable. Non un esclave mais un être libre parce qu'il se voulait lucide. En fait, nous étions sans le savoir ignorants non seulement d'elle mais de nous, tirant vanité de la noblesse dans laquelle notre conscience se drapait, tournant le dos à la source véritable de nos pensées. Celles-ci, ramenées à des motifs autrement prosaïques, étaient rivées à la quête du plaisir de notre enfance, toujours barrée par la crainte de voir s'évanouir la possibilité de son renouvellement. Et quand bien même nous semblions, par certaines de nos conduites, être portés vers le déplaisir, ce n'était là qu'une ultime ruse, un déguisement protecteur, où l'analyse rigoureuse avait vite fait de découvrir, dans le contraire du plaisir, la marque indélébile de l'état antérieur au déplaisir : le plaisir encore et toujours, lui dont la visée initiale était la jouissance sexuelle contemporaine de nos débuts dans la vie.

Descartes se vit un jour interrogé pour savoir si les enfants avaient une âme. Il répondit par la négative, invoquant leur instabilité, leur esprit labile toujours en mouvement, porté à jouer, c'est-à-dire incapable d'accomplir la démarche mentale qui devait conclure à l'irréductibilité du Cogito. Il fallut attendre Freud, Mélanie Klein et surtout Winnicott pour comprendre que le jeu des enfants était chose sérieuse et porteur d'une fonction si nécessaire et si étendue qu'elle pouvait englober les activités psychiques les plus graves et les plus profondes dont les adultes étaient capables. Car le jeu ne peut se comprendre qu'à la lumière du fantasme et celui-ci s'ancre dans la sexualité, pour s'épanouir dans la sublimation.

Une interprétation trop hâtive chercherait dans l'ontogenèse l'explication de l'angoisse de castration si intimement liée chez l'homme à la sexualité. En fait, il en va tout autrement pour Freud. Son œuvre montre abondamment que sa conception du développement de la libido postule l'existence d'une programmation spécifique — c'est-à-dire liée à l'espèce plus qu'à l'individu. La sexualité serait ordonnée par des schèmes organisateurs — les fantasmes originaires de séduction, castration, scène primitive et même ceux qui se rattachent au complexe d'Œdipe —, ceux-ci façonnant le foisonnement des expériences individuelles pour leur conférer un sens (direction et signification) en opérant un tri parmi certains événements, en les investissant de manière spécifique et en les classant à la manière des catégories philosophiques pour la pensée. On pense évidemment aux à priori de Kant.

Mais ce qui est admissible et même recommandable pour la

philosophie s'accepte mal pour une théorie qui vise la vérité scientifique. Rien à l'échelon de la science ne vient étayer la spéculation de Freud sur ce qu'il appelait les traces mnésiques phylogénétiques dont les fantasmes originaires seraient l'expression psychique au niveau individuel. On ne se fit pas faute de le lui faire remarquer. Il traita ces objections par le mépris : il était peut-être en avance sur la science. Il répondit même qu'il n'avait cure de cet appel à l'autorité du savoir scientifique, car il n'était pas savant mais psychanalyste. Freud devait faire preuve en la circonstance d'une étrange incohérence. Il n'avait de cesse de réclamer pour la psychanalyse le statut d'une discipline scientifique, n'admettant d'autres valeurs de vérité que celles de la science. Ce n'est pas dans sa théorie qu'il faut s'attendre à trouver une *Weltanschaüung*, une de ces conceptions du monde dont les philosophes ont nourri les illusions des hommes. Et voilà qu'à ce sujet il érigeait une spéculation à une dignité supra-scientifique en s'abritant derrière un don prophétique, sans apporter la moindre preuve de ce qu'il avançait. Qu'était-ce donc qui alimentait cette conviction inébranlable ? Ce qui aux yeux des autres paraissait d'une témérité condamnable lui semblait relever de la cohérence la plus totale et sans doute d'une fidélité à soi-même qui n'était pas décelable au premier abord.

On peut sans risque de se tromper soutenir que, si Freud a trouvé dans la sexualité le référent de la vie psychique, ce n'est pas seulement parce que celle-ci est chez l'homme étroitement liée au plaisir, mais surtout parce qu'elle est cette fonction qui traverse l'individu de part en part. Non seulement parce qu'elle marque ses relations à autrui, mais aussi parce qu'elle déborde son existence en amont et en aval, liant les générations entre elles, ascendants et descendants formant une chaîne ininterrompue. De ce fait même, on ne saurait la concevoir dans une perspective ontogénétique.

On a pu dire que l' « invention » de la sexualité et de la mort étaient solidaires. En effet, sans différenciation sexuelle — en l'absence de « sexion » —, la scission indéfiniment répétée du même organisme dessine une figure d'immortalité. Mais on peut aussi affirmer, en un tout autre sens, que, lorsque meurt l'individu, une part de lui aura survécu, par le patrimoine qu'il aura transmis à sa descendance. S'il aura fallu qu'à celle-ci s'adjoigne celle d'un partenaire de l'autre sexe, quelque chose se transmet néanmoins de lui qui aura migré dans un nouvel être. Immortalité relative donc, mais immortalité tout de même, au moins dans l'écart d'une génération.

Chez la femme, la science d'aujourd'hui permet le retour à une immortalité absolue. La parthénogenèse, capable d'engendrer

259

un nouvel être absolument identique à son parent, donne à la succession mère-fille, cette dernière devenant à son tour mère d'une autre fille, un caractère immortel. Ceci au prix, bien sûr, des limitations qu'entraîne la pure répétition du même. Et voici affirmée en ces temps nouveaux la supériorité de la femme, complètement auto-suffisante, pouvant aimer en son rejeton sa propre image. Nous voilà déjà orientés sur les liens entre narcissisme et immortalité. Mais l'amour d'objet peut aussi y trouver son compte. Ainsi, le mari qui renoncerait aux joies d'une paternité à laquelle il aurait contribué pourra surmonter la tristesse de voir l'objet de son amour atteint par l'usure du temps en faisant subir à son épouse cette reproduction du même, où il la retrouvera dans la floraison de sa jeunesse, depuis longtemps passée. Il aura même la satisfaction immense de la connaître depuis sa plus tendre enfance, telle qu'elle fut avant qu'il la rencontre !

Quittons ces rêveries, plaisantes ou terrifiantes, et revenons à Freud qui ne soupçonnait pas qu'elles pourraient devenir réalité. A ses yeux, la sexualité est cette fonction de la vie qui relativise le pouvoir de l'individu. On peut le voir aisément dès les premières phases de son œuvre. Sa première théorie des pulsions opposait les pulsions d'auto-conservation (de l'individu) aux pulsions sexuelles, où la conservation de l'espèce, pour n'être pas perceptible directement, est néanmoins le but final. Autrement dit, la sexualité couvre à la fois le champ de l'individu et celui de l'espèce, alors que l'auto-conservation ne concerne que l'individu. Ainsi, sexualité, plaisir (menaçant l'auto-conservation dès cette étape de la pensée freudienne) et négation de la mort sont liés par un sort commun, que seule l'analyse des processus inconscients peut mettre en évidence.

Cependant, en toute rigueur, on ne saurait vraiment parler ici d'immortalité. Etre privé de toute représentation de la mort et se croire immortel ne sont équivalents qu'en apparence. Si la mort n'a pas de représentant dans l'inconscient, celui-ci ne peut prétendre à l'immortalité. Ce déni qui exclut la conscience de la mort n'est pas posé par rapport à sa possibilité et encore moins par rapport à son inéluctabilité. L'affirmation absolue de la vie, sous la forme des réalisations du désir, ne connaît pas d'antagoniste. Tout au plus a-t-elle affaire à la censure, jamais au savoir d'être mortel. C'est pourquoi la référence à la castration est pertinente. Elle se matérialisera par l'opposition phallique-châtré. La conception de Freud est phallocentrique, cela est sûr, puisque selon lui l'essence de toute libido est masculine, dans les deux sexes. C'est aussi pourquoi la castration intéresse — de manière différente, il est vrai — les deux sexes, en tant qu'elle menace d'extinction toute possibilité de plaisir suscitant l'angoisse de mort. Dans l'analyse de l'oubli du nom de Signorelli, les associations de Freud le conduisent à évoquer les propos des Turcs qui pensent que sans jouissance sexuelle la vie ne vaut pas la peine d'être vécue. Tout plutôt qu'être eunuque ?

Il est clair qu'il est impossible de comprendre les idées de Freud sans leur accorder une valeur métaphorique. Le « Grand Seigneur Pénis » (Freud) est, selon le mot de Lacan, le signifiant du désir, son support matériel corporel. Cette présence phallique dont le Phallus, selon Lacan, sera le garant de l'ordre symbolique, fait écran au vagin, irreprésentable comme la mort d'après Freud. On peut à bon droit s'interroger sur la sélectivité de la mémoire de Freud, qui trouve dans la tragédie de Sophocle l'intuition du complexe d'Œdipe en oubliant pourquoi Tiresias, l'ancêtre du psychanalyste, fut châtié. Le vagin, qui jouirait neuf fois plus que le pénis, ne serait le signifiant de rien et l'envie du vagin inconcevable. Nous n'en avons pas fini avec cette « répudiation de la féminité » que Freud rendra responsable des limitations de la cure psychanalytique. Contentons-nous pour le moment de souligner la fonction transindividuelle de la sexualité, mais remarquons en passant que cette fonction s'incarne beaucoup plus nettement chez la femme que chez l'homme, qui peut à un moment de son existence inclure dans le même organisme deux corps en un, séparés par une différence de générations et parfois par une différence de sexes.

Lorsque Freud modifiera sa première théorie des pulsions pour lui préférer l'opposition entre libido du Moi et libido d'objet, la sexualité se répartissant entre la première et la seconde, l'immortalité n'est pas absente de ses réflexions, ainsi qu'en témoigne cette citation extraite de « Pour introduire le narcissisme » (1914) :

« L'individu, effectivement, mène une double existence : en tant qu'il est lui-même sa propre fin, et en tant que maillon d'une chaîne à laquelle il est assujetti contre sa volonté ou du moins sans l'intervention de celle-ci. Lui-même tient la sexualité pour une de ses fins, tandis qu'une autre perspective nous montre qu'il est un simple appendice de son plasma germinatif, à la disposition duquel il met ses forces en échange d'une prime de plaisir, qu'il est le porteur mortel d'une substance — peut-être immortelle — comme l'aîné d'une famille ne détient que temporairement un majorat qui lui survivra. La distinction des pulsions sexuelles et des pulsions du Moi ne paraît que refléter cette double fonction de l'individu [2]. »

2. « Pour introduire le narcissisme », trad. J. Laplanche, in *La vie sexuelle*, P.U.F., p. 85.

Ces lignes montrent clairement l'appui que Freud entend trouver auprès de Weissmann, qui avait soutenu l'opposition du germen et du soma. Seul le soma est mortel. Ne peut-on inférer alors qu'entre cette mortalité du soma et la prime de plaisir obtenue en échange de l'accomplissement des buts du germen s'insère l'angoisse de castration, jetant le pont entre plasma germinatif et plasma somatique ? Les idées de Weissmann serviront encore de caution à Freud quelques années plus tard dans le saut mutatif de sa pensée que traduit *Au-delà du principe de plaisir* (1920). Le caractère spéculatif de ses réflexions ne doit pas faire croire que la pensée de Freud n'est mise en mouvement que par elle-même. Car, quelques années avant, en 1911, il s'était livré à l'analyse des *Mémoires* du Président Schreber, où le délire de l'auteur témoignait à la fois de la régression narcissique par le reflux de la libido sur le Moi, devenu mégalomaniaque, et du fantasme d'immortalité implicitement présent dans le thème fondamental de la néo-réalité créée par Schreber. Grâce à sa transformation en femme, par éviration, celui-ci aurait, après avoir subi l'accouplement avec Dieu, donné naissance à une nouvelle race d'hommes. Dans ce désir de jouissance féminine, Freud ne verra que la satisfaction de souhaits homosexuels passifs envers le Père où l'angoisse de castration sera forclose.

Mais c'est seulement quelques années après, et immédiatement avant *Au-delà du principe de plaisir*, que Freud, abordant dans son article sur « *L'inquiétante étrangeté* » (1919) la problématique du double, auquel Rank consacra un travail célèbre, introduit explicitement l'immortalité du Moi. Ce déplacement de l'inconscient au Moi, qui inaugure la première expression psychique authentique de l'immortalité, change ses perspectives antérieures. L'analyse des mythes et des récits littéraires relatifs à la gémellarité révèle la scission du Moi en deux moitiés — que représentent les jumeaux —, dont l'une est mortelle tandis que l'autre se voit souvent dotée du don d'immortalité. Ici, il n'est plus question de l'immortalité de la sexualité par vocation biologique, ni de l'absence de représentation de la mort dans la vie psychique inconsciente, mais d'une croyance du Moi qui peut à l'occasion devenir consciente sous le couvert de la fiction. En 1900, le rêve, phénomène normal universel, avait permis à Freud, au temps où il tirait ses conclusions de l'analyse de l'hystérie, de montrer que l'inconscient n'était pas l'apanage de la névrose. En 1919, la démonstration est reprise sur les mêmes bases : le délire n'a pas, lui non plus, le monopole des expressions conscientes de l'immortalité du Moi ; la fiction collective ou individuelle que les hommes prennent plaisir à transmettre et à partager sans être soupçonnés de maladie — ils y trouvent même une élévation de leur âme dans la religion — témoigne de la même manière de ce que le Moi — ou une partie de lui — se croit immortel chez le commun des mortels.

C'est de ce point de vue que l'on peut vraiment parler d'immortalité, c'est-à-dire d'un authentique déni de la mort au sein d'un Moi qui se sait mortel, son double se refusant à admettre la fatalité du terme de son existence. La référence à la sexualité n'est pas récusée pour autant. Cependant, l'immortalité du germen ne s'inscrit nulle part dans le psychisme, pas plus que la mort n'a de représentation dans l'inconscient. En revanche, à la mortalité biologique du soma ainsi qu'à la conscience de la mort répond l'immortalité d'une part du Moi. C'est le narcissisme — effet de la sexualisation des pulsions du Moi — qui en est cause.

Freud avait découvert une vérité qui lui paraissait digne de figurer parmi les acquisitions de la science quand il avait désigné la place vide de la mort dans l'inconscient. C'était là, à coup sûr, une victoire du Moi capable de pénétrer un secret du vaste territoire qui échappe à la conscience. Et voilà qu'il découvre, au sein de ce Moi lucide qui peut voir au-delà de lui-même, un complice de l'inconscient, un traître qui sape ses efforts pour parvenir à « plus de lumière ».

A nouveau, il nous faut rattacher la spéculation de Freud, apparemment née de l'analyse de la fiction, aux dures désillusions de l'expérience clinique. Au début de son œuvre, l'inconscient et le Moi sont en conflit. Freud voyait dans le Moi son allié le plus sûr dans la cure, puisqu'il lui avait fait le crédit d'être le représentant, au sein du psychisme, de la relation à la réalité. La conscience, avant l'analyse, surestimait son pouvoir, mais son rôle était moins négligeable qu'on ne le croit. Elle péchait par ignorance. Il suffisait que, grâce à l'analyste, le Moi « prenne conscience » et reconnaisse les véritables liens entre les représentations de chose (inconscientes) et les représentations de mot (préconscientes-conscientes) pour acquérir un réel pouvoir sur l'inconscient et pas seulement sur le monde extérieur. On peut à bon droit se demander si Freud n'a pas ici rendu à la philosophie une partie du terrain qu'il lui avait pris. N'est-ce pas elle qui a toujours prétendu que c'est par ignorance que les hommes manquaient de sagesse ? Somme toute, si les causes de la folie des hommes sont explicables par leur méconnaissance de l'inconscient et si la méthode qui est supposée les en délivrer ne consiste plus à philosopher mais à interpréter, le fossé, aussi profond qu'il paraisse, n'est pas incomblable entre les deux disciplines, en dépit de l'aversion de Freud pour les philosophes.

La prise de conscience est bien le travail de l'être conscient.

Cette dernière illusion devait, à son tour, s'effondrer, quand Freud se cassa les dents sur certaines névroses rebelles dont le cas de l'Homme aux loups est le triste paradigme. Contrairement à toute attente, l'interprétation des souvenirs les plus anciens, celle des « scènes primitives », ne rendaient au Moi aucune de ses possessions investies par l'inconscient. Le Moi rationnel semblait se refuser à mettre de l'ordre dans sa propre maison, bien qu'il parût accepter — non sans conviction apparente — les constructions de l'analyste. Il dormait les yeux ouverts et demeurait bouché à tout entendement... Les années passant, Freud devait admettre, à son corps défendant, qu'il avait mal placé sa confiance dans ce Moi intraitable. S'il restait vrai que le Moi pouvait répondre adéquatement à certaines des exigences de la réalité, sous peine de dépérir, il fallait maintenant reconnaître que l'allié d'autrefois était capable de dissimuler cette moitié de lui-même — mais n'était-ce qu'une moitié ? — qu'il avait formée en secret où le désir d'être immortel, si déraisonnable qu'il parût, pouvait trouver refuge et créance. C'est toute la structure de l'appareil psychique qui est à revoir à la lumière de ce constat de carence. C'est ce qui justifiera la nouvelle conception du Moi dans la deuxième topique. Le Moi, dit Freud en 1923, est en majeure partie inconscient. A telle enseigne que certaines de ses fonctions essentielles, les mécanismes de défense contre l'angoisse, le sont aussi. Ils eurent leur raison d'être dans la prime enfance, utilisant les seuls processus pyschiques à la disposition du Moi encore débile, cherchant à le soulager des tensions internes qu'il subissait en ayant recours à des mécanismes qui se souciaient moins de la réalité extérieure que de la réalité psychique. A l'âge adulte, ils deviennent obsolètes, plus invalidants qu'efficaces du fait de leur anachronisme. S'agrippant à ces croyances d'un temps révolu, le Moi ne les abandonne pas facilement, même lorsqu'ils sont correctement interprétés. Il ne consent à admettre leur inadéquation que du bout des lèvres, dans les cas où il n'est pas aveugle au point de ne rien comprendre à son propre fonctionnement, quand l'analyste prend la peine de le démonter à travers l'expérience du transfert.

La croyance en l'immortalité est donc enracinée dans le Moi inconscient. La raison d'être de cette topographie est la sexualisation des pulsions du Moi. La méconnaissance de la mort dans l'inconscient a élu domicile dans le Moi. Mais, comme le Moi est aussi conscient — nécessité oblige —, l'instance garante de la rationalité qui se sait mortelle par sa relation à la réalité extérieure porte dans ses plis une doublure mégalomaniaque, prête à s'enfler jusqu'à éclipser l'autre, parfois pour le plaisir innocent de la fiction, ailleurs pour le soutien de la foi. Elle éclate au grand jour sous les coups de la psychose. Le Moi est donc cette duplicité même, sa structure clivée participant de son fonctionnement le plus intime — masqué dans la normalité, à visage découvert dans la maladie. Reconnaissance de la réalité matérielle — dont il ne faut d'ailleurs pas minimiser l'importance —, méconnaissance de celle-ci par la réalité psychique (inconsciente), telle est cette dialectique qui rend compte de ce que le vœu d'immortalité ne prend son sens qu'à coexister avec la conscience de la mort.

Cependant, au point où il en est, en 1919, Freud conçoit toujours l'angoisse de la mort comme un déplacement de l'angoisse de castration. L'immortalité serait au narcissisme ce que la négation de la castration est à la libido d'objet. Encore que Freud commence à soupçonner l'influence possible d'autres facteurs. Il était trop informé de la clinique psychiatrique de son temps pour ne pas s'apercevoir que le syndrome de Cotard observé dans la mélancolie, les idées de grandeur des démences vésaniques ou de la phase terminale des paralysies générales, ne pouvaient s'interpréter au nom du seul narcissisme. Même dans le cadre des cures psychanalytiques, la résistance à la guérison appelait d'autres explications que l'obstination du Moi à s'épuiser dans le maintien de défenses surannées.

Les exégètes de la pensée de Freud ne sont pas nombreux à avoir été frappés par l'étroite solidarité qui lie la dernière théorie des pulsions à la deuxième topique de l'appareil psychique. Le Ça, le Moi et le Surmoi remplacent désormais l'inconscient, le préconscient et le conscient ; ceux-ci sont réduits à ne plus désigner que des *qualités* psychiques et sont déchus de leur fonction d'instances. On s'est surtout attaché à montrer les relations entre les deux topiques, la deuxième ne semblant que procéder à une redistribution des valeurs de la première. En fait, l'introduction des pulsions de mort modifiait totalement la conception du fonctionnement de l'appareil psychique.

On peut en prendre la mesure en comparant les vues de Freud sur la mélancolie à travers deux écrits. Le plus ancien « Deuil et mélancolie », daté de 1915, expose une conception antérieure à la dernière théorie des pulsions. Le plus tardif, *Le Moi et le Ça*, est postérieur à celle-ci de trois ans. Dans le premier, la mélancolie est encore vue sous l'angle d'une fixation libidinale, sans aucune référence aux pulsions de mort. Certes, le stade auquel le mélancolique resterait fixé, oral cannibalique, implique la consommation destructrice de l'objet ; le sadisme oral et l'ambivalence sont en cause, mais tout se déroule ici dans le cadre d'une libido narcissique et objectale sans que Freud tienne compte du haut potentiel destructif de cette affection, qui comporte le plus haut risque de suicide de toute la psychiatrie. Dans *Le Moi et le Ça*, la mélancolie sera autrement désignée : « pure culture des pulsions de mort ». Ici, l'antagonisme féroce entre pulsions de vie et pulsions de mort révèle le combat de titans qui se joue dans le psychisme et peut-être pas uniquement là. Une désintrication des pulsions est à l'œuvre. D'où la dangerosité de la crise, car toute diminution de la mitigation des pulsions a pour effet de dégager les pulsions de mort de leurs liens avec l'Eros des pulsions de vie. Leur affranchissement leur confère une puissance destructrice insoupçonnée lorsqu'elles ne sont plus entravées par le joug d'Eros qui jusque-là réussissait à les lier en les érotisant. C'est comme si les Euménides, quittant leur séjour à la suite d'un nouveau matricide, revenaient à leur ancienne identité d'Erinyes impitoyables, vampires réclamant le sang pour le sang.

Désormais, il ne sera plus possible à Freud de soutenir que *toutes* les angoisses de mort sont des substituts de l'angoisse de castration. Ce qui pouvait être vrai des névroses de transfert (hystérie, phobie et surtout névrose obsessionnelle) ne l'est plus des névroses narcissiques, dont la mélancolie est le prototype, et sans doute encore moins des psychoses[3].

L'analyse de la mélancolie montre l'existence d'un clivage dans le Moi. Une partie de celui-ci s'identifie à l'objet perdu — c'est cette perte pour la libido qui est à la source de la désintrication —, tandis que l'autre partie conserve son statut. On devine alors comment ce refus de la mort de l'objet peut contribuer par réflexion au fantasme d'immortalité du Moi.

A propos de la castration, Freud parle d'angoisse, c'est-à-dire d'un danger, mais, quand il en vient à traiter du narcissisme dans le deuil (et pas seulement à son sujet), il dit « blessure » narcissique, comme s'il ne s'agissait plus seulement d'une menace mais d'une mutilation effective. Et, de même, le désir, dans la névrose de transfert, peut passer par le détour de l'identification secondaire pour obtenir par procuration la gratification dont l'autre aura bénéficié. Dans la mélancolie, l'identification à l'objet perdu (ou imperdable) s'effectue sur le mode primaire. Le Moi « se prend » pour l'objet perdu. Il s'accable lui-même d'autoreproches, s'accuse des moindres peccadilles en leur attribuant la

---

3. On sait que Freud engloba la mélancolie et la schizophrénie d'abord dans les névroses narcissiques. En 1924, il se décida à restreindre à la mélancolie cette qualification, rangeant la schizophrénie dans la catégorie des psychoses proprement dites.

gravité d'autant de péchés mortels. Il se rabaisse et réclame pour lui-même un terrible châtiment. Ce n'est là qu'un déguisement. En fait, une partie du Moi ne se dresse contre l'autre comme son pire ennemi que pour camoufler le désir de maltraiter l'objet et réaliser, dans cette prolongation d'existence que constitue l'identification, les désirs sadiques qui ont été refoulés dans le passé le plus reculé. Il n'est pas jusqu'au suicide, si souvent réussi dans la mélancolie, qui ne soit justifiable d'une interprétation en rapport avec la phase orale de la sexualité infantile. C'est, du fait de la confusion entre le Moi et l'objet, une deuxième mort de l'objet qui est ainsi perpétrée. Une union avec lui désormais immortelle est consommée. Les noces avec l'objet ne connaîtront plus aucune séparation, dans l'infini et l'illimité des paradis retrouvés de l'oralité. Telle est la conception exposée dans « Deuil et mélancolie ».

Lorsque Freud revient à la mélancolie dans *Le Moi et le Ça*, il renouvelle son interprétation en la passant au crible de la deuxième topique. Ce ne sont plus deux moitiés d'un même Moi qui se scindent à cette occasion pour se combattre. Au clivage du Moi — auquel Freud ne renoncera pas pour autant, son dernier travail s'intitulant « Le clivage du Moi dans le processus de défense » (1938) — se substitue le rapport conflictuel entre le Moi et cette partie de lui qui s'en est séparée depuis longtemps : le Surmoi. La mélancolie offre alors l'affligeant spectacle de la persécution du Moi par l'impitoyable Surmoi. C'est Yahvé châtiant son peuple élu parce qu'il a la nuque raide, lui faisant payer le prix de cette élection par la conscience malheureuse que Hegel devait lui reconnaître. Apparemment, la différence entre 1915 et 1923 paraît une simple question de nuance. En fait, la nouvelle théorie est très éloignée de l'ancienne. Car Freud ne manque pas de souligner que, à la différence du Moi, le Surmoi est alimenté par le Ça. Autrement dit, que la morale dont il est le héraut est ancrée dans les profondeurs de l'instance la plus sauvage de la psyché que hantent maintenant les pulsions de mort aux côtés des pulsions de vie, en un mélange explosif tel que tout affaiblissement de l'Eros — qu'il vienne de la réalité extérieure avec le deuil ou de la réalité intérieure par la déception excessive qu'entraîne un changement chez l'objet — fait, du mélange vital, un bouillon de culture léthal. Et Freud ne manquera pas ultérieurement d'égratigner Kant au passage, en faisant remarquer que l'impératif catégorique est loin d'être aussi immuable qu'il le dit, puisque la mélancolie au premier chef, mais aussi les formes moins graves de masochisme, témoignent de ce que le Surmoi est sujet à des variations qui lui ôtent tout caractère transcendantal.

267

Une année après *Le Moi et le Ça,* dans « Le problème économique du masochisme » (1924) — appendice de l'essai de 1923 —, Freud ira encore plus loin. Il distinguera entre le masochisme du Surmoi, responsable d'une « resexualisation » de la morale, et le masochisme du Moi, d'origine mystérieuse, qui fait encore plus obstacle à la cure que le précédent. Car le masochisme du Surmoi est l'expression *liée* des pulsions de mort ; n'oublions pas que le Surmoi est aussi une « Puissance Protectrice du Destin » dont on peut dire qu'il sauvegarde l'individu en maintenant les prohibitions majeures édictées par la société. Tandis que le masochisme du Moi refléterait l'imprégnation diffuse de l'appareil psychique par une destructivité excessive répartie dans toutes les instances, à l'état non lié, donc non maîtrisé.

Plus Freud avance dans sa réflexion et plus le Moi se révèle à lui incapable de répondre à ses tâches. Serviteur de trois maîtres aux exigences contradictoires, Ça, Surmoi et réalité, il doit encore compter non seulement avec la cécité qui aveugle sa part inconsciente, mais encore avec le poison qui le mine de l'intérieur : la pulsion de mort. Il devient le siège d'un conflit qui ne se révèle dans toute son ampleur que dans la maladie, mais qui est présent chez tous. Pris entre son obstination à ne pas abandonner ses fixations libidinales les plus anciennes, incompatibles avec les limitations de la réalité extérieure — celle du monde physique comme celle du monde social — et la destructivité des pulsions de mort, à orientation centrifuge ou centripète, il s'épuise à boucher les trous, colmater les fissures, étayer ses parois, allant d'une avarie à l'autre, pour tenir debout. Vision pessimiste sans doute. La vie paraît tellement aller de soi qu'on ne s'étonne peut-être pas assez qu'elle puisse être agréable, comme Einstein disait que l'on ne s'étonne pas assez que l'Univers soit compréhensible.

On a beaucoup spéculé sur les raisons qui ont poussé Freud à avancer l'hypothèse hasardeuse de la pulsion de mort. On l'a soupçonné d'avoir été affecté par des événements personnels qui auraient été responsables de cette mutation parant l'appareil psychique des couleurs de la mort. Cette vision si peu confiante dans le pouvoir de la vie n'aurait pris le relais de la précédente, qui magnifiait dans la sexualité sa puissance vitalisante, que sous l'effet du vieillissement, cause d'une moindre résistance devant les épreuves infligées par le destin (cancer, perte de sa fille et de son petit-fils, etc.). En fait, ce que nous savons de la biographie de Freud laisserait plutôt penser que ses préoccupations quant à la mort remontent très haut. Elles sont présentes dès la naissance de la psychanalyse [4]. La correspondance avec Fliess en fait foi.

On y découvre un Freud, à la faveur de l'adhésion à la théorie des « périodes » de son ami, se livrant à des calculs sur la date supposée de sa mort, et ceci d'autant plus qu'il sent sa santé menacée par des symptômes cardiaques qui n'étaient pas tous névrotiques ou psychosomatiques. S'il est légitime de penser que les années où Freud se lia d'amitié pour Fliess ont été marquées par une forte stimulation de ses pulsions sexuelles homo-érotiques, ce qui l'a poussé à une soumission masochique aux jugements de celui qu'il admirait profondément, il faudrait aussi souligner l'exaltation narcissique d'un rapport en miroir qui teinta cette amitié. Et si l'ambivalence n'était pas absente de ces relations — Freud rencontrant chez Fliess une résistance à reconnaître ses découvertes, alors même que de son côté il se montra très perméable aux vues du Berlinois —, c'est sans doute à une sorte de sursaut où son propre narcissisme l'emporta qu'est due la rupture. En somme, dans cette relation avec Fliess, le Moi de Freud joue un double jeu. Il se sait mortel et donne à ses accomplissements le caractère d'une course contre la mort, tout en libidinisant cette angoisse de mort dans ce qu'il appelait sa « gaucherie » (l'homosexualité). En revanche, il se veut immortel — plus rationnellement, en quête de l'immortalité que doivent lui valoir ses découvertes. Et c'est en fin de compte à cette part de lui qu'il décide d'accorder la préséance sur l'autre. Il n'est que d'évoquer les fantasmes qu'il eut au moment de son analyse du rêve d'Irma, imaginant la plaque qui commémorerait le dévoilement des secrets de la vie onirique, pour les passants de l'avenir.

C'est encore une histoire analogue qu'il aura connue avec cet autre aîné, Breuer, à qui il attribuera — par une excessive modestie qui pourrait masquer à la fois son orgueil et sa culpabilité — ses propres trouvailles. Alors même que ce fut la timidité du co-auteur des *Etudes sur l'hystérie* — les limitations que lui imposait un Moi trop raisonnable — qui fut cause du terme mis à cette collaboration.

Breuer, Fliess, la série devait se clore avec Jung, car Freud, trop touché par la désillusion que lui avait infligée celui qui cette fois était son cadet, décida d'en finir avec les pièges de l'homosexualité sublimée [5]. Il ménagea autant qu'il le put ce prince

---

4. Pour ne rien dire des années précédentes, sur lesquelles nous manquons d'informations de première main.

5. Ferenczi et d'autres épigones, qui voulaient plus tard occuper cette place dans le cœur de Freud, en furent pour leurs frais.

héritier, jouant les pères tolérants devant les expressions d'un complexe d'Œdipe suffisamment clair pour lui permettre de reconnaître les vœux patricides de celui auquel il souhaitait transmettre sa couronne. Le prince Hal avait ceint sa tête de la royauté de son père avant même qu'il n'expirât. Après une période de soumission homosexuelle — pensons à l'évanouissement de Freud lors d'une de leurs rencontres —, il rompit avec le fils, comme il avait mis fin à sa relation avec ses aînés, qu'il considérait inconsciemment comme des pères plus que comme des pairs. Renonçant à une mort prématurée, puisqu'il se souciait déjà de sa succession et de l'avenir de son œuvre, qui serait plus facilement acceptée par un non-juif, il poursuivit seul sa conquête de l'immortalité.

On sait que, parmi les raisons qui poussèrent Freud à abandonner ses vues sur la répartition des pulsions en libido du Moi et libido d'objet, l'une, et non la moindre, tenait au fait qu'il jugea cette conception — élaborée après la rupture avec Jung — trop proche des idées de celui qui avait préféré la dissidence en vue d'acquérir sa propre immortalité. La théorie qui accordait au narcissisme une si grande place n'était peut-être que l'effet d'un travail de deuil qu'il fallait achever en accentuant l'incompatibilité des théories de Freud et de Jung.

C'est sans doute ce qui explique qu'une fois la dernière théorie des pulsions présentée dans *Au-delà du principe de plaisir*, sept ans après son travail princeps sur le narcissisme, Freud s'en désintéressa. Le narcissisme n'était qu'un détour, une halte sur le chemin qui devait mener au but en 1921, but qui ne fut jamais plus remis en question, pendant les dix-huit années qui lui restaient à vivre. Freud tourna à ce point le dos au narcissisme qu'il ne prit même pas la peine d'expliquer à ses disciples et au public qu'il cherchait à atteindre au-delà des membres de la profession, comment il fallait revoir ses anciennes idées — pourtant fort convaincantes — à la lumière des hypothèses nouvelles.

On pourrait penser qu'à partir de 1920-1921 Freud aura pris conscience que les relations ambivalentes qui se sont exprimées dans ses amitiés successives pour Breuer, Fliess et Jung, n'étaient qu'un écran. Ce n'était plus l'hostilité consciente ou préconsciente que ceux-ci manifestaient à son endroit qui s'opposait au plein déploiement de son génie, mais son agressivité dirigée à son propre endroit. Autrement dit, il n'avait de pire ennemi que lui-même.

Cependant, si c'est dans la pulsion de mort qu'il faut chercher l'explication, en dernière instance, de ce freinage inhibiteur de l'accomplissement des synthèses qui incombent à Eros, on ne saurait pour autant négliger les formes où ce dernier est lié aux pulsions de mort : l'agressivité dirigée vers autrui, l'homosexualité et le narcissisme. L'immortalité du Moi doit aussi être pensée à travers ce prisme qui décompose les constituants que l'on retrouve quand on analyse de plus près la création du double, grâce auquel ce fantasme acquiert la conscience.

Tout ceci montre la complexité de ce que J.-B. Pontalis a appelé avec raison le « travail de la mort » chez Freud [6]. Loin que l'on soit justifié à penser que le créateur de la psychanalyse ait cédé trop facilement à la tentation d'exposer une hypothèse fantasque avec la pulsion de mort, on serait beaucoup plus près de la vérité en soulignant combien Freud y a résisté. Il n'est que de penser à cette autre dissidence, celle d'Adler. Celui-ci avait tendu à Freud une perche de ce côté, qu'il ne saisit pas. Il aurait pu se laisser tenter, quitte à formuler autrement ce que les limitations de son disciple l'empêchaient de conceptualiser. Au contraire, Freud s'est imposé le temps de la réflexion, retardant l'écrit qu'il a dû porter en lui fort longtemps avant de mettre noir sur blanc des idées qu'il présenta d'abord avec prudence, n'exigeant en rien qu'on y adhère. Le doute était permis en la matière, à la différence d'autres concepts comme l'inconscient, le refoulement, l'Œdipe et le transfert, conditions *sine qua non* du droit à se prétendre psychanalyste. A mesure que les années s'écouleront, de 1921 à 1939, la spéculation devait devenir certitude. Pour lui, tout au moins.

La pulsion de mort travaille en silence, dit Freud, la clameur d'Eros couvrant le bruit assourdi de son action délétère. Un silence parfois interrompu par quelque alerte dont l'écriture porte la trace. « Le thème des trois coffrets » se concluait sur les trois visages de la femme : amante, génitrice, terre où reposent les corps que la vie a quittés. Freud se sentait proche du vieux Lear bien avant qu'il fut atteint par la vieillesse. Une complicité inconsciente le liait à Breuer, chacun de son côté ayant surnommé sa compagne Cordelia. Le vieillard portant la jeune fille n'était que la figure inversée de cette autre image, beaucoup plus probable, de la mort emportant le vieillard, toujours enfant. La mythologie associe avec prédilection la femme à la mort. Si une telle représentation peut encore être justiciable d'une interprétation qui relève de l'angoisse de castration, elle s'alimente tout aussi bien au fond de l'inconscient collectif qui a depuis la nuit des temps fait le parallèle entre la mort et la vie anté-natale. Les morts sont couchés dans leur sépulture, dans bien des cultures et surtout aux âges les plus archaïques, en position fœtale. Quelle

---

6. J.-B. Pontalis, *Entre le rêve et la douleur*, Gallimard, 1977.

idée est plus répandue dans les croyances de bien des peuples
— pérennisée par les religions monothéistes toujours en place —
que la mort comme renaissance dans un autre monde ?

« L'inquiétante étrangeté » se terminait déjà sur le silence que
nous imposait l'irreprésentabilité de la mort comme du vagin.
Voilà donc l'homme frappé de mutité devant cet impensable.
Mais, pis encore, comment se vivre femme, mutilée d'une représentation d'une partie de *son* corps, réduite à envier le sexe
qu'elle n'a pas ? Certes, le pénis est attestable par la vue, alors
que le vagin ne l'est pas. N'est-ce pas là au contraire une stimulation très forte à la représentation ?

La conception phallocentrique de Freud procède à un chassé-
croisé significatif. En ce qui concerne la sexualité, le témoignage
des sens donne au pénis une représentabilité qui rend compte
des déplacements et condensations dont il peut être l'objet dans
l'inconscient. Mais, pour ce qu'il en est de la maternité, Freud
changera de stratégie. La maternité est attestable par les sens [7].
Mais le même phallocentrisme qui confère au pénis un pouvoir
de représentation exclusif jouera ici en sens inverse. Dans *Moïse
et le monothéisme* (1938), Freud attribuera aux incertitudes de
la paternité le développement de la curiosité intellectuelle, le
progrès dans la spiritualité, selon son expression, consistant à
accorder un prix plus élevé à la déduction intellectuelle sur le
témoignage des sens. A ce compte, on devrait créditer la femme
d'une plus grande pénétration intellectuelle par les déductions
que doit lui inspirer la situation cachée de son sexe. Freud la lui
refuse. Au nom de quoi ?

C'est que cette « antique patrie des hommes », ce vagin
d'où tout être humain est issu, qui suscite chez eux cette étrangeté
familière ou cette familiarité étrange, au point qu'ils ne pourraient rien en dire, enveloppant dans le même silence le sexe
féminin et la mort, fait de la condition féminine un état quasiment
naturel, la culture étant l'affaire des hommes. Le mythe de la
femme donneuse de vie et de mort a poussé Freud à la fois à
idéaliser la figure de la mère autant qu'à voir dans la répudiation
de la féminité — dans les deux sexes — les raisons de l'obstination à rester malade. C'est donc là un danger qui voit dans la
mère — commune aux deux sexes — une menace à conjurer,
presque aussi forte que celle de la mort. Est-ce encore un avatar
de l'angoisse de castration ? Depuis l'introduction des pulsions
de mort, on ne peut plus l'invoquer en toutes circonstances.

La psychanalyse post-freudienne, dont une femme, Mélanie
Klein, est la figure la plus remarquable, a su montrer comment

---

7. Sauf dans le transfert.

l'idéalisation de l'image de la mère était un déni des angoisses persécutives dont elle est l'objet. La référence à la psychose — les positions schizoparanoïdes et dépressives reprennent une division présente en psychiatrie depuis Kraepelin, contemporain de Freud — a remplacé les grilles de la névrose qui avaient servi à Freud à décoder l'angoisse de castration derrière l'angoisse de mort. Pour Mélanie Klein, qui devait prendre Freud au mot — et sans doute d'une manière qui lui était plus étrangère que familière —, ni le vagin ni la mort ne manquaient de représentation dans l'inconscient. On pourrait même penser qu'ils occupent presque toute la place. Le phallocentrisme de Freud, auquel Lacan restait fidèle — « La femme n'est pas toute » — était détrôné par le « mammocentrisme » de Mélanie Klein. Bien avant que se pose la question de la castration, c'est celle du bon et du mauvais sein qui divise dès l'origine l'enfant. Bien avant que le bébé, qui baigne certes dans un monde de langage, ne parle, ce qu'on peut lui supposer de « pensées » tourne autour d'un vécu, d'annihilation. Il ne doit sa survie qu'aux mécanismes de défense manichéens qui structurent, tant bien que mal, l'univers tour à tour paradisiaque et infernal — mais le second marque davantage que le premier — dont il était l'habitant tour à tour béat et terrorisé.

Que devient dans ce contexte l'immortalité du Moi ? Faut-il se résigner à ce que les deux versions soient inconciliables ? Peut-être pas. A tant souligner la vulnérabilité du Moi débordé par les multiples effets de la destructivité, on ne rend que plus nécessaire le fantasme de son immortalité.

C'est encore au niveau du narcissisme originaire que nous l'y retrouverons. L'immortalité est un état d'idéalisation du Moi que nous savons, par ailleurs, menacé dans son existence. L'invulnérabilité qui lui est ainsi conférée est solidaire d'un état que l'on peut qualifier soit de bisexualité auto-suffisante, soit d'asexualité indifférente, ou encore d'indifférenciation sexuelle. Un Moi qui serait tout narcissisme, faisant pièce à un Moi dépendant de son objet primaire omnipotent. Dans ses formes d'expression plus élaborées, le Moi dédoublé n'a plus besoin de l'objet complémentaire appartenant à l'autre sexe. La complétude narcissique n'est plus le résultat de la fusion avec l'objet, elle naît maintenant de la relation que le Moi entretient avec son double. A la manière dont on a pu dire que l'idéal de l'auto-érotisme était « les lèvres se baisant elles-mêmes », on pourrait aussi déceler dans le fantasme d'immortalité l'idéal symétrique du Moi se faisant l'amour à lui-même, ou à son expression dédoublée, sans n'être plus inquiété ni par l'angoisse de castration ni par celle de la mort.

Le Moi ne défend plus seulement son intégrité ou son unité,

par le vœu d'immortalité. Il nie ses limites dans l'espace et dans le temps. Il ne connaît plus la finitude de l'être-là ou l'usure de l'ici-maintenant. La série des figures que traverse l'immortalité va de la fusion primitive du jeune Moi avec l'objet à l'investissement narcissique du Moi, puis à l'investissement du double, dans un mouvement évolutif cohérent.

La menace psychotique débute par l'hypocondrie : celle-ci s'interprète par le blocage de la libido sur une partie du corps, qui vit pour son propre compte, exprimant les toutes premières manifestations d'un morcellement psychique qui mettra le Moi en pièces si la psychose se développe. On comprend mieux que Freud ait dissocié celle-ci de la mélancolie, parce qu'il faut plus qu'une régression narcissique pour rendre compte de ce qui paraît bien relever d'une destruction de l'unité du Moi. Et ce n'est sans doute pas un hasard si les tenants de la pulsion de mort se recrutent aujourd'hui parmi les psycho-somaticiens — tout au moins ceux de l'Ecole de Paris, P. Marty à leur tête[8].

Le concept de pulsion de mort a appelé des réinterprétations diverses d'Hartmann à Laplanche. Pour le premier, ce qui mérite d'être accepté des vues de Freud, c'est l'importance de l'agressivité à part égale avec la sexualité. Mais il ne s'agit que du contingent de pulsions dirigées vers l'extérieur, en lequel Freud ne voyait qu'une dérivation secondaire destinée à drainer vers le dehors la plus grande part de la léthalité originaire. Laplanche préférera parler de pulsions sexuelles de vie et de pulsions sexuelles de mort[9]. Quoi qu'il en soit, il est peu d'auteurs de la littérature qui ne reconnaissent la nécessité de donner aux forces de mort le statut d'un groupe de pulsions. Quand bien même on refuserait l'idée d'un masochisme originaire, le renversement masochique sur le Moi et l'importance du retournement en son contraire (de l'amour à la haine) font peser sur le Moi une menace suffisamment forte pour le contraindre à créer le fantasme d'immortalité, surtout lorsque celui-ci souffrira d'une carence narcissique.

Le radicalisme de Freud l'aura poussé à des formulations qui semblent à l'opposé de ses premières conceptions. Le cours de la vie se pressant vers la mort n'est pas dû à l'épuisement d'un potentiel à bout de ressources ; il est l'effet d'un processus mortifère actif qui gagne de plus en plus de terrain avec l'âge ou selon l'équipement biologique du sujet. La sexualité n'est vitalisante

---

8. P. Marty, *Les mouvements individuels de vie et de mort* et *L'ordre psychomatique*, Payot.
9. J. Laplanche, *Vie et mort en psychanalyse*, Flammarion.

qu'à la condition d'être mise sous bonne garde. Et voici qu'on lit, sous la plume de celui qui avait tant contribué à lui rendre la place qu'elle méritait à ses yeux comme source de vie, que le principe de plaisir semblait agir pour le compte de la pulsion de mort ! Cette idée me semble avoir beaucoup inspiré l'œuvre de Georges Bataille [10]. « Le problème économique du masochisme » mettra au premier plan le principe du Nirvâna, emprunté à Barbara Löw, agissant au service des pulsions de mort dont le principe de plaisir, au service des pulsions sexuelles, ne serait qu'une forme modifiée chez les êtres vivants. Il n'est pas besoin d'un grand effort de réflexion pour saisir — la référence au Nirvâna l'atteste — que pulsion de mort et immortalité renvoient l'une à l'autre.

On voit combien est inégale la lutte entre Eros et pulsions de mort, puisque celles-ci ont toujours le dernier mot. L'individu, écrira Freud peu avant sa mort, dans l'une des rares notes qu'il ait laissées, succombe à ses conflits internes tandis que l'espèce s'éteint de son conflit avec le monde extérieur. Tout au long de son œuvre, l'affirmation révolutionnaire qui ramenait l'angoisse de mort à l'angoisse de castration s'est rétrécie comme une peau de chagrin. L'inconscience de la mort est devenu inconscience de l'aspiration à mourir. Peut-être faut-il le dire autrement : le deuil du pénis de la mère s'est laissé ranger dans la catégorie plus générale des pertes d'objet (partiel ou total). La mélancolie, infortune de quelques-uns, renvoie au prototype du deuil qui est peut-être la cause de cette misère commune, contre laquelle la psychanalyse déclarait forfait dès les *Etudes sur l'hystérie* (1893-1895). A bien lire Freud, c'est-à-dire à le lire à l'envers de 1939 à ses débuts, on remarque avec étonnement que le tardif principe du Nirvâna — dont l'invention ici encore est attribuée à un autre — était déjà dans sa pensée sous le nom de principe d'inertie (l'inexcitabilité des systèmes non investis) [11]. Ce psychisme qui, sous prétexte de ne pas voir sa quiétude troublée, fait le mort, n'y aspire-t-il pas en permanence à son insu ?

Nul n'échappe à la dépression qui est liée à la condition humaine, parce que celle-ci est le prix que nous payons à l'attachement aux objets qui nous donnent la joie de vivre. Nous n'en mourrons pas tous, heureusement. Chez la plupart, les pulsions de vie nous rendent un goût de vivre qui nous aura fait défaut un moment. La libido reprend le dessus, elle investit de nouveaux

---

10. G. Bataille, *L'érotisme*, Minuit, 1957.
11. Voir « L'esquisse pour une psychologie scientifique » (1895), in *La naissance de la psychanalyse*, trad. A. Berman, P.U.F., 1956.

objets, ou réinvestit ceux qui ont été la cause de la déception qui nous a amenés à les désinvestir. Même le deuil des êtres les plus chers, ceux que nous croyions irremplaçables, prend fin un jour. C'est la grande leçon de Montaigne et de Proust. L'oubli est du côté de la vie, faute de quoi l'immortalité serait un fardeau. Le refoulement est aussi conservateur. Lorsque le deuil devient interminable, ce n'est pas au compte de l'amour qu'il faut mettre cette perte inconsolable, mais au contraire d'un ressentiment, né de l'abandon de l'objet, qui ne dit pas son nom.

Aux deux ordres d'arguments qui nourrirent la réflexion de Freud sur la mort — la réaction aux événements qui l'ont touché et la résistance à la guérison dans la réaction thérapeutique négative attribuable au masochisme — vint s'ajouter le témoignage de la vie sociale : la guerre de 1914-1918. Bien qu'il ait cédé à la passion nationaliste — comment y aurait-il résisté, avec des enfants au front ? —, il y trouva, sans doute aucun, un encouragement de plus à avancer l'hypothèse de la pulsion de mort. Le massacre des vies humaines d'une guerre qu'on appela mondiale aurait pu l'inciter à penser que cette pulsion avait pour but premier la mort de l'autre. Ce n'était que l'apparence. Il en profita pour étendre l'horizon de sa lucidité dans les « Considérations sur la guerre et la mort » et « Notre attitude à l'égard de la mort [12] ». Il y fit remarquer notre indifférence à la mort des autres quand ceux-ci ne font pas partie de notre patrimoine libidinal. Même en ce dernier cas, si douloureusement frappés que nous soyons, nous finissons par nous résigner à ne plus les compter parmi les nôtres. Car, en dépit de l'immense attachement qui nous lie à eux, ceux-ci ne sont jamais que des hôtes que nous accueillons en nous. Ils demeurent quant au fond des étrangers à notre Moi le plus intime, qui survit à leur disparition. Cependant, si la mort reste inconcevable pour nous, c'est peut-être bien la mort de ceux qui ont été nos objets d'amour qui nous a soufflé l'idée d'immortalité.

Pour Freud, si la pensée des « primitifs » fut spontanément portée à croire en l'immortalité, c'est pour les multiples raisons exposées dans *Totem et tabou* (1913). L'une d'elles nous montre combien une telle croyance est explicable. La mort des personnes investies par la libido et intériorisées dans le Moi ne supprime nullement leur existence en nous. Non seulement les traces laissées par le souvenir les maintient en vie dans notre psychisme,

___

12. In *Essais de psychanalyse*, dans la nouvelle traduction de la Petite Bibliothèque Payot.

mais ils réapparaissent dans notre sommeil sous la forme qu'ils avaient bien des années avant d'avoir quitté le monde. Leur corps disparu, leur âme survit en nous dans l'inconscient. Si leur âme est immortelle, la nôtre l'est aussi. Les ombres hantent le sommeil des vivants, elles les endeuillent même à leur insu. « L'ombre de l'objet [c'est-à-dire son fantôme] est tombée sur le Moi » lisait-on dans « Deuil et Mélancolie ». Sans doute est-on en droit de penser que cette menace rend le sommeil impossible : Lady Macbeth vit éveillée un interminable cauchemar qui ne s'arrête qu'avec la mort. Les morts s'invitent chez nous lorsqu'ils ont quelque chose à nous reprocher, ou une dette à nous rappeler.

En somme, nous avons cru faire le deuil de nos chers disparus, mais ce deuil n'a jamais été si complet que nous le pensions. Les âmes mortes reprennent vie dans l'inconscient, même si elles ne sont plus assoiffées de sang et ménagent notre goût de vivre. Comment ne pas penser ici aux liens étroits qui unissent le deuil à l'état amoureux ? L'un succède à l'autre, comme son envers ou son double inversé. Si l'on pense comme Freud — ce qui peut être discuté — que l'amour appauvrit le narcissisme, la surestimation de l'objet allant de pair avec la sous-estimation du moi [13], on comprend mieux que, l'état amoureux tiédissant ou disparaissant, le Moi se regonfle du sentiment de sa valeur et redonne prise à l'immortalité. M. Torok [14] relève à juste raison qu'immédiatement après la mort d'un être cher et avant le travail du deuil proprement dit, le Moi réagit à cette perte par une brève euphorie — le plus souvent tue, pour des raisons évidentes — que n'explique pas seulement le déni de la mort, mais plutôt la satisfaction triomphante du Moi d'être resté en vie. Le deuil maniaque, ou le renversement de la mélancolie en manie, illustrent les ressources défensives du Moi qui fait preuve ici de beaucoup plus que d'une « belle indifférence ».

Il y a donc un faisceau d'arguments suffisamment convaincants pour penser que l'immortalité du Moi dispose d'un champ très vaste dans le psychisme, puisqu'il s'étend de la normalité à la psychose. S'il est justifié de le rattacher au narcissisme, encore faut-il ajouter que c'est aussi le même narcissisme qui est direc-

---

13. C. David, dans *L'état amoureux* (Petite Bibliothèque Payot), a fait observer que l'amour peut aussi accroître le narcissisme, créant chez l'amoureux une exaltation accompagnée d'un état d'élation consécutif à l'identification à l'objet surestimé, surtout dans le cas où l'amour est réciproque. On pourrait dire qu'en la circonstance c'est le couple qui se croit immortel, ce qui pourrait expliquer le suicide à deux au paroxysme de l'amour, comme dans le cas de H. von Kleist.
14. M. Torok, « Maladie du deuil et fantasme de cadavre exquis », in N. Abraham, *L'écorce et le noyau*, Aubier-Flammarion, p. 229-251.

tement affecté par les pulsions de mort, au sein du Moi. Je pense qu'il est impossible de s'en tenir aux formulations explicites de Freud sur le narcissisme en le situant entièrement du côté des pulsions de vie. Au narcissisme positif, il faut accoler son double inversé que je propose d'appeler *narcissisme négatif*. Ainsi Narcisse est aussi Janus. Au lieu de soutenir la visée de l'unification du Moi par le biais des pulsions sexuelles, le narcissisme négatif sous la domination du principe de Nirvâna, représentant des pulsions de mort, tend vers l'abaissement au niveau Zéro de toute libido, aspirant à la mort psychique. C'est ce qu'il me paraît logique d'inférer sur ce que devient le narcissisme après la dernière théorie des pulsions. Au-delà du morcellement qui fragmente le Moi et le ramène à l'auto-érotisme, le narcissisme primaire *absolu* veut le repos mimétique de la mort. Il est la quête du non-désir de l'Autre, de l'inexistence, du non-être, autre forme d'accès à l'immortalité. Le Moi n'est jamais plus immortel que lorsqu'il soutient n'avoir plus d'organes, plus de corps. Tel l'anorexique qui refuse d'être dépendant de ses besoins corporels et réduit ses appétits par une inhibition drastique, se laisse mourir, comme le dit si bien le langage.

Il n'y a pas que les individus qui se laissent mourir. Il y a aussi des civilisations entières qui semblent frappées d'apathie, renonçant à leurs idéaux, sombrant dans la passivité, signe avant-coureur de leur disparition, lorsqu'elles ont perdu toute illusion sur leur avenir. Car c'est là un aspect de la partie terminale de l'œuvre de Freud qui n'a pas assez retenu l'attention de ses commentateurs. Si celui-ci se persuade, jour après jour, du bien-fondé qu'il y a à affirmer le rôle capital joué par les pulsions de destruction, ce n'est pas parce qu'il généralise abusivement ce que lui enseigne son expérience clinique. Son ambition ne se limitait pas, on le sait, à élucider les mystères de la névrose, ou même de la psychose. Le traitement des névroses n'était qu'une application de la méthode. Moins assurée que lorsqu'elle tire ses conclusions de la cure, l'écoute du monde social vient confirmer ce que l'oreille du psychanalyste déchiffre du discours conscient. Les sociétés — des plus « sauvages » aux plus civilisées — clament sans cesse leur désir de paix et s'entre-déchirent dans la guerre comme dans la paix. Toute guerre n'est-elle pas en fin de compte la meilleure protection contre le danger fratricide de la guerre civile ? Shakespeare le savait déjà.

La civilisation n'est que le résultat de l'équilibre entre les pulsions de vie et les pulsions de mort. Elle améliore le sort des individus, leur permet de jouir de bien des avantages que ne connaissent pas les peuples non civilisés — qui d'ailleurs en ont d'autres. Mais elle est aussi le terrain d'élection des pulsions de mort. Il y a peu de progrès techniques qui ne soient utilisés à des fins meurtrières. En outre, la civilisation impose aux individus des renoncements aux satisfactions des pulsions qui restreignent le champ d'Eros. C'est elle qui favorise le refoulement, valorise la sublimation et incline vers l'auto-satisfaction. Un indéracinable narcissisme amène à penser qu'une civilisation vaut mieux que les autres. Le conflit se porte même entre nations dites civilisées, donnant libre cours à une barbarie qu'elles justifient par les idéaux les plus nobles. Ce programme appelle des compensations aux sacrifices demandés à Eros, que le déploiement de l'agressivité ne suffit pas à satisfaire. Ce fut sans doute la fonction de l'idéal d'y pourvoir, par la religion autrefois et les idéologies politiques ensuite, hier et aujourd'hui.

A l'immortalité des dieux répondit l'immortalité des héros (guerriers, athlètes, politiques, saints, philosophes, artistes et savants). Il n'est pas contingent de le rappeler : entre *Au-delà du principe de plaisir* et *Le Moi et le Ça,* il y a eu « Psychologie des masses et analyse du Moi » (1921) où Freud prophétisait déjà sans le savoir le destin de certaines sociétés européennes qui les poussait vers la dictature. Mais il se montra timide en l'occurrence, car il n'osa pas utiliser les ressources de la dernière théorie des pulsions qu'il venait de présenter. A l'heure où il hésitait encore sur la portée de sa découverte, il lui sembla convenable, s'aventurant dans le domaine social, de ne pas ajouter au caractère conjectural de son exploration l'hypothétique pulsion de mort. Mais *Malaise dans la civilisation* (1930) corrigera cette omission. *Moïse et le monothéisme* (1938) prolonge *Totem et tabou* (1913), affirmant audacieusement que le père a bien été tué par ses fils — contre toute vraisemblance. Non pas tant pour montrer la permanence de l'Œdipe, depuis les origines, dans la collectivité, mais davantage pour y réaffirmer le travail de la pulsion de mort et les moyens par lesquels un peuple résiste à sa propre disparition. Le recueillement autour d'un Livre, sa seule contribution, dit-il, au processus civilisateur. Le projet politique a pris aujourd'hui le relais de l'Écriture.

De nos jours, il semble que beaucoup de nos sociétés ne trouvent plus le moyen de donner au fantasme d'immortalité un support collectif par la célébration des rites ou la commémoration du passé. Privée du ciment communautaire, l'immortalité est négligée, comme une tombe abandonnée. Elle est reléguée à une croyance singulière, une « religion privée », toujours aussi fortement ancrée dans la psyché, mais honteuse des critiques que lui porte le Moi rationnel. Certes, ce n'est là qu'une réaction de façade, de peu de conséquence pour le monde intérieur. Les exigences de la rationalité ont néanmoins mis fin à cette caution que recevait le Moi individuel d'une conviction partagée, avouable et même louable, l'orgueil individuel se nourrissant de son expression collective ; même si chacun sait en son for intérieur que le prochain ne peut se passer de la même illusion, il regrette la communion perdue.

On peut à bon droit s'interroger. Que deviendra cette expression essentielle du rapport de l'homme à la mort, à *sa* mort, sans ce soutien social ? Il se pourrait que les sociétés qui auront maintenu cette foi en l'immortalité des individus qui auront à payer du sacrifice de leur vie le prix de l'avènement à un âge d'or utopique soient celles qui triompheront des autres où l'immortalité sera réduite à n'être plus qu'un rejeton de l'inconscient individuel.

De toute manière, il est douteux que cette foi plus ou moins fanatique puisse réaliser ses objectifs sans recourir à la destruction d'autres sociétés animées par des idéologies différentes et, comme nous l'a appris l'expérience, à la violence en leur propre sein. Car la poursuite des idéaux mégalomaniaques (changer la nature humaine !) est grande consommatrice de morts. Il faudra alors compter sur la désillusion qui ne manquera pas de survenir, freinant l'accomplissement des promesses. Sous la pression des hommes et des événements, ces sociétés se verront peut-être obligées de rendre à Eros certains des droits dont il a été spolié. Telle était déjà la conclusion de *Malaise dans la civilisation,* il y a plus de cinquante ans. Peut-on espérer que l'immortalité mise au service d'Eros saura s'assigner des buts plus modestes, trouvant assez de satisfactions narcissiques dans la fierté d'appartenir à une tradition culturelle, sans pour autant mépriser les autres, et d'ajouter aux plaisirs de l'appartenance ceux de la filiation, fille de l'alliance ? C'est peut-être la forme que prend le défi lancé à l'homme moderne, de n'avoir plus à compter que sur lui-même quand le ciel a été déserté par les dieux. Freud renouait avec la morale stoïcienne par ses réflexions sur la vie et la mort. Aujourd'hui, il ne suffit peut-être plus de se préparer sereinement à l'éventualité de la mort. Il faut encore tenter de faire échec à la tentation de s'abandonner collectivement à elle lorsqu'elle menace la planète de ravages irréparables.

Références

Les textes déjà publiés ont été révisés. Les modifications, peu importantes quant au contenu, ont surtout porté sur la forme. Les rares ajoûts ont surtout cherché à préciser ce qui était formulé de manière un peu trop elliptique dans la publication antérieure. Je remercie Olivier Green pour l'aide qu'il m'a apportée dans la mise au point du texte définitif.

— « Un Autre, Neutre : valeurs narcissiques du Même », *Nouvelle revue de psychanalyse : Narcisses*, 1976, n° XIII.
— « Le narcissisme primaire : structure ou état ? », *l'Inconscient*, n° 1, 1966, n° 2, 1967.
— « L'angoisse et le narcissisme », *Revue française de psychanalyse*, 1979, XLIII, p. 45-87.
— « Le narcissisme moral », *Revue française de psychanalyse*, 1969, t. XXXIII, n° 3.
— « Le genre neutre », *Nouvelle revue de psychanalyse, Bisexualité et différence des sexes*, 1973, n° VII.

— « Le narcissisme, hier et aujourd'hui », inédit.
— « La mère morte », conférence présentée à la Société psychanalytique de Paris le 20 mai 1980, inédit.
— « Le Moi, mortel-immortel », inédit.

table

« CRITIQUE »

Georges Bataille, LA PART MAUDITE, précédé de LA NOTION DE DÉPENSE.
Jean-Marie Benoist, TYRANNIE DU LOGOS.
Jacques Bouveresse, LA PAROLE MALHEUREUSE. *De l'alchimie linguistique à la grammaire philosophique.* — WITTGENSTEIN : LA RIME ET LA RAISON. *Science, éthique et esthétique.* — LE MYTHE DE L'INTÉRIORITÉ. *Expérience, signification et langage privé chez Wittgenstein.* — LE PHILOSOPHE CHEZ LES AUTOPHAGES. — RATIONALITÉ ET CYNISME. — LA FORCE DE LA RÈGLE. *Wittgenstein et l'invention de la nécessité.*
Michel Butor, RÉPERTOIRE I. — RÉPERTOIRE II. — RÉPERTOIRE III. — RÉPERTOIRE IV. — RÉPERTOIRE V et dernier.
Pierre Charpentrat, LE MIRAGE BAROQUE.
Pierre Clastres, LA SOCIÉTÉ CONTRE L'ETAT. *Recherches d'anthropologie politique.*
Hubert Damisch, RUPTURES/CULTURES.
Gilles Deleuze, LOGIQUE DU SENS. — L'IMAGE-MOUVEMENT. — L'IMAGE-TEMPS. — FOUCAULT. — LE PLI. *Leibniz et le Baroque.*
Gilles Deleuze, Félix Guattari, L'ANTI-ŒDIPE. — KAFKA. *Pour une littérature mineure.* — MILLE PLATEAUX.
Jacques Derrida, DE LA GRAMMATOLOGIE. — MARGES DE LA PHILOSOPHIE. — POSITIONS.
Jacques Derrida, Vincent Descombes, Garbis Kortian, Philippe Lacoue-Labarthe, Jean-François Lyotard, Jean-Luc Nancy, LA FACULTÉ DE JUGER.
Vincent Descombes, L'INCONSCIENT MALGRÉ LUI. — LE MÊME ET L'AUTRE. *Quarante-cinq ans de philosophie française (1933-1978).* — GRAMMAIRE D'OBJETS EN TOUS GENRES. — PROUST, *Philosophie du roman.*
Georges Didi-Huberman, LA PEINTURE INCARNÉE, *suivi de « Le chef-d'œuvre inconnu »* par Honoré de Balzac.
Jacques Donzelot, LA POLICE DES FAMILLES.
Thierry de Duve, NOMINALISME PICTURAL. *Marcel Duchamp, la peinture et la modernité.*
Serge Fauchereau, LECTURE DE LA POÉSIE AMÉRICAINE.
André Green, UN ŒIL EN TROP. *Le complexe d'Œdipe dans la tragédie.* — NARCISSISME DE VIE, NARCISSISME DE MORT.
André Green, Jean-Luc Donnet, L'ENFANT DE ÇA. *Psychanalyse d'un entretien : la psychose blanche.*
Luce Irigaray, SPECULUM. *De l'autre femme.* — CE SEXE QUI N'EN EST PAS UN. — AMANTE MARINE. *De Friedrich Nietzsche.* — L'OUBLI DE L'AIR. *Chez Martin Heidegger.* ETHIQUE DE LA DIFFÉRENCE SEXUELLE. — PARLER N'EST JAMAIS NEUTRE. — SEXES ET PARENTÉS.
Garbis Kortian, MÉTACRITIQUE.
Jacques Leenhardt, LECTURE POLITIQUE DU ROMAN « LA JALOUSIE » D'ALAIN ROBBE-GRILLET.
Pierre Legendre, JOUIR DU POUVOIR. *Traité de la bureaucratie patriote.*
Emmanuel Levinas, QUATRE LECTURES TALMUDIQUES. — DU SACRÉ AU SAINT. *Cinq nouvelles lectures talmudiques.* — L'AU-DELA DU VERSET. *Lectures et discours talmudiques.*
Jean-François Lyotard, ÉCONOMIE LIBIDINALE. — LA CONDITION POSTMODERNE. *Rapport sur le savoir.* — LE DIFFÉREND.
Louis Marin, UTOPIQUES : JEUX D'ESPACES. — LE RÉCIT EST UN PIÈGE.
Francine Markovits, MARX DANS LE JARDIN D'ÉPICURE.
Michèle Montrelay, L'OMBRE ET LE NOM. *Sur la féminité.*
Thomas Pavel, LE MIRAGE LINGUISTIQUE. *Essai sur la modernisation intellectuelle.*
Michel Picard, LA LECTURE COMME JEU.
Michel Pierssens, LA TOUR DE BABIL. *La fiction du signe.*
Claude Reichler, LA DIABOLIE. *La séduction, la renardie, l'écriture.* — L'AGE LIBERTIN.
Alain Rey, LES SPECTRES DE LA BANDE. *Essai sur la B. D.*
Alain Robbe-Grillet, POUR UN NOUVEAU ROMAN.

Charles Rosen, Schœnberg.

Clément Rosset, Le réel. *Traité de l'idiotie.* — L'objet singulier. — La force majeure. — Le philosophe et les sortilèges.— Le principe de cruauté.

François Roustang, Un destin si funeste. — ... Elle ne le lache plus. — Le bal masqué de Giacomo Casanova.

Michel Serres, Hermes I. : La communication. — Hermes II : L'interférence. Hermes III : La traduction. — Hermes IV : La distribution. — Hermes V : Le passage du nord-ouest. — Jouvences. *Sur Jules Verne.* — La naissance de la physique dans le texte de Lucrèce. *Fleuves et turbulences.*

Michel Thévoz, L'académisme et ses fantasmes.

Jean-Louis Tristani, Le stade du respir.

Gianni Vattimo, Les aventures de la différence.

Paul Zumthor, Parler du moyen age.

CET OUVRAGE A ÉTÉ ACHEVÉ D'IMPRIMER LE VINGT-SIX SEPTEMBRE MIL NEUF CENT QUATRE-VINGT-HUIT DANS LES ATELIERS DE NORMANDIE IM-PRESSION S.A. À ALENÇON (ORNE) ET INSCRIT DANS LES REGISTRES DE L'ÉDITEUR SOUS LE Nº 2352

Dépôt légal : septembre 1988